Le rire

Henri Bergson

Le rire

ESSAI
SUR LA SIGNIFICATION
DU COMIQUE

QUADRIGE / PUF

ISBN 978-2-13-056274-0
ISSN 0291-0489

Dépôt légal – 1re édition : 1940
13e édition « Quadrige », 2e tirage : 2010, juillet

Sommaire

Principes généraux
de l'édition critique

L'œuvre philosophique de Henri Bergson appelle, comme toute grande œuvre classique, tout à la fois à être lue pour elle-même, comme si elle venait de paraître, et à être étudiée de la manière la plus rigoureuse, grâce à des instruments de travail à la mesure de son importance et de ses effets.

Telle est l'ambition de la présente édition, la première édition critique de cette œuvre, dans sa continuité même avec les éditions antérieures chez le même éditeur.

En voici les principes généraux :

1 / Le texte de chaque œuvre de Bergson y sera donné intégralement et de manière indépendante. Des appels de note signaleront les notes de l'éditeur, qui seront cependant renvoyées au « dossier ». Ces appels de note, qui plus est, ne modifieront pas la pagination du texte, qui reste celle des précédentes éditions de référence, dans la même collection, reprise en marge de l'édition dite du Centenaire

donnée en 1959 par André Robinet (avec une introduction de Henri Gouhier) dans le volume des *Œuvres*.

2 / L'édition que l'on vient de citer, par André Robinet, comportait un « apparat critique » indiquant les variantes, lorsqu'il y en avait, entre les différentes publications du texte de Bergson. Ces variantes sont intégralement reprises parmi les notes du dossier.

3 / Un « dossier » est établi pour chaque volume par un ou plusieurs éditeurs appartenant à une même équipe et selon les mêmes principes. Il comprend à chaque fois :

— un *appareil de notes* précis et extensif signalant et éclairant notamment les références historiques, scientifiques, philosophiques ; les renvois internes à un même livre et aux autres livres de Bergson ; les principales notions ou difficultés du texte lui-même ;

— une *table analytique* de l'ouvrage (rappelant, outre les intitulés de Bergson même en italiques, les articulations principales de l'ouvrage, en gras, et le détail de son mouvement) ainsi qu'une *série d'index* dont la précision et la multiplicité permet de ressaisir la richesse et la continuité même du livre : index des noms, des notions, des exemples, des images ;

— une brève anthologie des « *lectures* » majeures de l'ouvrage ainsi qu'une *bibliographie* extensive et commentée le concernant.

C'est aux attentes mêmes suscitées par la lecture et l'étude du texte de Bergson, d'abord expérimentées par les éditeurs eux-mêmes (tous spécialistes de cette œuvre), qu'il s'agit ainsi de répondre.

L'édition définitive comprendra les ouvrages suivants (suivis de la date prévue de leur parution dans ce cadre) :

Essai sur les données immédiates de la conscience (1889) : 2007
Matière et mémoire (1896) : 2009
Le rire (1900) : 2007
L'Évolution créatrice (1907) : 2007
L'Énergie spirituelle (1919) : 2011
Durée et simultanéité (1922) : 2009
Les deux sources de la morale et de la religion (1932) : 2011
La pensée et le mouvant (1934) : 2009
Écrits philosophiques : 2009
Cours et correspondances philosophiques : 2011

Les membres de l'équipe éditoriale sont notamment :

Arnaud Bouaniche, Élie During, Arnaud François, Frédéric Keck, Camille Riquier, Nelly Robinet, Guillaume Sibertin-Blanc, Ghislain Waterlot, Frédéric Worms.

Présentation

par Frédéric Worms

« Du "mécanique plaqué sur du vivant", vous dis-je ! »

Ainsi résume-t-on parfois *Le Rire* de Bergson, en plaquant sur lui, comme pour la confirmer ! sa formule la plus célèbre, ou plutôt son idée, *devenue* ainsi une formule ! Car il y a (Deleuze l'a montré, à la suite, justement, de Bergson[1]), un devenir-formule, essentiellement comique (le comique des idées, pour ainsi dire[2]). D'autres formules de Bergson en ont souffert, « l'élan vital », la « durée » elle-même, parfois invoquées, elles aussi, à la manière du « poumon » dans *Le malade imaginaire*, de Molière ! « La durée, la durée, vous dis-je ! » : n'a-t-on pas réduit parfois cette pensée, comme c'est possible pour toute pensée, à la répétition d'une formule, aussitôt

---

1. Voir son étude célèbre sur Bartleby de Melville : « Bartleby, ou la formule », in *Critique et clinique*, Paris, Minuit, 1993.
2. On emprunte l'expression au beau livre de Judith Schlanger : *Le comique des idées*, Paris, Gallimard.

comique ? Ainsi, il y a bien un devenir comique possible de tout ce qui est vivant, y compris de la
pensée, y compris (comme celle de ce livre) de la
pensée du comique, y compris de la pensée qui
dévoile, avec une souplesse incomparable, les ressorts du comique ! Il y a donc bien aussi, dans le
comique, dans ce livre sur le comique, un enjeu
essentiel, un enjeu sérieux, on aurait presque envie de
dire un enjeu tragique. Pourquoi les choses devien-
nent-elles risibles ? Pourquoi rions-nous ?

C'est à ces deux questions que répond Bergson
au fil du *Rire*, qu'il faut donc lire avant tout pour
lui-même, dans son mouvement si apparemment
« mécanique » (ne suit-il pas les catégories les plus
classiques du « comique » ?) mais si réellement
vivant, mobilisant toutes les puissances de l'écriture,
la démonstration, les images, l'humour, qui en font
un chef d'œuvre presque unique, le plus célèbre et
le plus lu de tous ses livres.

Mais pour montrer d'emblée en quoi il n'y
répond pas par une formule mécanique, à quel point
cette pensée implique toute sa pensée, et même au-
delà, au carrefour de son œuvre, du siècle, et de
tout un moment philosophique – le livre paraît en
1900 –, on soulignera ici deux étapes, deux degrés,
deux intensités, pour ainsi dire, de la réponse qu'il
apporte, en effet, à ces deux questions.

De quoi rions nous (1) ? Bergson psychologue

On ne peut en effet comprendre la « formule » : du mécanique plaqué sur du vivant, sans revenir sur la philosophie de Bergson qu'elle implique profondément, quoique discrètement (et presque invisiblement), dont elle est même une étape majeure.

C'est dans *Matière et mémoire*, publié quatre ans plus tôt, en 1896, et sous-titré « essai sur la relation du corps à l'esprit », qu'il faut chercher la clé de cette formule, qui annonce pourtant aussi le prochain livre de Bergson, consacré à la vie, *L'Évolution créatrice* (1907). C'est dans le livre de 1896, en effet, que Bergson a montré ce qu'on pourrait appeler le primat de l'action, ou de la vie. *Primum vivere*, d'abord vivre, telle est la loi qui explique aussi bien l'action de notre corps, que celle de notre esprit, et l'ajustement nécessaire des deux. Notre cerveau est l'organe principal de cette « *attention à la vie* » qui s'impose à nous à chaque instant : d'abord à travers la perception même des objets, selon l'importance qu'ils ont pour nous, ensuite à travers la mobilisation de notre mémoire, de notre savoir, en fonction aussi de ces contraintes. Bergson en avait fait le critère même du normal et du pathologique, de la santé et de la maladie. Même encore ancré dans l'action, celui qui ne vit que dans l'instant était « l'impulsif », celui qui ne vit que dans le souvenir était « le rêveur ». Ces appellations le montrent déjà, la précision de l'ajustement est ce qui autorise tous les déséquilibres : dès que notre esprit ou notre corps s'affranchit de l'attention à la vie, il devient comique. Ainsi, tout comme le mot d'esprit cinq ans plus tard chez Freud (voir le « dossier » ci-dessous), la thèse ici soutenue par Bergson s'ancre dans une philosophie générale de la vie mentale, consciente et inconsciente.

Telle est en tout cas la thèse, l'apport, du *Rire*. Des mouvements de notre corps à ceux de notre esprit, du passant qui glisse à l'obsessionnel et ses « idées fixes », toutes les figures comiques seraient issues du déréglement de cette machine vivante que nous sommes, quand elle se met à fonctionner toute seule et sans attention à la vie, c'est-à-dire à la circonstance, au présent, au besoin, aux autres. C'est ainsi aussi que la « vie » elle-même, qui pouvait apparaître en 1896 comme une contrainte générale et extérieure (il faut bien vivre) implique aussi une activité souple et créatrice ; le « vivant » entre ainsi dans la pensée de Bergson, et annonce cette fois le livre de 1907. *Le Rire* est bien loin d'être une simple application ; avec les autres essais de cette période intermédiaire, et plus encore qu'eux, il est une œuvre à part entière, et une étape décisive dans la pensée de Bergson.

Pourquoi rit-on (1) ? Bergson sociologue

Mais ce qui le montrera mieux encore, c'est la première réponse à la question qu'appelle immédiatement le comique : pourquoi rit-on ?

Il ne suffit pas, en effet, de dire de quoi on rit. Pourquoi le déréglement mécanique du corps ou de l'esprit d'un homme en fait-il rire un autre, ou (car c'est la thèse de Bergson) plusieurs autres ? C'est ici la grande nouveauté de ce livre de 1900, qui anticipe sur une philosophie morale, sociale et politique qui ne viendra dans l'œuvre de Bergson que bien plus tard (en 1932) et qui la relie déjà aux grandes doctrines sociologiques de son temps, du moment 1900. De fait, selon Bergson, si l'on répond à ce déréglement par le rire, c'est pour une raison tout à la fois vitale et sociale. Le rire est le comportement corporel que la vie utilise pour châtier le personnage comique et le rappeler à la norme que la société incarne et applique. Dès les premières pages, redoutablement sérieuses, et même sévères, du livre, le rire apparaît comme *intellectuel*, excluant tout sentiment (notamment la pitié) et *collectif*, excluant l'individu comique au nom d'un groupe qui doit préserver sa vie et sa norme. Le rire est donc déjà, comme le seront l'obligation, la discipline (et aussi la fabulation, le mythe), dans *Les deux sources de la morale et de la religion*, la réponse de la vie et de la société à la particularité qu'a l'homme de pouvoir s'affranchir d'elles : il est une réponse à l'intelligence et à la liberté, autant qu'au mécanique et au déréglement. Il est une force et une sanction. Bergson est ici un sociologue inattendu, à mi-chemin de « l'obligation » de Durkheim et de « l'imitation » de Tarde, les deux grands contemporains ; le rire est une norme qui se propage, une obligation, pour ainsi dire, contagieuse.

Mais si on en restait là, on risquerait d'avoir une réponse elle-même mécanique à la mécanisation de la vie. Il faut donc aller plus loin.

De quoi rions-nous (2) ?
Bergson philosophe de l'art

De fait, l'art de Bergson dans *Le Rire* consiste à montrer que les « procédés de fabrication » du rire, loin de se limiter au spectacle contingent d'un comique de rencontre, donnent lieu, justement, à un art et même à une série d'arts tout à fait spécifiques chez l'homme, de la plus élémentaire machine comique (le pantin à ressort) à la plus « *fine comédie* » dont le sommet est pour lui, aux confins du tragique, *Le Misanthrope* de Molière.

C'est que, justement, la comédie se situe au carrefour de *deux concepts de l'art*, tous les deux essentiels. Il y a les artifices du comique, qui sont au service de « la vie » ; et il y a tout au contraire l'essence profonde de l'art, que l'un des passages les plus importants du *Rire* (p. 115 sqq.) définit justement par opposition à la vie, par la saisie des choses et des êtres réels, individuels, temporels, que nous masque notre perception habituelle, spatiale, sociale, vitale. De ce fait, la comédie est un art mixte par excellence, elle est le sommet de l'art pratique et social de la punition ; elle « châtie les mœurs » ; mais elle peut aussi être déjà du côté de l'individu, de la pitié et de la liberté, comme c'est le cas justement des grandes comédies de Molière, qui décrivent à la fois des types comiques et des individus déchirés. Bergson dirait comme Rousseau qu'Alceste aurait dû être un personnage tragique, donner son nom propre à la pièce mais qu'il « fallait faire rire le parterre » (voir le texte dans le dossier, ci-dessous, p. 301 sqq.), et ainsi donner son trait générique de caractère en ridicule. Mais quoi qu'il en soit de ce point, *Le Rire* déborde largement son objet ponctuel, pour être sans aucun doute l'une des pièces majeures de la philosophie bergsonienne de l'art, qui affleure dans tous ses livres, et qui entre aussi en relation avec les autres grandes doctrines de ce moment essentiel de la pensée philosophique (le dossier, cette fois encore, le montrera amplement).

Surtout, c'est bien la progression souple du livre, et de sa « formule », d'exemple en exemple, qui attestera ainsi du caractère vivant de sa pensée, ramassant au fur et à mesure les enjeux les plus profonds et les plus graves. C'est ce que l'on doit souligner pour finir.

Pourquoi rit-on (2) ? Bergson moraliste

Il va de soi en effet à la lecture du livre que, plus même que sociologue, Bergson y est sans doute, avant tout, moraliste. Ce n'est donc pas un hasard si le livre, comme d'ailleurs celui de Freud cinq ans plus tard, se termine sur une étrange note « d'amertume » (p. 153).

Bergson est même ici deux fois moraliste : il décrit les ridicules, et critique aussi les rieurs, les premiers sont distraits, les deuxièmes sont cruels, les premiers perdent l'attention à la vie, les deuxièmes l'attention à autrui, et à eux-mêmes, au nom de la vie, ou d'un certain aspect de la vie. Progressivement, avec l'approfondissement du comique qui ne se « plaque » plus, mais « s'insère », « s'insinue » (il faudrait suivre ici toute la précision du vocabulaire employé), on sent que c'est de notre liberté qu'il est deux fois question. Tout d'abord parce qu'elle est menacée par la raideur du mécanique, mais aussi, et plus encore, parce qu'elle peut être tournée en comique par les procédés des rieurs, qu'il faut mettre de son côté ; le châtiment peut même être métaphysique : c'est à la liberté qu'on ne croira plus si tout nous paraît régi par des fils comme les actes des « marionnettes » (comme dans la plus belle page, à nos yeux, du livre, p. 60-61), c'est la pensée qui ne sera plus possible si on la réduit à des recettes et à des systèmes. C'est donc bien sur le comique, et non pas sur toute forme de rire que porte le livre de Bergson. On lui a parfois reproché, bien injustement, de ne pas connaître le rire généreux, humain, ni même le « sourire », l'humour, l'esprit. Or, non seulement Bergson en parle, non seulement il en use, mais on comprend que si son objet est le comique c'est parce qu'il fallait en dégager l'essence pure, qui comporte une dimension morale essentielle. Qu'à côté du comique il y ait le rire joyeux, la joie même qui accompagnera la nouveauté des rencontres et des relations individuelles, non seulement c'est possible, mais c'est réel. Mais il fallait méditer sur l'amertume du rire « spécialement provoqué par le comique » (avec ses enjeux politiques non moins cruels, que connaissait bien Freud) pour comprendre la plénitude de la joie qui de son côté résulte des émotions profondes, et qui saisit elle aussi, mais de manière ouverte, le corps individuel et social. C'est le rire qui échappe sans que l'on sache pourquoi, entre deux regards, ou entre deux voix, et qu'aucun procédé ne commande, mais qui nous délivre.

Frédéric Worms

Le rire

ESSAI
SUR LA SIGNIFICATION
DU COMIQUE

PRÉFACE[1]

Ce livre comprend trois articles sur *le Rire* (ou plutôt sur *le rire spécialement provoqué par le comique*) que nous avions publiés jadis dans la *Revue de Paris*[2]. Quand nous les réunîmes en volume, nous nous demandâmes si nous devions examiner à fond les idées de nos devanciers et instituer une critique en règle des théories du rire. Il nous parut que notre exposition se compliquerait démesurément, et donnerait un volume hors de proportion avec l'importance du sujet traité[1]. Il se trouvait d'ailleurs que les principales définitions du comique avaient été discutées par nous explicitement ou implicitement, quoique brièvement, à propos de tel ou tel exemple qui faisait penser à quelqu'une d'entre elles. Nous nous bornâmes donc à reproduire nos articles. Nous y joignîmes simplement une liste des principaux travaux publiés sur le comique dans les trente précédentes années.

D'autres travaux ont paru depuis lors. La liste, que nous donnons ci-dessous, s'en trouve allongée[2].

1. Nous reproduisons ici la préface de la vingt-troisième édition (1924)[1].
2. *Revue de Paris*, 1er et 15 février, 1er mars 1899[1].

Mais nous n'avons apporté aucune modification au livre lui-même[1]. Non pas, certes, que ces diverses études n'aient éclairé sur plus d'un point la question du rire. Mais notre méthode, qui consiste à déterminer les *procédés de fabrication* du comique, tranche sur celle qui est généralement suivie, et qui vise à enfermer les effets comiques dans une formule très large et très simple. Ces deux méthodes ne s'excluent pas l'une l'autre ; mais tout ce que pourra donner la seconde laissera intacts les résultats de la première ; et celle-ci est la seule, à notre avis, qui comporte une précision et une rigueur scientifiques[3]. Tel est d'ailleurs le point sur lequel nous appelons l'attention du lecteur dans l'appendice que nous joignons à la présente édition.

H. B.

Paris, janvier 1924.

Hecker, *Physiologie und Psychologie des Lachens und des Komischen*, 1873.

Dumont, *Théorie scientifique de la sensibilité*, 1875, p. 202 et suiv. Cf., du même auteur, *Les causes du rire*, 1862.

Courdaveaux, *Études sur le comique*, 1875.

Philbert, *Le rire*, 1883.

Bain (A.), *Les émotions et la volonté*, trad. fr., 1885, p. 249 et suiv.

Kraepelin, *Zur Psychologie des Komischen* (*Philos. Studien*, vol. II, 1885).

Spencer, *Essais*, trad. fr., 1891, vol. I, p. 295 et suiv. *Physiologie du rire*.

Penjon, *Le rire et la liberté* (*Revue philosophique*, 1893, t. II).

---

1. Nous avons fait cependant quelques retouches de forme.

Mélinand, *Pourquoi rit-on ?* (*Revue des Deux-Mondes*, février 1895).

Ribot, *La psychologie des sentiments*, 1896, p. 342 et suiv.

Lacombe, *Du comique et du spirituel* (*Revue de métaphysique et de morale*, 1897).

Stanley Hall and A. Allin, *The psychology of laughing, tickling and the comic* (*American Journal of Psychology*, vol. IX, 1897).

Meredith, *An essay on Comedy*, 1897.

Lipps, *Komik und Humor*, 1898. Cf., du même auteur, *Psychologie der Komik* (*Philosophische Monatshefte*, vol. XXIV, XXV).

Heymans, *Zur Psychologie der Komik* (*Zeitschr, f. Psych. u. Phys. der Sinnesorgane*, vol. XX, 1899).

Ueberhorst, *Das Komische*, 1899.

Dugas, *Psychologie du rire*, 1902.

Sully (James), *An essay on laughter*, 1902 (trad. fr. de L. et A. Terrier : *Essai sur le rire*, 1904).

Martin (L. J.), *Psychology of Aesthetics : The comic* (*American Journal of Psychology*, 1905, vol. XVI. p. 35-118).

Freud (Sigm.), *Der Witz und seine Beziehung zum Unbewussten*, 1905 ; 2e édition, 1912.

Cazamian, *Pourquoi nous ne pouvons définir l'humour* (*Revue germanique*, 1906, p. 601-634).

Gaultier, *Le rire et la caricature*, 1906.

Kline, *The psychology of humor* (*American Journal of Psychology*, vol. XVIII, 1907, p. 421-441).

Baldensperger, *Les définitions de l'humour* (*Études d'histoire littéraire*, 1907, vol. I).

Bawden, *The Comic as illustrating the summation-irradiation theory of pleasure-pain* (*Psychological Review*, 1910, vol. XVII, p. 336-346).

Schauer, *Ueber das Wesen der Komik* (*Arch. f. die gesamte Psychologie*, vol. XVIII, 1910, p. 411-427).

Kallen, *The aesthetic principle in comedy* (*American Journal of Psychology*, vol. XXII, 1911, p. 137-157).

Hollingworth, *Judgments of the Comic* (*Psychological Review*, vol. XVIII, 1911, p. 132-156).

Delage, *Sur la nature du comique* (*Revue du mois*, 1919, vol. XX, p. 337-354).

Bergson, *A propos de « la nature du comique »*. Réponse à l'article précédent (*Revue du mois*, 1919, vol. XX, p. 514-517). Reproduit en partie dans l'appendice de la présente édition.

Eastman, *The sense of humor*, 1921.

CHAPITRE PREMIER

Du comique en général
Le comique des formes
et le comique des mouvements
Force d'expansion du comique

Que signifie le rire ? Qu'y a-t-il au fond du risible ? Que trouverait-on de commun entre une grimace de pitre, un jeu de mots, un quiproquo de vaudeville, une scène de fine comédie ? Quelle distillation nous donnera l'essence, toujours la même, à laquelle tant de produits divers empruntent ou leur indiscrète odeur ou leur parfum délicat ? Les plus grands penseurs, depuis Aristote, se sont attaqués à ce petit problème, qui toujours se dérobe sous l'effort, glisse, s'échappe, se redresse, impertinent défi jeté à la spéculation philosophique.

Notre excuse, pour aborder le problème à notre tour, est que nous ne viserons pas à enfermer la fantaisie comique dans une définition. Nous voyons en elle, avant tout, quelque chose de vivant. Nous la traiterons, si légère soit-elle, avec le respect qu'on doit à la vie. Nous nous bornerons à la regarder grandir et s'épanouir. De forme en forme,

par gradations insensibles, elle accomplira sous nos
yeux de bien singulières métamorphoses[1]. Nous ne
dédaignerons rien de ce que nous aurons vu. Peut-
être gagnerons-nous d'ailleurs à ce contact soutenu
quelque chose de plus souple qu'une définition
théorique, — une connaissance pratique et intime,
comme celle qui naît d'une longue camaraderie.
Et peut-être trouverons-nous aussi que nous avons
fait, sans le vouloir, une connaissance utile. Raisonnable, à sa façon, jusque dans ses plus grands
écarts, méthodique dans sa folie, rêvant, je le
veux bien, mais évoquant en rêve des visions qui
sont tout de suite acceptées et comprises d'une
société entière[2], comment la fantaisie comique ne
nous renseignerait-elle pas sur les procédés de travail
de l'imagination humaine, et plus particulièrement
de l'imagination sociale, collective, populaire ? (Issue
de la vie réelle, apparentée à l'art, comment ne nous
dirait-elle pas aussi son mot sur l'art et sur la vie[3] ?)

Nous allons présenter d'abord trois observations
que nous tenons pour fondamentales. Elles portent
moins sur le comique lui-même que sur la place
où il faut le chercher.

I

Voici le premier point sur lequel nous appellerons
l'attention[a]. Il n'y a pas de comique en dehors de
ce qui est proprement *humain*. Un paysage pourra
être beau, gracieux, sublime, insignifiant ou laid ;

il ne sera jamais risible. On rira d'un animal, mais
parce qu'on aura surpris chez lui une attitude
d'homme ou une expression humaine. On rira
d'un chapeau ; mais ce qu'on raille alors, ce n'est
pas le morceau de feutre ou de paille, c'est la forme
que des hommes lui ont donnée, c'est le caprice
humain dont il a pris le moule[4]. Comment un fait
aussi important[a], dans sa simplicité, n'a-t-il pas
fixé davantage l'attention des philosophes ? Plusieurs ont défini l'homme « un animal qui sait
rire »[5]. Ils auraient aussi bien pu le définir un animal
qui fait rire, car si quelque autre animal y parvient,
ou quelque objet inanimé, c'est par une ressemblance[b] avec l'homme, par la marque que l'homme y
imprime ou par l'usage que l'homme en fait[6].

Signalons maintenant[c], comme un symptôme non
moins digne de remarque, l'*insensibilité* qui accompagne d'ordinaire le rire. Il semble que le comique
ne puisse produire son ébranlement qu'à la condition de tomber sur une surface d'âme bien calme,
bien unie. L'indifférence est son milieu naturel.
Le rire n'a pas de plus grand ennemi que l'émotion.
Je ne veux pas dire que nous ne puissions rire
d'une personne qui nous inspire de la pitié, par
exemple, ou même de l'affection : seulement alors,
pour quelques instants, il faudra oublier cette
affection, faire taire cette pitié[7]. Dans une société
de pures intelligences on ne pleurerait probablement
plus, mais on rirait peut-être encore ; tandis que
des âmes invariablement sensibles, accordées à

l'unisson de la vie, où tout événement se prolongerait en résonance sentimentale, ne connaîtraient ni ne comprendraient le rire[8]. Essayez, un moment[a], de vous intéresser à tout ce qui se dit et à tout ce qui se fait, agissez, en imagination, avec ceux qui agissent, sentez avec ceux qui sentent, donnez enfin à votre sympathie son plus large épanouissement : comme sous un coup de baguette magique vous verrez les objets les plus légers prendre du poids, et une coloration sévère passer sur toutes choses[9]. Détachez-vous maintenant, assistez à la vie en spectateur indifférent : bien des drames tourneront à la comédie[10]. Il suffit que nous bouchions nos oreilles au son de la musique, dans un salon où l'on danse, pour que les danseurs nous paraissent aussitôt ridicules. Combien d'actions humaines résisteraient à une épreuve de ce genre ? et ne verrions-nous pas beaucoup d'entre elles passer tout à coup du grave au plaisant, si nous les isolions de la musique de sentiment qui les accompagne[11] ? Le comique exige donc enfin, pour produire tout son effet, quelque chose comme une anesthésie momentanée du cœur. Il s'adresse à l'intelligence pure.

Seulement, cette intelligence doit rester en contact avec d'autres intelligences. Voilà le troisième fait sur lequel nous désirions attirer l'attention[b]. On ne goûterait pas le comique si l'on se sentait isolé[12]. Il semble que le rire ait besoin d'un écho. Écoutez-le bien : ce n'est pas un son articulé, net, terminé ; c'est quelque chose qui voudrait se prolonger en se répercutant de proche en proche, quelque chose qui commence par un éclat pour se continuer par des roulements, ainsi que le tonnerre dans la montagne. Et pourtant cette répercussion ne doit pas aller à l'infini. Elle peut cheminer à l'intérieur d'un cercle aussi large qu'on voudra ; le cercle n'en reste pas moins fermé. Notre rire est toujours le rire d'un groupe[13]. Il vous est peut-être arrivé, en wagon[a] ou à une table d'hôte, d'entendre des voyageurs se raconter des histoires qui devaient être comiques pour eux puisqu'ils en riaient de bon cœur. Vous auriez ri comme eux si vous eussiez été de leur société. Mais n'en étant pas, vous n'aviez aucune envie de rire. Un homme, à qui l'on demandait pourquoi il ne pleurait pas à un sermon où tout le monde versait des larmes, répondit : « Je ne suis pas de la paroisse. » Ce que cet homme pensait des larmes serait bien plus vrai du rire. Si franc qu'on le suppose, le rire cache une arrière-pensée d'entente[b], je dirais presque de complicité, avec d'autres rieurs, réels ou imaginaires. Combien de fois n'a-t-on pas dit que le rire du spectateur, au théâtre, est d'autant plus large que la salle est plus pleine ; combien de fois n'a-t-on pas fait remarquer, d'autre part, que beaucoup d'effets comiques sont intraduisibles d'une langue dans une autre, relatifs par conséquent aux mœurs et aux idées d'une société particulière[14] ? Mais c'est pour n'avoir pas compris l'importance de ce double fait qu'on a vu dans le comique une simple curiosité où l'esprit s'amuse, et dans le rire lui-même un phénomène étrange, isolé, sans rapport avec le reste de l'activité humaine. De là ces définitions qui tendent à faire du comique une relation abstraite aperçue par l'esprit entre des idées, « contraste intellectuel », « absurdité sensible », etc., définitions qui, même si elles convenaient réellement à toutes les formes du comique, n'expliqueraient pas le moins du monde pourquoi le comique nous fait rire[15]. D'où viendrait, en effet, que cette relation logique particulière, aussitôt aperçue, nous contracte, nous dilate, nous secoue, alors que toutes les autres laissent notre corps indifférent ? Ce n'est pas par ce côté que nous aborderons le problème. Pour comprendre le rire, il faut le replacer dans son milieu naturel, qui est la société ; il faut surtout en déterminer la fonction utile, qui est une fonction sociale. Telle sera, disons-le dès maintenant, l'idée directrice de toutes nos recherches. Le rire doit répondre à certaines exigences de la vie en commun. Le rire doit avoir une signification sociale.

Marquons nettement le point où viennent converger nos trois observations préliminaires. Le comique naîtra, semble-t-il, quand des hommes réunis en groupe dirigeront tous leur attention sur un d'entre eux, faisant taire leur sensibilité et exerçant leur seule intelligence. Quel est maintenant le point particulier sur lequel devra se diriger leur attention ? à quoi s'emploiera ici l'intelligence ? Répondre à ces questions sera déjà serrer de plus près le problème. Mais quelques exemples deviennent indispensables.

II

Un homme, qui courait dans la rue, trébuche et tombe : les passants rient. On ne rirait pas de lui, je pense, si l'on pouvait supposer que la fantaisie lui est venue tout à coup de s'asseoir par terre. On rit de ce qu'il s'est assis involontairement. Ce n'est donc pas son changement brusque d'attitude qui fait rire, c'est ce qu'il y a d'involontaire dans le changement, c'est la maladresse. Une pierre était peut-être sur le chemin. Il aurait fallu changer d'allure ou tourner l'obstacle. Mais par manque de souplesse, par distraction ou obstination du corps, *par un effet de raideur ou de vitesse acquise*, les muscles ont continué d'accomplir le même mouvement quand les circonstances demandaient autre chose[16]. C'est pourquoi l'homme est tombé, et c'est de quoi les passants rient.

Voici maintenant une personne qui vaque à ses petites occupations avec une régularité mathématique. Seulement, les objets qui l'entourent ont été truqués par un mauvais plaisant. Elle trempe sa plume dans l'encrier et en retire de la boue, croit s'asseoir sur une chaise solide et s'étend sur le parquet, enfin agit à contresens ou fonctionne à vide, toujours par un effet de vitesse acquise.

L'habitude avait imprimé un élan. Il aurait fallu arrêter le mouvement ou l'infléchir. Mais point du tout, on a continué machinalement en ligne droite. La victime d'une farce d'atelier est donc dans une situation analogue à celle du coureur qui tombe. Elle est comique pour la même raison. Ce qu'il y a de risible dans un cas comme dans l'autre, c'est une certaine *raideur de mécanique* là où l'on voudrait trouver la souplesse attentive et la vivante flexibilité d'une personne[17]. Il y a entre les deux cas cette seule différence que le premier s'est produit de lui-même, tandis que le second a été obtenu artificiellement. Le passant, tout à l'heure, ne faisait qu'*observer* ; ici le mauvais plaisant *expérimente*[18].

Toutefois, dans les deux cas, c'est une circonstance extérieure qui a déterminé l'effet. Le comique est donc accidentel ; il reste, pour ainsi dire, à la surface de la personne. Comment pénétrera-t-il à l'intérieur ? Il faudra que la raideur mécanique n'ait plus besoin, pour se révéler, d'un obstacle placé devant elle par le hasard des circonstances ou par la malice de l'homme. Il faudra qu'elle tire de son propre fonds, par une opération naturelle, l'occasion sans cesse renouvelée de se manifester extérieurement. Imaginons donc un esprit qui soit toujours à ce qu'il vient de faire, jamais à ce qu'il fait, comme une mélodie qui retarderait sur son accompagnement. Imaginons une certaine inélasticité native des sens et de l'intelligence, qui fasse que l'on continue de voir ce qui n'est plus, d'entendre ce qui ne résonne plus, de dire ce qui ne convient plus, enfin de s'adapter à une situation passée et imaginaire quand on devrait se modeler sur la réalité présente[19]. Le comique s'installera cette fois dans la personne même : c'est la personne qui lui fournira tout, matière et forme, cause et occasion. Est-il étonnant que le *distrait* (car tel est le personnage que nous venons de décrire) ait tenté généralement la verve des auteurs comiques ? Quand La Bruyère rencontra ce caractère sur son chemin, il comprit, en l'analysant, qu'il tenait une recette pour la fabrication en gros des effets amusants. Il en abusa. Il fit de Ménalque la plus longue et la plus minutieuse des descriptions, revenant, insistant, s'appesantissant outre mesure[20]. La facilité du sujet le retenait. Avec la distraction, en effet, on n'est peut-être pas à la source même du comique, mais on est sûrement dans un certain courant de faits et d'idées qui vient tout droit de la source. On est sur une des grandes pentes naturelles du rire[21].

Mais l'effet de la distraction peut se renforcer à son tour. Il y a une loi générale dont nous venons de trouver une première application et que nous formulerons ainsi : quand un certain effet comique dérive d'une certaine cause, l'effet nous paraît d'autant plus comique que nous jugeons plus naturelle la cause[22]. Nous rions déjà de la distraction qu'on nous présente comme un simple fait. Plus risible sera la distraction que nous aurons vue naître et grandir sous nos yeux, dont nous connaîtrons l'origine et dont nous pourrons reconstituer l'histoire[23]. Supposons donc, pour prendre un exemple précis, qu'un personnage ait fait des romans d'amour ou de chevalerie sa lecture habituelle. Attiré, fasciné par ses héros, il détache vers eux, petit à petit, sa pensée et sa volonté. Le voici qui circule parmi nous à la manière d'un somnambule. Ses actions sont des distractions[24]. Seulement, toutes ces distractions se rattachent à une cause connue et positive. Ce ne sont plus, purement et simplement, des *absences* ; elles s'expliquent par la *présence* du personnage dans un milieu bien défini, quoique imaginaire. Sans doute une chute est toujours une chute, mais autre chose est de se laisser choir dans un puits parce qu'on regardait n'importe où ailleurs, autre chose y tomber parce qu'on visait une étoile. C'est bien une étoile que Don Quichotte contemplait[25]. Quelle profondeur de comique que celle du romanesque et de l'esprit de chimère ! Et pourtant, si l'on rétablit l'idée de distraction qui doit servir d'intermédiaire, on voit ce comique très profond se relier au comique le plus superficiel[26]. Oui, ces esprits chimériques, ces exaltés, ces fous si étrangement raisonnables nous font rire en touchant les mêmes cordes en nous, en actionnant le même mécanisme intérieur, que la victime d'une farce d'atelier ou le passant qui glisse dans la rue. Ce sont bien, eux aussi, des coureurs qui tombent et des naïfs qu'on mystifie, coureurs d'idéal qui trébuchent sur les réalités, rêveurs candides que guette malicieusement la vie. Mais ce sont surtout de grands distraits, avec cette supériorité sur les autres que leur distraction est systématique, organisée autour d'une idée centrale[27] — que leurs mésaventures aussi sont bien liées, liées par l'inexorable logique que la réalité applique à corriger le rêve[28] — et qu'ils provoquent ainsi autour d'eux, par des effets capables de s'additionner toujours les uns aux autres, un rire indéfiniment grandissant[29].

Faisons maintenant un pas de plus. Ce que la raideur de l'idée fixe est à l'esprit, certains vices ne le seraient-ils pas au caractère ? Mauvais pli de la nature ou contracture de la volonté, le vice ressemble souvent à une courbure de l'âme[30]. Sans doute il y a des vices où l'âme s'installe profondément avec tout ce qu'elle porte en elle de puissance fécondante, et qu'elle entraîne, vivifiés, dans un cercle mouvant de transfigurations. Ceux-là sont des vices tragiques. Mais le vice qui nous rendra comiques est au contraire celui qu'on nous apporte du dehors comme un cadre tout fait où nous nous insérerons. Il nous impose sa raideur, au lieu de nous emprunter notre souplesse[31]. Nous ne le compliquons pas : c'est lui, au contraire, qui nous simplifie. Là paraît précisément[a] résider — comme nous essaierons[b] de le montrer en détail dans la dernière partie de cette étude — la différence essentielle entre la comédie et le drame[32]. Un drame, même quand il nous peint des passions ou des

vices qui portent un nom, les incorpore si bien au
personnage que[a] leurs noms s'oublient, que leurs
caractères généraux s'effacent, et que nous ne
pensons plus du tout à eux, mais à la personne qui
les absorbe ; c'est pourquoi le titre d'un drame ne
peut guère être qu'un nom propre. Au contraire,
beaucoup de comédies portent un nom commun :
l'Avare, le Joueur, etc[33]. Si je vous demande d'imaginer une pièce qui puisse s'appeler *le Jaloux*, par
exemple, vous verrez que *Sganarelle* vous viendra à
l'esprit, ou *George Dandin*, mais non pas *Othello* ;
le Jaloux ne peut être qu'un titre de comédie. C'est
que le vice comique a beau s'unir aussi intimement
qu'on voudra aux personnes, il n'en conserve pas
moins son existence indépendante et simple[34] ; il
reste le personnage central, invisible et présent,
auquel les personnages de chair et d'os sont suspendus sur la scène. Parfois il s'amuse à les
entraîner de son poids et à les faire rouler avec lui
le long d'une pente. Mais plus souvent il jouera
d'eux comme d'un instrument ou les manœuvrera
comme des pantins[35]. Regardez de près : vous
verrez que l'art du poète comique est de nous faire
si bien connaître ce vice, de nous introduire, nous
spectateurs, à tel point dans son intimité, que nous
finissons par obtenir de lui quelques fils de la
marionnette dont il joue ; nous en jouons alors à
notre tour ; une partie de notre plaisir vient de là[36].
Donc, ici encore, c'est bien une espèce d'automatisme qui nous fait rire. Et c'est encore un[b] auto-

matisme très voisin de la simple distraction. Il suffira, pour s'en convaincre, de remarquer qu'un personnage comique est généralement comique dans l'exacte mesure où il s'ignore lui-même. Le comique est *inconscient*. Comme s'il usait à rebours de l'anneau de Gygès, il se rend invisible à lui-même en devenant visible à tout le monde. Un personnage de tragédie ne changera rien à sa conduite parce qu'il saura comment nous la jugeons ; il y pourra persévérer, même avec la pleine conscience de ce qu'il est, même avec le sentiment très net de l'horreur qu'il nous inspire[37]. Mais un défaut ridicule, dès qu'il se sent ridicule, cherche à se modifier, au moins extérieurement[38]. Si Harpagon nous voyait rire de son avarice, je ne dis pas qu'il s'en corrigerait, mais il nous la montrerait moins, ou il nous la montrerait autrement. Disons-le dès maintenant, c'est en ce sens surtout que le rire « châtie les mœurs »[39]. Il fait que nous tâchons tout de suite de paraître ce que nous devrions être, ce que nous finirons sans doute un jour par être véritablement.

Inutile de pousser plus loin[b] cette analyse pour le moment. Du coureur qui tombe au naïf qu'on mystifie, de la mystification à la distraction, de la distraction à l'exaltation, de l'exaltation aux diverses déformations de la volonté et du caractère, nous venons de suivre le progrès par lequel le comique s'installe de plus en plus profondément dans la personne, sans cesser pourtant de nous rappeler, dans ses manifestations les plus subtiles, quelque chose de ce que nous apercevions dans ses formes plus grossières, un effet d'automatisme et de raideur[40]. Nous pouvons maintenant obtenir une première vue, prise de bien loin, il est vrai, vague et confuse encore, sur le côté risible de la nature humaine et sur la fonction ordinaire du rire.

Ce que la vie et la société exigent de chacun de nous, c'est une attention constamment en éveil, qui discerne les contours de la situation présente, c'est aussi une certaine élasticité du corps et de l'esprit, qui nous mette à même de nous y adapter. *Tension* et *élasticité*, voilà deux forces complémentaires l'une de l'autre que la vie met en jeu[41]. Font-elles gravement défaut au corps ? ce sont les accidents de tout genre, les infirmités, la maladie. A l'esprit ? ce sont tous les degrés de la pauvreté psychologique, toutes les variétés de la folie. Au caractère enfin ? vous avez les inadaptations profondes à la vie sociale, sources de misère, parfois occasions de crime. Une fois écartées ces infériorités qui intéressent le sérieux de l'existence (et elles tendent à s'éliminer elles-mêmes dans ce qu'on a appelé la lutte pour la vie[42]), la personne peut vivre, et vivre en commun avec d'autres personnes. Mais la société demande autre chose encore. Il ne lui suffit pas de vivre ; elle tient à vivre bien[43]. Ce qu'elle a maintenant à redouter, c'est que chacun de nous, satisfait de donner son attention à ce qui concerne l'essentiel de la vie, se laisse aller pour tout le reste à l'automatisme facile des habitudes contractées. Ce qu'elle doit craindre aussi, c'est que les membres dont elle se compose, au lieu de viser à un équilibre de plus en plus délicat de volontés qui s'inséreront de plus en plus exactement les unes dans les autres, se contentent de respecter les conditions fondamentales de cet équilibre : un accord tout fait entre les personnes ne lui suffit pas, elle voudrait un effort constant d'adaptation réciproque[44]. Toute *raideur* du caractère, de l'esprit et même du corps, sera donc suspecte à la société, parce qu'elle est le signe possible d'une activité qui s'endort et aussi d'une activité qui s'isole, qui tend à s'écarter du centre commun autour duquel la société gravite, d'une excentricité enfin. Et pourtant la société ne peut intervenir ici par une répression matérielle, puisqu'elle n'est pas atteinte matériellement. Elle est en présence de quelque chose qui l'inquiète, mais à titre de symptôme seulement — à peine une menace, tout au plus un geste. C'est donc par un simple geste qu'elle y répondra. Le rire doit être quelque chose de ce genre, une espèce de *geste social*[45]. Par la crainte qu'il inspire, il réprime les excentricités, tient constamment en éveil et en contact réciproque certaines activités d'ordre accessoire qui risqueraient de s'isoler et de s'endormir, assouplit enfin tout ce qui peut rester de raideur mécanique à la surface du corps social[46]. Le rire ne relève donc pas de l'esthétique pure, puisqu'il poursuit (inconsciemment, et même immoralement dans beaucoup de cas particuliers) un but utile de perfectionnement général[47]. Il a quelque chose d'esthétique cependant puisque le comique naît au moment précis où la société et la personne, délivrées du souci de leur conservation, commencent à se traiter elles-mêmes comme des œuvres d'art[48]. En un mot, si l'on trace un cercle autour des actions et dispositions qui compromettent la vie individuelle ou sociale et qui se châtient elles-mêmes par leurs conséquences naturelles[49], il reste en dehors de ce terrain d'émotion et de lutte, dans une zone neutre où l'homme se donne simplement en spectacle à l'homme, une certaine raideur du corps, de l'esprit et du caractère, que la société voudrait encore éliminer pour obtenir de ses membres la plus grande élasticité et la plus haute sociabilité possibles. Cette raideur est le comique, et le rire en est le châtiment.

Gardons-nous pourtant de demander à cette formule simple une explication immédiate de tous les effets comiques. Elle convient sans doute à des cas élémentaires, théoriques, parfaits, où le comique est pur de tout mélange[50]. Mais nous voulons surtout en faire le *leitmotiv*[a] qui accompagnera toutes nos explications. Il y faudra penser toujours, sans néanmoins s'y appesantir trop[b] — un peu comme le bon escrimeur doit penser aux mouvements discontinus de la leçon tandis que son corps s'abandonne à la continuité de l'assaut. Maintenant, c'est la continuité même des formes comiques que nous allons tâcher de rétablir, ressaisissant le fil qui va des pitreries du clown aux jeux les plus raffinés de la comédie, suivant ce fil dans des détours[a] souvent imprévus, stationnant de loin en loin pour regarder autour de nous, remontant enfin, si c'est possible, au point où le fil est suspendu et d'où nous apparaîtra peut-être — puisque le comique se balance entre la vie et l'art — le rapport général de l'art à la vie[51].

III

Commençons par le plus simple. Qu'est-ce qu'une physionomie comique ? D'où vient une expression ridicule du visage ? Et qu'est-ce qui distingue ici le comique du laid[52] ? Ainsi posée, la question n'a guère pu être résolue qu'arbitrairement. Si simple qu'elle paraisse, elle est déjà trop subtile pour se laisser aborder de front. Il faudrait commencer par définir la laideur, puis chercher ce que le comique y ajoute : or, la laideur n'est pas beaucoup plus facile à analyser que la beauté[53]. Mais nous allons essayer d'un artifice qui nous servira souvent. Nous allons épaissir le problème, pour ainsi dire, en grossissant l'effet jusqu'à rendre visible la cause[54]. Aggravons donc la laideur, poussons-la jusqu'à la difformité, et voyons comment on passera du difforme au ridicule.

Il est incontestable que certaines difformités ont sur les autres le triste privilège de pouvoir, dans certains cas, provoquer le rire. Inutile d'entrer dans le détail. Demandons seulement[a] au lecteur de passer en revue les difformités diverses, puis de les diviser en deux groupes, d'un côté celles que la nature a orientées vers le risible, de l'autre celles qui s'en écartent absolument. Nous croyons[b] qu'il aboutira à dégager la loi suivante : *Peut devenir comique toute difformité qu'une personne bien conformée arriverait à contrefaire.*

Ne serait-ce pas alors que le bossu fait l'effet d'un homme qui se tient mal ? Son dos aurait contracté un mauvais pli[55]. Par obstination matérielle, *par raideur*, il persisterait dans l'habitude contractée. Tâchez de voir avec vos yeux seulement. Ne réfléchissez pas et surtout ne raisonnez pas. Effacez l'acquis ; allez à la recherche de l'impression naïve, immédiate, originelle. C'est bien une vision de ce genre que vous ressaisirez. Vous aurez devant vous un homme qui a voulu se raidir dans une certaine attitude, et si l'on pouvait parler ainsi, faire grimacer son corps[56].

Revenons maintenant au point que nous voulions éclaircir. En atténuant la difformité risible, nous devrons obtenir la laideur comique. Donc, une expression risible du visage sera celle qui nous fera penser à quelque chose de raidi, de figé, pour ainsi dire, dans la mobilité ordinaire de la physionomie. Un tic consolidé, une grimace fixée, voilà ce que nous y verrons. Dira-t-on que toute expression habituelle du visage, fût-elle gracieuse et belle, nous donne cette même impression d'un pli contracté pour toujours ? Mais il y a ici une distinction importante à faire. Quand nous parlons d'une beauté et même d'une laideur expressives, quand nous disons qu'un visage a de l'expression, il s'agit d'une expression stable peut-être, mais que nous devinons mobile[57]. Elle conserve, dans sa fixité, une indécision où se dessinent confusément toutes les nuances possibles de l'état d'âme qu'elle exprime : telles, les chaudes promesses de la journée se respirent dans certaines matinées vaporeuses de printemps. Mais une expression comique du visage est celle qui ne promet rien de plus que ce qu'elle donne[58]. C'est une grimace unique et définitive. On dirait que toute la vie morale de la personne a cristallisé dans ce système. Et c'est pourquoi un visage est d'autant plus comique qu'il nous suggère mieux l'idée de quelque action simple, mécanique, où la personnalité serait absorbée à tout jamais. Il y a des visages qui paraissent occupés à pleurer sans cesse, d'autres à rire ou à siffler, d'autres à souffler éternellement dans une trompette imaginaire. Ce sont les plus comiques de tous les visages. Ici encore se vérifie la loi d'après laquelle l'effet est d'autant plus comique que nous en expliquons plus naturellement la cause[59]. Automatisme, raideur, pli contracté et gardé, voilà par où une physionomie nous fait rire. Mais cet effet gagne en intensité quand nous pouvons rattacher ces caractères à une cause profonde, à une certaine *distraction fondamentale* de la personne, comme si l'âme s'était laissé fasciner, hypnotiser, par la matérialité d'une action simple[60].

On comprendra alors le comique de la caricature. Si régulière que soit une physionomie, si harmonieuse qu'on en suppose les lignes, si souples les mouvements, jamais l'équilibre n'en est absolument parfait. On y démêlera toujours l'indication d'un pli qui s'annonce, l'esquisse d'une grimace possible, enfin une déformation préférée où se contournerait plutôt la nature. L'art du caricaturiste est de saisir ce mouvement parfois imperceptible, et de le rendre visible à tous les yeux en l'agrandissant. Il fait grimacer ses modèles comme ils grimaceraient eux-mêmes s'ils allaient jusqu'au bout de leur grimace[61]. Il devine, sous les harmonies superficielles de la forme, les révoltes profondes de la matière. Il réalise des disproportions et des déformations qui ont dû exister dans la nature à l'état de velléité, mais qui n'ont pu aboutir, refoulées par une force meilleure. Son art, qui a quelque chose de diabolique, relève le démon qu'avait terrassé l'ange. Sans doute c'est un art qui exagère et pourtant on le définit très mal quand on lui assigne pour but une exagération[62], car il y a des caricatures plus ressemblantes que des portraits, des caricatures où l'exagération est à peine sensible, et inversement on peut exagérer à outrance sans obtenir un véritable effet de caricature. Pour que l'exagération soit comique, il faut qu'elle n'apparaisse pas comme le but, mais comme un simple moyen dont le dessinateur se sert pour rendre manifestes à nos yeux les contorsions qu'il voit se préparer dans la nature[63]. C'est cette contorsion qui importe, c'est elle qui intéresse. Et voilà pourquoi on ira la chercher jusque dans les éléments de la physionomie qui sont incapables de mouvement, dans la courbure d'un nez et même dans la forme d'une oreille. C'est que la forme est pour nous[a] le dessin d'un mouvement[64]. Le caricaturiste qui altère la dimension d'un nez, mais qui en respecte la formule, qui l'allonge par exemple dans le sens même où l'allongeait déjà la nature, fait véritablement grimacer ce nez : désormais l'original nous paraîtra, lui aussi, avoir voulu s'allonger et faire la grimace. En ce sens, on pourrait dire que la nature obtient souvent elle-même des succès de caricaturiste. Dans le mouvement par lequel elle a fendu cette bouche, rétréci ce menton, gonflé cette joue, il semble qu'elle ait réussi à aller jusqu'au bout de sa grimace, trompant la surveillance modératrice d'une force plus raisonnable. Nous rions alors d'un visage qui est à lui-même, pour ainsi dire, sa propre caricature.

En résumé, quelle que soit la doctrine à laquelle notre raison se rallie, notre imagination a sa philosophie bien arrêtée : dans toute forme humaine elle aperçoit l'effort d'une âme qui façonne la matière, âme infiniment souple, éternellement mobile, soustraite à la pesanteur parce que ce n'est pas la terre qui l'attire[65]. De sa légèreté ailée cette âme communique quelque chose au corps qu'elle anime : l'immatérialité qui passe ainsi dans la matière est ce qu'on appelle la grâce[66]. Mais la matière résiste et s'obstine. Elle tire à elle, elle voudrait convertir à sa propre inertie et faire dégénérer en automatisme l'activité toujours en éveil de ce principe supérieur. Elle voudrait fixer les mouvements intelligemment variés du corps en plis stupidement contractés, solidifier en grimaces durables les expressions mouvantes de la physionomie, imprimer enfin à toute la personne une attitude telle qu'elle paraisse enfoncée et absorbée dans la matérialité de quelque occupation mécanique au lieu de se renouveler sans cesse au contact d'un idéal vivant. Là où la matière réussit[b] ainsi à épaissir extérieurement la vie de l'âme, à en figer le mouvement, à en contrarier enfin la grâce, elle obtient du corps un effet comique. Si donc on voulait définir ici le comique en le rapprochant de son contraire, il faudrait l'opposer à la grâce plus encore qu'à la beauté. Il est plutôt raideur que laideur.

IV

Nous allons passer du comique des *formes* à celui des *gestes* et des mouvements. Énonçons[c] tout de suite la loi qui nous paraît gouverner les faits de ce genre. Elle se déduit sans peine des considérations qu'on vient de lire.

Les attitudes, gestes et mouvements du corps humain

sont risibles dans l'exacte mesure où ce corps nous fait penser à une simple mécanique.

Nous ne suivrons pas[a] cette loi dans le détail de ses applications immédiates. Elles sont innombrables. Pour la vérifier directement, il suffirait d'étudier de près l'œuvre des dessinateurs comiques, en écartant le côté[b] caricature, dont nous avons donné une explication spéciale, et en négligeant aussi la part de comique qui n'est pas inhérente au dessin lui-même. Car il ne faudrait pas s'y tromper, le comique du dessin est souvent un comique d'emprunt, dont la littérature fait les principaux frais. Nous voulons dire[c] que le dessinateur peut se doubler d'un auteur satirique, voire d'un vaudevilliste, et qu'on rit[d] bien moins alors des dessins eux-mêmes que de la satire ou de la scène de comédie qu'on y trouve représentée[e]. Mais si l'on s'attache au dessin avec la ferme volonté de ne penser qu'au dessin, on trouvera, croyons-nous, que le dessin est généralement comique[f] en proportion de la netteté, et aussi de la discrétion, avec lesquelles il nous fait voir dans l'homme un pantin articulé[67]. Il faut que cette suggestion soit nette, et que nous apercevions clairement, comme par transparence, un mécanisme démontable à l'intérieur de la personne. Mais il faut aussi que la suggestion soit discrète, et que l'ensemble de la personne, où chaque membre a été raidi en pièce mécanique, continue à nous donner l'impression d'un être qui vit[68]. L'effet comique est d'autant plus saisissant, l'art du dessinateur est d'autant plus consommé, que ces deux images, celle d'une personne et celle d'une mécanique, sont plus exactement insérées l'une dans l'autre[69]. Et l'originalité d'un dessinateur[a] comique pourrait se définir par le genre particulier de vie qu'il communique à un simple pantin.

Mais nous laisserons de côté[b] les applications immédiates du principe et nous n'insisterons ici[c] que sur des conséquences plus lointaines. La vision d'une mécanique qui fonctionnerait à l'intérieur de la personne est chose qui perce à travers une foule d'effets amusants ; mais c'est le plus souvent une vision fuyante, qui se perd tout de suite dans le rire qu'elle provoque. Il faut un effort d'analyse et de réflexion pour la fixer[70].

Voici par exemple, chez un orateur, le geste, qui rivalise avec la parole. Jaloux de la parole, le geste court derrière[d] la pensée et demande, lui aussi, à servir d'interprète. Soit ; mais qu'il s'astreigne alors à suivre la pensée dans le détail de ses évolutions. L'idée est chose qui grandit, bourgeonne, fleurit, mûrit, du commencement à la fin du discours. Jamais elle ne s'arrête, jamais elle ne se répète. Il faut qu'elle change à chaque instant[e], car cesser de changer serait cesser de vivre[71]. Que le geste s'anime donc comme elle ! Qu'il accepte la loi fondamentale de la vie, qui est de ne se répéter jamais ! Mais voici qu'un certain mouvement du bras ou de la tête, toujours le même, me paraît revenir périodiquement[72]. Si je le remarque, s'il suffit à me distraire, si je l'attends au passage et s'il arrive quand je l'attends, involontairement je rirai. Pourquoi ? Parce que j'ai maintenant devant moi une mécanique qui fonctionne automatiquement. Ce n'est plus de la vie, c'est de l'automatisme installé dans la vie et imitant la vie. C'est du comique.

Voilà aussi pourquoi des gestes, dont nous ne songions pas à rire, deviennent risibles quand une nouvelle personne les imite. On a cherché des explications bien compliquées à ce fait très simple. Pour peu qu'on y réfléchisse, on verra que nos états d'âme changent d'instant en instant[73], et que si nos gestes suivaient fidèlement nos mouvements intérieurs, s'ils vivaient comme nous vivons, ils ne se répéteraient pas : par là[a], ils défieraient toute imitation. Nous ne commençons donc à devenir imitables que là où nous cessons d'être nous-mêmes. Je veux dire qu'on ne peut imiter de nos gestes que ce qu'ils ont de mécaniquement uniforme et, par là même, d'étranger à notre personnalité vivante. Imiter quelqu'un, c'est dégager la part d'automatisme qu'il a laissée s'introduire dans sa personne[74]. C'est donc, par définition même, le rendre comique, et il n'est pas étonnant que l'imitation fasse rire.

Mais, si l'imitation des gestes est déjà risible par elle-même, elle le deviendra plus encore quand elle s'appliquera à les infléchir, sans les déformer, dans le sens de quelque opération mécanique, celle de scier du bois, par exemple, ou de frapper sur une enclume, ou de tirer infatigablement un cordon de sonnette imaginaire. Ce n'est pas que la vulgarité soit l'essence du comique (quoiqu'elle y entre certainement pour quelque chose). C'est plutôt que le geste saisi paraît plus franchement machinal quand on peut le rattacher à une opération simple, comme s'il était mécanique par destination[75]. Suggérer cette interprétation mécanique doit être un des procédés favoris de la parodie. Nous venons de[a] le déduire *a priori*, mais les pitres en ont sans doute depuis longtemps[b] l'intuition[76].

Ainsi se résout la petite[c] énigme proposée par Pascal dans un passage des *Pensées* : « Deux visages semblables, dont aucun ne fait rire en particulier, font rire ensemble par leur ressemblance. »[77] On dirait de même : « Les gestes d'un orateur, dont aucun n'est risible en particulier, font rire par leur répétition. » C'est que la vie bien vivante ne devrait pas se répéter[d]. Là où il y a répétition, similitude complète, nous soupçonnons du mécanique[e] fonctionnant derrière le vivant. Analysez votre impression en face de deux visages qui se ressemblent trop : vous verrez que vous pensez à deux exemplaires obtenus avec un même moule, ou à deux empreintes du même cachet, ou à deux reproductions du même cliché, enfin à un procédé de fabrication industrielle. Cet infléchissement de la vie dans la direction de la mécanique est ici la vraie cause du rire.

Et le rire sera bien plus fort encore si l'on ne nous présente plus sur la scène deux personnages seulement, comme dans l'exemple de Pascal, mais plusieurs, mais le plus grand nombre possible, tous ressemblants entre eux, et qui vont, viennent, dansent, se démènent ensemble, prenant en même temps les mêmes attitudes, gesticulant de la même manière. Cette fois nous pensons distinctement à des marionnettes[78]. Des fils invisibles nous paraissent relier les bras aux bras, les jambes aux jambes, chaque muscle d'une physionomie au muscle analogue de l'autre : l'inflexibilité de la correspondance fait que la mollesse des formes se solidifie elle-même sous nos yeux et que tout durcit en mécanique. Tel est l'artifice[a] de ce divertissement un peu gros. Ceux qui l'exécutent n'ont peut-être pas lu Pascal[b], mais ils ne font, à coup sûr, qu'aller jusqu'au bout d'une idée que le texte de Pascal suggère. Et si la cause du rire est la vision[c] d'un effet mécanique dans le second cas, elle devait l'être déjà, mais plus subtilement, dans le premier.

En continuant maintenant dans cette voie, on aperçoit confusément des conséquences de plus en plus lointaines, de plus en plus importantes aussi, de la loi que nous venons de poser. On pressent des visions plus fuyantes encore d'effets mécaniques, visions suggérées par les actions complexes de l'homme et non plus simplement par ses gestes[79]. On devine que les artifices usuels de la comédie, la répétition périodique d'un mot ou d'une scène,

l'interversion symétrique des rôles, le développement géométrique des quiproquos, et beaucoup
d'autres jeux encore, pourront dériver leur force
comique de la même source, l'art du vaudevilliste
étant peut-être de nous présenter une articulation
visiblement mécanique d'événements humains tout
en leur conservant l'aspect extérieur de la vraisemblance, c'est-à-dire la souplesse apparente de la
vie[80]. Mais n'anticipons pas sur des résultats que le
progrès de l'analyse devra dégager méthodiquement.

V

Avant d'aller plus loin, reposons-nous un moment
et jetons un coup d'œil autour de nous. Nous le faisions pressentir au début de ce travail : il serait chimérique de vouloir tirer tous les effets comiques
d'une seule formule simple[81]. La formule existe
bien, en un certain sens ; mais elle ne se déroule
pas régulièrement. Nous voulons dire que[a] la déduction doit s'arrêter de loin en loin à quelques effets
dominateurs, et que ces effets apparaissent chacun
comme des modèles autour desquels se disposent,
en cercle, de nouveaux effets qui leur ressemblent.
Ces derniers ne se déduisent pas de la formule,
mais ils sont comiques par leur parenté avec ceux
qui s'en déduisent[82]. Pour citer encore une fois
Pascal, nous définirons volontiers[b] ici la marche de
l'esprit par la courbe que ce géomètre étudia sous
le nom de *roulette*, la courbe que décrit un point

de la circonférence d'une roue quand la voiture avance en ligne droite : ce point tourne comme la roue, mais il avance aussi comme[a] la voiture[83]. Ou bien encore il faudra penser à une grande route forestière, avec des *croix*[b] ou carrefours qui la jalonnent de loin en loin : à chaque carrefour on tournera autour de la croix, on poussera une reconnaissance dans les voies qui s'ouvrent, après quoi l'on reviendra à la direction première. Nous sommes à un de ces carrefours. *Du mécanique plaqué sur du vivant,* voilà une croix où il faut s'arrêter, image centrale d'où l'imagination rayonne dans des directions divergentes. Quelles sont ces directions ? On en aperçoit trois[c] principales. Nous allons les suivre l'une après l'autre, puis nous reprendrons notre chemin en ligne droite.

I. — D'abord, cette vision du mécanique et du vivant insérés l'un dans l'autre nous fait obliquer vers l'image plus vague d'une raideur *quelconque* appliquée sur la mobilité de la vie, s'essayant maladroitement à en suivre les lignes et à en contrefaire la souplesse[84]. On devine alors combien il sera facile à un vêtement de devenir ridicule. On pourrait presque dire que toute mode est risible par quelque côté. Seulement, quand il s'agit de la mode actuelle, nous y sommes tellement habitués que le vêtement nous paraît faire corps avec ceux qui le portent. Notre imagination ne l'en détache pas. L'idée ne nous vient plus d'opposer la rigidité inerte de l'enveloppe à la souplesse vivante de l'objet enveloppé. Le comique reste donc ici à l'état latent. Tout au plus réussira-t-il à percer quand l'incompatibilité naturelle sera si profonde entre l'enveloppant et l'enveloppé qu'un rapprochement même séculaire n'aura pas réussi à consolider leur union : tel est le cas du chapeau à haute forme, par exemple[a]. Mais supposez un original qui s'habille aujourd'hui à la mode d'autrefois : notre attention est appelée alors sur le costume, nous le distinguons absolument de la personne, nous disons que la personne se *déguise* (comme si tout vêtement ne déguisait pas), et le côté risible de la mode passe de l'ombre à la lumière[85].

Nous commençons à entrevoir ici quelques-unes des grosses difficultés[b] de détail que le problème du comique soulève. Une des raisons qui ont dû susciter bien des théories erronées ou insuffisantes du rire, c'est que beaucoup de choses sont comiques en droit sans l'être en fait, la continuité de l'usage ayant assoupi en elles la vertu comique. Il faut une solution brusque de continuité, une rupture avec la mode, pour que cette vertu se réveille[86]. On croira alors que cette solution de continuité fait naître le comique, tandis qu'elle se borne à nous le faire remarquer. On expliquera le rire par la *surprise*, par le *contraste*, etc., définitions qui s'applique-raient aussi bien à une foule de cas où nous n'avons aucune envie de rire. La vérité n'est pas aussi[c] simple.

Mais nous voici arrivés à l'idée de déguise-ment. Elle tient d'une délégation régulière, comme nous venons de le montrer, le pouvoir de faire rire. Il ne sera pas inutile de chercher comment elle en use.

Pourquoi rions-nous d'une chevelure qui a passé du brun au blond ? D'où vient le comique d'un nez rubicond ? et pourquoi rit-on d'un nègre ? Question embarrassante, semble-t-il, puisque des psychologues tels que Hecker, Kraepelin, Lipps se la posèrent tour à tour et y répondirent diverse-ment. Je ne sais pourtant si elle n'a pas été résolue un jour devant moi, dans la rue, par un simple cocher, qui traitait de « mal lavé » le client nègre assis dans sa voiture. Mal lavé ! un visage noir serait donc pour notre imagination un visage bar-bouillé d'encre ou de suie[87]. Et, conséquemment, un nez rouge ne peut être qu'un nez sur lequel on a passé une couche de vermillon. Voici donc que le déguisement a passé quelque chose de sa vertu comique à des cas où l'on ne se déguise plus, mais où l'on aurait pu se déguiser. Tout à l'heure, le vêtement habituel avait beau être distinct de la personne ; il nous semblait faire corps[a] avec elle, parce que nous étions accoutumés à le voir. Mainte-nant, la coloration noire ou rouge a beau être inhé-rente à la peau : nous la tenons pour plaquée artificiellement, parce qu'elle nous surprend.

De là, il est vrai, une nouvelle série de difficultés pour la théorie du comique. Une proposition comme

celle-ci : « mes vêtements habituels font partie de
mon corps », est absurde aux yeux de la raison.
Néanmoins l'imagination la tient pour vraie. « Un
nez rouge est un nez peint », « un nègre est un
blanc déguisé », absurdités encore pour la raison qui
raisonne, mais vérités très certaines pour la simple
imagination. Il y a donc une logique de l'imagination qui n'est pas la logique de la raison, qui s'y
oppose même parfois, et avec laquelle il faudra
pourtant que la philosophie compte, non seulement
pour l'étude du comique, mais encore pour d'autres
recherches[a] du même ordre. C'est quelque chose
comme la logique du rêve, mais d'un rêve qui ne
serait pas abandonné au caprice de la fantaisie
individuelle, étant le rêve rêvé par la société
entière[88]. Pour la reconstituer, un effort d'un genre
tout particulier est nécessaire, par lequel on soulè-
vera la croûte extérieure de jugements bien tassés
et d'idées solidement assises, pour regarder couler
tout au fond de soi-même, ainsi qu'une nappe d'eau
souterraine, une certaine continuité fluide d'images
qui entrent les unes dans les autres[89]. Cette interpénétration[b] des images ne se fait pas au hasard. Elle
obéit à des lois, ou plutôt à des habitudes, qui sont
à l'imagination ce que la logique est à la pensée.

Suivons donc cette logique de l'imagination dans
le cas particulier qui nous occupe. Un homme qui
se déguise est comique. Un homme qu'on croirait
déguisé est comique encore. Par extension, tout
déguisement va devenir comique, non pas seule-

ment celui de l'homme, mais celui de la société également, et même celui de la nature.

Commençons par la nature. On rit d'un chien à moitié tondu, d'un parterre aux fleurs artificiellement colorées, d'un bois dont les arbres sont tapissés d'affiches électorales, etc. Cherchez la raison ; vous verrez qu'on pense à[a] une mascarade. Mais le comique, ici, est bien atténué. Il est trop loin de la source. Veut-on le renforcer ? Il faudra remonter à la source même, ramener l'image[b] dérivée, celle d'une mascarade, à l'image primitive, qui était, on s'en souvient, celle d'un trucage mécanique de la vie[90]. Une nature truquée mécaniquement, voilà alors un motif franchement comique, sur lequel la fantaisie pourra exécuter des variations avec la certitude d'obtenir un succès de gros rire. On se rappelle le passage si amusant de *Tartarin sur les Alpes* où Bompard fait accepter à Tartarin (et un peu aussi, par conséquent, au lecteur) l'idée d'une Suisse machinée comme les dessous de l'Opéra, exploitée par une compagnie qui y entretient cascades, glaciers et fausses crevasses[91]. Même motif encore, mais transposé en un tout autre ton[92], dans les *Novel Notes* de l'humoriste anglais Jerome K. Jerome. Une vieille châtelaine, qui ne veut pas que ses bonnes œuvres lui causent trop de dérangement, fait installer à proximité de sa demeure des athées à convertir qu'on lui a fabriqués tout exprès, de braves gens dont on a fait des ivrognes pour qu'elle pût les guérir de leur vice[93], etc. Il y a des mots comiques où ce motif se retrouve à l'état de résonance lointaine, mêlé à une naïveté, sincère ou feinte, qui lui sert d'accompagnement. Par exemple, le mot d'une dame que l'astronome Cassini avait invitée à venir voir une éclipse de lune, et qui arriva en retard : « M. de Cassini voudra bien recommencer pour moi. » Ou encore cette exclamation d'un personnage de Gondinet, arrivant dans une ville et apprenant qu'il existe un volcan éteint aux environs : « Ils avaient un volcan, et ils l'ont laissé s'éteindre ! »

Passons à la société. Vivant en elle, vivant par elle[a], nous ne pouvons nous empêcher de la traiter comme un être vivant. Risible sera donc une image[b] qui nous suggérera l'idée d'une société qui se déguise et, pour ainsi dire, d'une mascarade sociale. Or cette idée se forme dès que nous apercevons de l'inerte, du tout fait, du confectionné enfin, à la surface de la société vivante. C'est de la raideur encore, et qui jure avec la souplesse intérieure de la vie. Le côté cérémonieux de la vie sociale devra donc renfermer[c] un comique latent, lequel n'attendra qu'une occasion pour éclater au grand jour[94]. On pourrait dire que les cérémonies sont au corps social ce que le vêtement est au corps individuel[95] : elles doivent leur gravité à ce qu'elles s'identifient pour nous avec l'objet sérieux auquel l'usage les attache, elles perdent cette gravité dès que notre imagination les en isole. De sorte qu'il suffit, pour qu'une cérémonie devienne comique, que notre

attention se concentre sur ce qu'elle a de cérémonieux, et que nous négligions sa matière, comme
disent les philosophes, pour ne plus penser qu'à sa
forme. Inutile d'insister[a] sur ce point. Chacun sait
avec quelle facilité la verve comique s'exerce sur
les actes sociaux à forme arrêtée, depuis une simple
distribution de récompenses jusqu'à une séance de
tribunal. Autant de formes et de formules, autant de
cadres tout faits où le comique s'insérera[96].

Mais ici encore on accentuera le comique en le
rapprochant de sa source[97]. De l'idée de travestissement, qui est dérivée, il faudra remonter alors à
l'idée primitive, celle d'un mécanisme superposé à
la vie. Déjà la forme compassée de tout cérémonial
nous suggère une image de ce genre. Dès que nous
oublions l'objet grave d'une solennité ou d'une
cérémonie, ceux qui y prennent part nous font
l'effet de s'y mouvoir comme des marionnettes.
Leur mobilité se règle sur l'immobilité d'une formule. C'est de l'automatisme. Mais l'automatisme
parfait sera, par exemple, celui du fonctionnaire
fonctionnant comme une simple machine, ou
encore l'inconscience d'un règlement administratif
s'appliquant avec une fatalité inexorable et se prenant pour une loi de la nature. Il y a déjà un
certain nombre d'années, un paquebot[b] fit naufrage
dans les environs de Dieppe. Quelques passagers
se sauvaient à grand-peine dans une embarcation.
Des douaniers, qui s'étaient bravement portés à
leur secours, commencèrent par leur demander

« s'ils n'avaient rien à déclarer ». Je trouve quelque chose d'analogue, quoique l'idée soit plus subtile, dans ce mot d'un député interpellant le ministre au lendemain d'un crime commis[a] en chemin de fer : « L'assassin, après avoir achevé sa victime, a dû descendre du train à contre-voie, en violation des règlements administratifs. »

Un mécanisme inséré dans la nature, une réglementation automatique de la société, voilà, en somme, les deux types d'effets amusants où nous aboutissons. Il nous reste, pour conclure, à les combiner ensemble et à voir ce qui en résultera.

Le résultat de la combinaison, ce sera évidemment l'idée d'une réglementation humaine se substituant aux lois mêmes de la nature. On se rappelle la réponse de Sganarelle à Géronte quand celui-ci lui fait observer que le cœur est du côté gauche et le foie du côté droit : « Oui, cela était autrefois ainsi, mais nous avons changé tout cela, et nous faisons maintenant la médecine d'une méthode toute nouvelle. »[98] Et la consultation des deux médecins de M. de Pourceaugnac : « Le raisonnement que vous en avez fait est si docte et si beau qu'il est impossible que le malade ne soit pas mélancolique hypocondriaque ; et quand il ne le serait pas, il faudrait qu'il le devînt, pour la beauté des choses que vous avez dites et la justesse du raisonnement que vous avez fait. »[99] Nous pourrions multiplier les exemples ; nous n'aurions qu'à faire défiler devant nous, l'un après l'autre, tous les médecins de Molière. Si loin que paraisse d'ailleurs aller ici la fantaisie comique, la réalité se charge quelquefois de la dépasser. Un philosophe contemporain, argumentateur à outrance, auquel on représentait que ses raisonnements irréprochablement déduits avaient l'expérience contre eux, mit fin à la discussion par cette simple parole : « L'expérience a tort. » C'est que l'idée de régler administrativement la vie est plus répandue qu'on ne le pense ; elle est naturelle à sa manière, quoique nous venions de l'obtenir par un procédé de recomposition[a]. On pourrait dire qu'elle nous livre la quintessence même du pédantisme, lequel n'est guère autre chose[b], au fond, que l'art prétendant en remontrer à la nature[100].

Ainsi, en résumé[c], le même effet va toujours se subtilisant, depuis l'idée d'une *mécanisation* artificielle du corps humain, si l'on peut s'exprimer ainsi, jusqu'à celle d'une substitution quelconque de l'artificiel au naturel. Une logique de moins en moins serrée, qui ressemble de plus en plus à la logique des songes[101], transporte la même relation dans des sphères de plus en plus hautes, entre des termes de plus en plus immatériels, un règlement administratif finissant par être à une loi naturelle ou morale, par exemple, ce que le vêtement confectionné est au corps qui vit[102]. Des trois directions où nous devions nous engager, nous avons suivi maintenant la première jusqu'au bout. Passons à la seconde, et voyons où elle nous conduira.

II. — Du mécanique plaqué sur du vivant, voilà encore notre point de départ. D'où venait ici le comique ? De ce que le corps vivant se raidissait en machine. Le corps vivant nous semblait donc[a] devoir être la souplesse parfaite, l'activité toujours en éveil d'un principe toujours en travail. Mais cette activité appartiendrait réellement à l'âme plutôt qu'au corps. Elle serait la flamme même de la vie, allumée en nous par un principe supérieur, et aperçue à travers le corps par un effet de transparence[103]. Quand nous ne voyons dans le corps vivant que grâce et souplesse, c'est que nous négligeons ce qu'il y a en lui de pesant, de résistant, de matériel enfin ; nous oublions sa matérialité pour ne penser qu'à sa vitalité, vitalité que notre imagination attribue au principe même de la vie intellectuelle et morale. Mais supposons qu'on appelle notre attention sur cette matérialité du corps. Supposons qu'au lieu de participer de la légèreté du principe qui l'anime, le corps ne soit plus à nos yeux qu'une enveloppe lourde et embarrassante, lest importun qui retient à terre une âme impatiente de quitter le sol. Alors le corps deviendra pour l'âme ce que le vêtement était tout à l'heure pour le corps lui-même, une matière inerte posée sur une énergie vivante[104]. Et l'impression du comique se produira dès que nous aurons le sentiment net de cette superposition[105]. Nous l'aurons surtout quand on nous montrera l'âme *taquinée* par les besoins du corps, — d'un côté la personnalité morale avec son énergie intelligemment variée, de l'autre le corps stupidement monotone, intervenant et interrompant avec[a] son obstination de machine. Plus ces exigences du corps seront mesquines et uniformément répétées, plus l'effet sera saisissant. Mais ce n'est là qu'une question de degré, et la loi générale de ces phénomènes pourrait se formuler ainsi : *Est comique tout incident qui appelle notre attention sur le physique d'une personne alors que le moral est en cause.*

Pourquoi rit-on d'un orateur qui éternue au moment le plus pathétique de son discours ? D'où vient le comique de cette phrase d'oraison funèbre, citée par un philosophe allemand : « Il était vertueux et tout rond » ? De ce que[b] notre attention est brusquement ramenée de l'âme sur le corps. Les exemples abondent dans la vie journalière. Mais si l'on ne veut pas se donner la peine de les chercher, on n'a qu'à ouvrir au hasard un volume de Labiche[106]. On tombera souvent sur[c] quelque effet de ce genre. Ici c'est un orateur dont les plus belles périodes sont coupées par les élancements d'une dent malade[107], ailleurs c'est un personnage qui ne prend jamais la parole sans s'interrompre pour se plaindre de ses souliers trop étroits ou de sa ceinture trop serrée[108], etc. Une personne que son corps embarrasse, voilà l'image qui nous est suggérée dans ces exemples[d]. Si un embonpoint excessif est risible, c'est sans doute parce qu'il évoque une image du même genre. Et c'est là encore ce qui[e] rend quelquefois la timidité un peu ridicule. Le timide peut donner l'impression d'une personne que son corps gêne, et qui cherche autour d'elle un endroit où le déposer.

Aussi le poète tragique a-t-il soin d'éviter tout ce qui pourrait appeler notre attention sur la matérialité de ses héros. Dès que le souci du corps intervient, une infiltration comique est à craindre[109]. C'est pourquoi les héros de tragédie ne boivent pas, ne mangent pas, ne se chauffent pas. Même, autant que possible, ils ne s'assoient pas. S'asseoir au milieu d'une tirade serait se rappeler qu'on a un corps. Napoléon, qui était psychologue à ses heures, avait remarqué qu'on passe de la tragédie à la comédie par le seul fait de s'asseoir. Voici comment il s'exprime à ce sujet dans le *Journal inédit* du baron Gourgaud (il s'agit d'une entrevue avec la reine de Prusse après Iéna) : « Elle me reçut sur un ton tragique comme Chimène : Sire, justice ! justice ! Magdebourg ! Elle continuait sur ce ton qui m'embarrassait fort. Enfin, pour la faire changer, je la priai de s'asseoir. Rien ne coupe mieux une scène tragique ; car, quand on est assis, cela devient comédie. »[110]

Élargissons maintenant cette image : *le corps prenant le pas sur l'âme.* Nous allons obtenir quelque chose de plus général[111] : *la forme voulant primer le fond, la lettre cherchant chicane à l'esprit.* Ne serait-ce pas cette idée que la comédie cherche à nous suggérer quand elle ridiculise une profession[112] ?

Elle fait parler l'avocat, le juge, le médecin, comme si c'était peu de chose que la santé et la justice, l'essentiel étant qu'il y ait des médecins, des avocats, des juges, et que les formes extérieures de la profession soient respectées scrupuleusement. Ainsi le moyen se substitue à la fin, la forme au fond, et ce n'est plus la profession qui est faite pour le public, mais le public pour la profession. Le souci constant de la forme, l'application machinale des règles créent ici une espèce d'automatisme professionnel, comparable à celui que les habitudes du corps imposent à l'âme et risible comme lui. Les exemples en abondent au théâtre. Sans entrer dans le détail des variations exécutées sur ce thème, citons deux ou trois textes où le thème lui-même est défini dans toute sa simplicité : « On n'est obligé qu'à traiter les gens dans les formes », dit Diafoirus dans le Malade imaginaire[113]. Et Bahis, dans l'Amour médecin : « Il vaut mieux mourir selon les règles que de réchapper contre les règles. » « Il faut toujours garder les formalités, quoi qu'il puisse arriver », disait déjà Desfonandrès dans la même comédie. Et son confrère Tomès en donnait la raison : « Un homme mort n'est qu'un homme mort, mais une formalité négligée porte un notable préjudice à tout le corps des médecins. »[114] Le mot de Brid'oison, pour renfermer une idée un peu différente, n'en est pas moins significatif : « La-a forme, voyez-vous, la-a forme. Tel rit d'un juge en habit court, qui tremble au seul aspect d'un procureur en robe. La-a forme, la-a forme. »[115]

Mais ici se présente la première application d'une loi qui apparaîtra de plus en plus clairement à mesure[a] que nous avancerons dans notre travail. Quand le musicien donne une note sur un instrument, d'autres notes surgissent d'elles-mêmes, moins sonores que la première, liées à elle par certaines relations définies, et qui lui impriment son timbre en s'y surajoutant : ce sont, comme on dit en physique, les harmoniques du son fondamental. Ne se pourrait-il pas que la fantaisie[b] comique, jusque dans ses inventions les plus extravagantes, obéît à une loi du même genre ? Considérez par exemple cette note comique : la forme voulant primer le fond. Si nos analyses sont exactes, elle doit avoir pour harmonique celle-ci : le corps taquinant l'esprit, le corps prenant le pas sur l'esprit[116]. Donc, dès que le poète comique donnera la première note, instinctivement et involontairement il y surajoutera la seconde. En d'autres termes, *il doublera de quelque ridicule physique le ridicule professionnel.*

Quand le juge Brid'oison arrive sur la scène en bégayant, n'est-il pas vrai qu'il nous prépare, par son bégaiement même, à comprendre le phénomène de cristallisation intellectuelle dont il va nous donner le spectacle[117] ? Quelle parenté secrète peut bien lier cette défectuosité physique à ce rétrécissement moral ? Peut-être[c] fallait-il que cette machine à juger nous apparût en même temps comme une machine à parler. En tout cas, nul autre harmonique[d] ne pouvait compléter mieux le son fondamental.

Quand Molière nous présente les deux docteurs ridicules de *l'Amour médecin*, Bahis et Macroton, il fait parler l'un d'eux très lentement, scandant son discours[a] syllabe par syllabe, tandis que l'autre bredouille[118]. Même contraste entre les deux avocats de M. de Pourceaugnac[119]. D'ordinaire, c'est[b] dans le rythme de la parole que réside la singularité physique destinée à compléter le ridicule professionnel. Et, là où l'auteur n'a pas indiqué un défaut de ce genre, il est rare que l'acteur ne cherche pas instinctivement à le composer.

Il y a donc bien une parenté naturelle, naturellement reconnue, entre ces deux images que nous rapprochions l'une de l'autre, l'esprit s'immobilisant dans certaines formes, le corps se raidissant selon certains défauts. Que notre attention soit détournée du fond sur la forme ou du moral sur le physique, c'est la même impression qui est transmise à notre imagination dans les deux cas ; c'est, dans les deux cas, le même genre de comique. Ici encore nous avons voulu suivre fidèlement une direction naturelle du mouvement de l'imagination. Cette direction, on s'en souvient, était la seconde de celles qui s'offraient à nous à partir d'une image centrale. Une troisième et dernière voie nous reste ouverte. C'est dans celle-là que nous allons maintenant nous engager.

III. — Revenons donc une dernière fois à notre

image centrale : du mécanique plaqué sur du vivant. L'être vivant dont il s'agissait ici[a] était un être humain, une personne. Le dispositif mécanique est au contraire une chose. Ce qui faisait donc rire, c'était la transfiguration momentanée d'une personne en chose, si l'on veut regarder l'image de ce biais. Passons alors de l'idée précise d'une mécanique à l'idée plus vague de chose en général[120]. Nous aurons une nouvelle série d'images risibles, qui s'obtiendront, pour ainsi dire, en estompant les contours des premières, et qui conduiront à cette nouvelle loi : *Nous rions toutes les fois qu'une personne nous donne l'impression d'une chose.*

On rit de Sancho Pança renversé sur une couverture et lancé en l'air comme un simple ballon. On rit du baron de Münchhausen devenu boulet de canon et cheminant à travers l'espace. Mais peut-être certains exercices des clowns de cirque fourniraient-ils une vérification plus précise de la même loi. Il faudrait, il est vrai, faire abstraction des facéties que le clown brode sur son thème principal, et ne retenir que ce thème lui-même, c'est-à-dire les attitudes, gambades et mouvements qui[b] sont ce qu'il y a de proprement « clownique » dans l'art du clown. A deux reprises seulement j'ai pu observer ce genre de comique à l'état pur, et dans les deux cas j'ai eu la même impression. La première fois, les clowns allaient, venaient, se cognaient, tombaient et rebondissaient selon un rythme uniformément accéléré, avec la visible préoccupation de ménager un *crescendo*. Et de plus en plus, c'était sur le *rebondissement* que l'attention du public était attirée[121]. Peu à peu on perdait de vue qu'on eût affaire à des hommes en chair et en os. On pensait à[a] des paquets quelconques qui se laisseraient choir et s'entrechoqueraient. Puis la vision se précisait. Les formes paraissaient s'arrondir, les corps se rouler et comme se ramasser en boule. Enfin apparaissait[b] l'image vers laquelle toute cette scène évoluait sans doute inconsciemment : des ballons de caoutchouc, lancés en tous sens les uns contre les autres. — La seconde scène, plus grossière encore, ne fut pas moins instructive. Deux personnages parurent, à la tête énorme, au crâne entièrement dénudé. Ils étaient armés de grands bâtons. Et, à tour de rôle, chacun laissait tomber son bâton sur la tête de l'autre. Ici encore une gradation était observée. A chaque coup reçu, les corps paraissaient s'alourdir, se figer, envahis par une rigidité croissante. La riposte arrivait, de plus en plus retardée, mais de plus en plus pesante et retentissante. Les crânes résonnaient formidablement dans la salle silencieuse. Finalement, raides et lents, droits comme des I, les deux corps se penchèrent l'un vers l'autre, les bâtons s'abattirent une dernière fois sur les têtes avec un bruit de maillets énormes tombant sur des poutres de chêne, et tout s'étala sur le sol. A ce moment apparut dans toute sa netteté la suggestion que les deux artistes avaient graduellement enfoncée dans l'imagination des spectateurs : « Nous allons devenir, nous sommes devenus des mannequins de bois massif. »

Un obscur instinct peut faire pressentir ici à des esprits incultes quelques-uns des plus subtils résultats de la science psychologique. On sait qu'il est possible d'évoquer chez un sujet hypnotisé, par simple suggestion, des visions hallucinatoires. On lui dira qu'un oiseau est posé sur sa main, et il apercevra l'oiseau, et il le verra s'envoler[122]. Mais il s'en faut que la suggestion soit toujours acceptée avec une pareille docilité. Souvent le magnétiseur ne réussit à la faire pénétrer que peu à peu, par insinuation graduelle. Il partira alors des objets réellement perçus par le sujet, et il tâchera d'en rendre la perception de plus en plus confuse : puis, de degré en degré, il fera sortir de cette confusion la forme précise de l'objet dont il veut créer l'hallucination[123]. C'est ainsi qu'il arrive à bien des personnes, quand elles vont s'endormir, de voir ces masses colorées, fluides et informes, qui occupent le champ de la vision, se solidifier insensiblement en objets distincts[124]. Le passage graduel du confus au distinct est donc le procédé de suggestion par excellence. Je crois qu'on le retrouverait au fond de beaucoup de suggestions comiques, surtout dans le comique grossier, là où paraît s'accomplir sous nos yeux la transformation d'une personne en chose. Mais il y a d'autres procédés plus discrets, en usage chez les poètes par exemple, qui tendent peut-être inconsciemment à la même fin. On peut, par certains dispositifs de rythme, de rime et d'assonance, bercer notre imagination, la ramener du même au même en un balancement régulier, et la préparer ainsi à recevoir docilement la vision suggérée[125]. Écoutez ces vers de Régnard, et voyez si l'image fuyante d'une *poupée* ne traverserait pas le champ de votre imagination :

> ... Plus, il doit à maints particuliers
> La somme de dix mil une livre une obole,
> Pour l'avoir sans relâche un an sur sa parole
> Habillé, voituré, chauffé, chaussé, ganté,
> Alimenté, rasé, désaltéré, porté[126].

Ne trouvez-vous pas quelque chose du même genre dans ce couplet de Figaro (quoiqu'on cherche peut-être ici à suggérer l'image d'un animal plutôt que celle d'une chose) : « Quel homme est-ce ? — C'est un beau, gros, court, jeune vieillard, gris pommelé, rusé, rasé, blasé, qui guette et furète, et gronde et geint tout à la fois. »[127]

Entre ces scènes très grossières et ces suggestions très subtiles il y a place pour une multitude innombrable d'effets amusants — tous ceux qu'on obtient en s'exprimant sur des personnes comme on le ferait sur de simples choses. Cueillons-en un[a] ou deux exemples dans le théâtre de Labiche, où ils abondent. M. Perrichon, au moment de monter en wagon, s'assure qu'il n'oublie aucun de ses colis. « Quatre, cinq, six, ma femme sept, ma fille huit

et moi neuf. »[128] Il y a une autre pièce où un père
vante la science de sa fille en ces termes : « Elle
vous dira sans broncher tous les rois de France qui
ont eu lieu. »[129] Ce *qui ont eu lieu*, sans précisément convertir les rois en simples choses, les assi-
mile à des événements impersonnels.

Notons-le à propos de ce dernier exemple : il
n'est pas nécessaire d'aller jusqu'au bout de l'identification entre la personne et la chose pour que
l'effet comique se produise. Il suffit qu'on entre
dans cette voie, en affectant, par exemple, de
confondre la personne avec la fonction qu'elle
exerce[130]. Je ne citerai que ce mot d'un maire de vil-
lage dans un roman d'About : « M. le Préfet, qui
nous a toujours conservé la même bienveillance,
quoiqu'on l'ait changé plusieurs fois depuis 1847. »

Tous ces mots sont faits sur le même modèle.
Nous pourrions en composer indéfiniment, maintenant que nous possédons la formule. Mais l'art
du conteur et du vaudevilliste ne consiste pas
simplement à composer le mot. Le difficile est de
donner au mot sa force de suggestion, c'est-à-dire
de le rendre acceptable. Et nous ne l'acceptons
que parce qu'il nous paraît ou sortir d'un état[a]
d'âme ou s'encadrer dans[b] les circonstances[131]. Ainsi
nous savons que M. Perrichon est très ému au
moment de faire son premier voyage. L'expression
« avoir lieu » est de celles qui ont dû reparaître
bien des fois dans les leçons récitées par la fille
devant son père ; elle nous fait penser à une réci-

tation. Et enfin l'admiration de la machine administrative pourrait, à la rigueur, aller jusqu'à nous faire croire que rien n'est changé au préfet quand il change de nom, et que la fonction s'accomplit indépendamment du fonctionnaire.

Nous voilà bien loin de la cause originelle du rire. Telle forme comique, inexplicable par elle-même, ne se comprend en effet que par sa ressemblance avec une autre, laquelle ne nous fait rire que par sa parenté avec une troisième, et ainsi de suite pendant très longtemps : de sorte que l'analyse psychologique, si éclairée et si pénétrante qu'on la suppose, s'égarera nécessairement si elle ne tient pas le fil le long duquel l'impression comique a cheminé d'une extrémité de la série à l'autre. D'où vient cette continuité de progrès ? Quelle est donc la pression, quelle est l'étrange poussée qui fait glisser ainsi le comique d'image en image, de plus en plus loin du point d'origine, jusqu'à ce qu'il se fractionne et se perde en analogies infiniment lointaines ? Mais quelle est la force qui divise et subdivise les branches de l'arbre en rameaux, la racine en radicelles ? Une loi inéluctable condamne ainsi toute énergie vivante, pour le peu qu'il lui est alloué de temps, à couvrir le plus qu'elle pourra d'espace[132]. Or c'est bien une énergie vivante que la fantaisie comique, plante singulière qui a poussé vigoureusement sur les parties rocailleuses du sol social[133], en attendant que la culture lui permît de rivaliser avec les produits

les plus raffinés de l'art[134]. Nous sommes loin du
grand art, il est vrai, avec les exemples de comique
qui viennent de passer sous nos yeux. Mais nous
nous en rapprocherons déjà davantage, sans y
atteindre tout à fait encore, dans le chapitre qui va
suivre[a]. Au-dessous de l'art, il y a l'artifice. C'est
dans cette zone des artifices, mitoyenne entre la
nature et l'art, que nous pénétrons maintenant. Nous
allons traiter du vaudevilliste et de l'homme
d'esprit.

CHAPITRE II

Le comique de situation
et le comique de mots

Nous avons étudié le comique dans les formes, les attitudes, les mouvements en général. Nous devons le rechercher maintenant dans les actions et dans les situations. Certes, ce genre de comique se rencontre assez facilement dans la vie de tous les jours. Mais ce n'est peut-être pas là qu'il se prête à l'analyse le mieux[a]. S'il est vrai que le théâtre soit un grossissement et une simplification de la vie, la comédie pourra nous fournir, sur ce point particulier de notre sujet, plus d'instruction que la vie réelle[1]. Peut-être même devrions-nous pousser la simplification plus loin encore, remonter à nos souvenirs les plus anciens, chercher, dans les jeux qui amusèrent l'enfant, la première ébauche des combinaisons qui font rire l'homme[2]. Trop souvent nous parlons de nos sentiments de plaisir et de peine comme s'ils naissaient vieux, comme si chacun d'eux n'avait pas son histoire. Trop souvent surtout nous méconnaissons ce qu'il y a d'encore enfantin, pour ainsi dire, dans la plupart de nos émotions joyeuses. Combien de plaisirs présents se réduiraient pourtant, si nous les examinions de près, à n'être que des souvenirs de plaisirs passés ! Que resterait-il de beaucoup de nos émotions si nous les ramenions à ce qu'elles ont de strictement senti, si nous en retranchions tout ce qui est simplement remémoré[3] ? Qui sait même si nous ne devenons pas, à partir d'un certain âge, imperméables à la joie fraîche et neuve, et si les plus douces satisfactions de l'homme mûr peuvent être autre chose que des sentiments d'enfance revivifiés, brise parfumée que nous envoie par bouffées de plus en plus rares un passé de plus en plus lointain[4] ? Quelque réponse d'ailleurs qu'on fasse à cette question très générale, un point reste hors de doute : c'est qu'il ne peut pas y avoir solution de continuité entre le plaisir du jeu, chez l'enfant, et le même plaisir chez l'homme. Or la comédie est bien un jeu, un jeu qui imite la vie[5]. Et si, dans les jeux de l'enfant, alors qu'il manœuvre poupées et pantins, tout se fait par ficelles, ne sont-ce pas ces mêmes ficelles que nous devons retrouver, amincies par l'usage, dans les fils qui nouent les situations de comédie ? Partons donc des jeux de l'enfant. Suivons le progrès insensible par lequel il fait grandir ses pantins, les anime, et les amène à cet état d'indécision finale où, sans cesser d'être des pantins, ils sont pourtant devenus des hommes. Nous aurons ainsi des personnages de comédie. Et nous pourrons vérifier sur eux la

loi que nos précédentes[a] analyses nous laissaient prévoir, loi par laquelle nous définirons les situations
de vaudeville en général : *Est comique tout arrangement d'actes et d'événements qui nous donne,
insérées l'une dans l'autre, l'illusion de la vie et la
sensation nette d'un agencement mécanique.*

I. *Le diable à ressort.* — Nous avons tous joué
autrefois avec le diable qui sort de sa boîte. On
l'aplatit, il se redresse. On le repousse plus bas, il
rebondit plus haut. On l'écrase sous son couvercle,
et souvent il fait tout sauter. Je ne sais si ce jouet
est très ancien, mais le genre d'amusement qu'il
renferme est certainement de tous les temps. C'est
le conflit de deux obstinations, dont l'une, purement mécanique, finit pourtant d'ordinaire par céder
à l'autre, qui s'en amuse. Le chat qui joue avec la
souris, qui la laisse chaque fois partir comme un
ressort pour l'arrêter net d'un coup de patte, se
donne un amusement du même genre.

Passons alors au théâtre. C'est par celui de Guignol que nous devons commencer. Quand le
commissaire s'aventure sur la scène, il reçoit aussitôt, comme de juste, un coup de bâton qui
l'assomme. Il se redresse, un second coup l'aplatit.
Nouvelle récidive, nouveau châtiment. Sur le rythme
uniforme du ressort qui se tend et se détend, le
commissaire s'abat et se relève, tandis que le rire de
l'auditoire va toujours grandissant[6].

Imaginons maintenant un ressort plutôt moral, une idée qui s'exprime, qu'on réprime, et qui s'exprime encore, un flot de paroles qui s'élance, qu'on arrête et qui repart toujours. Nous aurons de nouveau la vision d'une force qui s'obstine et d'un autre entêtement qui la combat. Mais cette vision aura perdu de sa matérialité. Nous ne serons plus à Guignol ; nous assisterons à une vraie comédie[7].

Beaucoup de scènes comiques se ramènent en effet à ce type simple. Ainsi, dans la scène du *Mariage forcé* entre Sganarelle et Pancrace, tout le comique vient d'un conflit[a] entre l'idée de Sganarelle, qui veut forcer le philosophe à l'écouter, et l'obstination du philosophe, véritable machine à parler qui fonctionne automatiquement[8]. A mesure que la scène avance, l'image du diable à ressort se dessine mieux, si bien qu'à la fin les personnages eux-mêmes en adoptent le mouvement, Sganarelle repoussant chaque fois Pancrace dans la coulisse[9]. Pancrace revenant chaque fois sur la scène pour discourir encore. Et quand Sganarelle réussit à faire rentrer Pancrace et à l'enfermer à l'intérieur de la maison (j'allais dire au fond de la boîte), tout à coup la tête de Pancrace réapparaît par la fenêtre qui s'ouvre, comme si elle faisait sauter un couvercle.

Même jeu de scène dans *Le Malade imaginaire*. La médecine offensée déverse sur Argan, par la bouche de M. Purgon, la menace de toutes les maladies[10]. Et chaque fois qu'Argan se soulève de son fauteuil, comme pour fermer la bouche à Purgon, nous voyons celui-ci s'éclipser un instant, comme si on l'enfonçait dans la coulisse, puis, comme mû par un ressort, remonter sur la scène avec une malédiction nouvelle. Une même exclamation sans cesse répétée : « Monsieur Purgon ! » scande les moments de cette petite comédie[a].

Serrons de plus près encore l'image du ressort qui se tend, se détend et se retend. Dégageons-en l'essentiel. Nous allons obtenir un des procédés usuels de la comédie classique, la *répétition*.

D'où vient le comique de la répétition d'un mot au théâtre ? On cherchera vainement[b] une théorie du comique qui réponde d'une manière satisfaisante à cette question très simple. Et la question reste en effet insoluble, tant qu'on veut trouver l'explication d'un trait amusant dans ce trait lui-même, isolé de ce qu'il[c] nous suggère. Nulle part ne se trahit mieux l'insuffisance de la méthode courante[11]. Mais la vérité est que si on laisse de côté quelques cas très spéciaux sur lesquels nous reviendrons plus loin[12], la répétition d'un mot n'est pas risible par elle-même[d]. Elle ne nous fait rire que parce qu'elle symbolise un certain jeu particulier d'éléments moraux, symbole lui-même d'un jeu tout matériel. C'est le jeu du chat qui s'amuse avec la souris, le jeu de l'enfant qui pousse et repousse le diable au fond de sa boîte — mais raffiné, spiritualisé, transporté dans la sphère des sentiments et des idées[13]. Énonçons la loi qui définit,

selon nous, les principaux effets comiques de répétition de mots au théâtre : *Dans une répétition comique*[a] *de mots il y a généralement deux termes*[b] *en
présence, un sentiment comprimé qui se détend
comme un ressort, et une idée qui s'amuse à
comprimer de nouveau le sentiment*[14].

Quand Dorine raconte à Orgon la maladie de sa
femme, et que celui-ci l'interrompt sans cesse pour
s'enquérir de la santé de Tartuffe, la question qui
revient toujours : « Et Tartuffe ? » nous donne la
sensation très nette d'un ressort qui part. C'est ce
ressort que Dorine s'amuse à repousser en reprenant
chaque fois le récit de la maladie d'Elmire[15]. Et
lorsque Scapin vient annoncer au vieux Géronte que
son fils a été emmené prisonnier sur la fameuse
galère, qu'il faut le racheter bien vite, il joue avec
l'avarice de Géronte absolument comme Dorine
avec l'aveuglement d'Orgon. L'avarice, à peine
comprimée, repart automatiquement, et c'est cet automatisme que Molière a voulu marquer par la répétition machinale d'une phrase où s'exprime le regret
de l'argent qu'il va falloir donner : « Que diable
allait-il faire dans cette galère ? »[16] Même observation
pour la scène où Valère représente à Harpagon qu'il
aurait tort de marier sa fille à un homme qu'elle
n'aime pas. « Sans dot ! » interrompt toujours
l'avarice d'Harpagon[17]. Et nous entrevoyons, derrière ce mot qui revient automatiquement, un mécanisme[c] à répétition monté par l'idée fixe[18].

Quelquefois, il est vrai, ce mécanisme est plus

malaisé à apercevoir. Et nous touchons ici à une nouvelle difficulté de la théorie du comique. Il y a des cas où tout l'intérêt d'une scène est dans un personnage unique qui se dédouble, son interlocuteur jouant le rôle d'un simple prisme, pour ainsi dire, au travers duquel s'effectue le dédoublement. Nous risquons alors de faire fausse route si nous cherchons le secret de l'effet produit dans ce que nous voyons et entendons, dans la scène extérieure qui se joue entre les personnages, et non pas dans la comédie intérieure[a] que cette scène ne fait que réfracter. Par exemple, quand Alceste répond obstinément « Je ne dis pas cela ! » à Oronte qui lui demande s'il trouve ses vers mauvais, la répétition est comique, et pourtant il est clair qu'Oronte ne s'amuse pas ici avec Alceste au jeu que nous décrivions tout à l'heure[19]. Mais qu'on y prenne garde ! il y a en réalité ici deux hommes dans Alceste, d'un côté le « misanthrope » qui s'est juré maintenant de dire aux gens leur fait, et d'autre part le gentilhomme qui ne peut désapprendre tout d'un coup les formes de la politesse, ou même peut-être simplement l'homme excellent, qui recule au moment décisif où il faudrait passer de la théorie à l'action, blesser un amour-propre, faire de la peine. La véritable scène n'est plus alors entre Alceste et Oronte, mais bien entre Alceste et Alceste lui-même. De ces deux Alceste, il y en a un qui voudrait éclater, et l'autre qui lui ferme la bouche au moment où il va tout dire. Chacun des « Je ne dis pas cela ! » représente un effort croissant pour refouler quelque chose qui pousse et presse pour sortir. Le ton de ces « Je ne dis pas cela ! » devient donc de plus en plus violent, Alceste se fâchant de plus en plus — non pas contre Oronte, comme il le croit, mais contre lui-même. Et c'est ainsi que la tension du ressort va toujours se renouvelant, toujours se renforçant, jusqu'à la détente finale. Le mécanisme de la répétition est donc bien encore le même.

Qu'un homme se décide à ne plus jamais dire que ce qu'il pense, dût-il « rompre en visière à tout le genre humain », cela n'est pas nécessairement comique ; c'est de la vie, et de la meilleure[20]. Qu'un autre homme, par douceur de caractère, égoïsme ou dédain, aime mieux dire aux gens ce qui les flatte, ce n'est que de la vie encore ; il n'y a rien là pour nous faire rire. Réunissez même ces deux hommes en un seul, faites que votre personnage hésite entre une franchise qui blesse et une politesse qui trompe, cette lutte de deux sentiments contraires ne sera pas encore comique, elle paraîtra sérieuse, si les deux sentiments arrivent à s'organiser par leur contrariété même, à progresser ensemble, à créer un état d'âme composite, enfin à adopter un *modus vivendi* qui nous donne purement et simplement l'impression complexe de la vie[21]. Mais supposez maintenant, dans un homme bien vivant, ces deux sentiments irréductibles et *raides* ; faites que l'homme oscille de l'un à l'autre ; faites surtout

que cette oscillation devienne franchement mécanique en adoptant la forme connue d'un dispositif
usuel, simple, enfantin : vous aurez cette fois
l'image que nous avons trouvée jusqu'ici dans les
objets lisibles, vous aurez *du mécanique dans du
vivant*, vous aurez du comique[22].

Nous nous sommes assez appesanti sur cette
première image, celle du diable à ressort, pour faire
comprendre comment la fantaisie comique convertit peu à peu un mécanisme matériel en un mécanisme moral. Nous allons examiner un ou deux
autres jeux, mais en nous bornant maintenant à
des indications sommaires.

II. *Le pantin à ficelles.* — Innombrables sont les
scènes de comédie où un personnage croit parler et
agir librement, où ce personnage conserve par
conséquent l'essentiel de la vie[a], alors qu'envisagé
d'un certain côté il apparaît comme un simple jouet
entre les mains d'un autre qui s'en amuse[23]. Du
pantin que l'enfant manœuvre avec une ficelle à
Géronte et à Argante manipulés par Scapin, l'intervalle est facile à franchir. Écoutez plutôt Scapin
lui-même : « La *machine* est toute trouvée », et
encore « C'est le ciel qui les amène dans mes
filets »[24], etc. Par un instinct naturel, et parce qu'on
aime mieux, en imagination au moins, être dupeur
que dupé, c'est du côté des fourbes que se met le
spectateur. Il lie partie avec eux, et désormais,
comme l'enfant qui a obtenu d'un camarade qu'il

lui prête sa poupée, il fait lui-même aller et venir sur la scène le fantoche dont il a pris en main les ficelles[25]. Toutefois cette dernière condition n'est pas indispensable. Nous pouvons aussi bien rester extérieurs à ce qui se passe, pourvu que nous conservions la sensation bien nette d'un agencement mécanique. C'est ce qui arrive dans les cas où[a] un personnage oscille entre deux partis opposés à prendre, chacun de ces deux partis le tirant à lui tour à tour : tel, Panurge demandant à Pierre et à Paul s'il doit se marier[26]. Remarquons que l'auteur comique a soin alors[b] de *personnifier* les deux partis contraires. A défaut du spectateur, il faut au moins des acteurs pour tenir les ficelles.

Tout le sérieux de la vie lui vient de notre liberté. Les sentiments que nous avons mûris, les passions que nous avons couvées, les actions que nous avons délibérées, arrêtées, exécutées, enfin ce qui vient de nous et ce qui est bien nôtre, voilà ce qui donne à la vie son allure quelquefois dramatique et généralement grave[27]. Que faudrait-il pour transformer tout cela en comédie ? Il faudrait se figurer que la liberté apparente recouvre un jeu de ficelles, et que nous sommes ici-bas, comme dit le poète,

> ... d'humbles marionnettes
> Dont le fil est aux mains de la Nécessité[28].

Il n'y a donc pas de scène réelle, sérieuse, dramatique même, que la fantaisie ne puisse pousser au comique par l'évocation de cette simple image[29]. Il n'y a pas de jeu auquel un champ plus vaste soit ouvert.

III. *La boule de neige*. — A mesure que nous avançons dans cette étude des procédés de comédie, nous comprenons mieux le rôle que jouent les réminiscences d'enfance[30]. Cette réminiscence porte peut-être moins sur tel ou tel jeu spécial que sur le dispositif mécanique dont ce jeu est une application. Le même dispositif général peut d'ailleurs se retrouver dans des jeux très différents, comme le même air d'opéra dans beaucoup de fantaisies musicales. Ce qui importe ici, ce que l'esprit retient, ce qui passe, par gradations insensibles, des jeux de l'enfant à ceux de l'homme, c'est le *schéma* de la combinaison, ou, si vous voulez, la formule abstraite dont ces jeux sont des applications particulières[31]. Voici, par exemple, la boule de neige qui roule, et qui grossit en roulant. Nous pourrions aussi bien penser à des soldats de plomb rangés à la file les uns des autres : si l'on pousse le premier, il tombe sur le second, lequel abat le troisième, et la situation va s'aggravant jusqu'à ce que tous soient par terre. Ou bien encore ce sera un château de cartes laborieusement monté : la première qu'on touche hésite à se déranger, sa voisine ébranlée se décide plus vite, et le travail de destruction, s'accélérant en route, court vertigineusement à la catastrophe finale. Tous ces objets sont très différents, mais ils nous suggèrent, pourrait-on dire, la même vision abstraite, celle d'un effet qui se propage en s'ajoutant à lui-même, de sorte que la cause, insignifiante à l'origine, aboutit par un progrès nécessaire à un résultat aussi important qu'inattendu[32]. Ouvrons maintenant un livre d'images pour enfants : nous allons voir ce dispositif s'acheminer déjà vers la forme d'une scène comique. Voici par exemple (j'ai pris au hasard une « série d'Épinal ») un visiteur qui entre avec précipitation dans un salon : il pousse une dame, qui renverse sa tasse de thé sur un vieux monsieur, lequel glisse contre une vitre qui tombe dans la rue sur la tête d'un agent qui met la police[a] sur pied, etc. Même dispositif dans bien des images pour grandes personnes. Dans les « histoires sans paroles » que crayonnent les dessinateurs comiques, il y a souvent[b] un objet qui se déplace et des personnes qui en sont solidaires : alors, de scène en scène, le changement de position de l'objet amène mécaniquement des changements de situation de plus en plus graves entre les personnes. Passons maintenant à la comédie. Combien de scènes bouffonnes, combien de comédies même vont se ramener à ce type simple ! Qu'on relise le récit de Chicaneau dans *Les Plaideurs* : ce sont des procès qui s'engrènent dans des procès, et le mécanisme fonctionne de plus en plus vite (Racine nous donne ce sentiment d'une accélération croissante en pressant de plus en plus les termes de procédure les uns contre les autres) jusqu'à ce que la poursuite engagée pour une botte de foin coûte au plaideur le plus clair de sa fortune[33]. Même arrangement encore dans certaines scènes de *Don Quichotte*, par exemple dans celle de l'hôtellerie[a], où un singulier enchaînement de circonstances amène le muletier à frapper Sancho, qui frappe sur Maritorne, sur laquelle tombe l'aubergiste[34], etc. Arrivons enfin au vaudeville contemporain. Est-il besoin de rappeler toutes les formes sous lesquelles cette même combinaison se présente ? Il y en a une dont on use assez souvent : c'est de faire qu'un certain objet matériel (une lettre, par exemple[35]) soit d'une importance capitale pour certains personnages et qu'il faille le retrouver à tout prix. Cet objet, qui échappe toujours quand on croit le tenir, roule alors à travers la pièce en ramassant sur sa route des incidents de plus en plus graves, de plus en plus inattendus. Tout cela ressemble bien plus qu'on ne croirait d'abord à un jeu d'enfant. C'est toujours l'effet de la boule de neige.

Le propre d'une combinaison mécanique est d'être généralement *réversible*[36]. L'enfant s'amuse à voir une bille lancée contre des quilles renverser tout sur son passage en multipliant les dégâts ; il rit plus encore lorsque la bille, après des tours, détours, hésitations de tout genre, revient à son point de départ. En d'autres termes, le mécanisme que nous décrivions tout à l'heure est déjà comique quand il est rectiligne ; il l'est davantage quand il devient circulaire, et que les efforts du personnage[b] aboutissent, par un engrenage fatal de causes et d'effets, à le ramener purement et simplement à la même place. Or, on verrait que bon nombre de vaudevilles gravitent autour de cette idée. Un chapeau de paille d'Italie a été mangé par un cheval. Un seul chapeau semblable existe dans Paris, il faut à tout prix qu'on le trouve. Ce chapeau, qui recule toujours au moment où on va le saisir, fait courir le personnage principal, lequel fait courir les autres[a] qui s'accrochent à lui : tel, l'aimant entraîne à sa suite, par une attraction qui se transmet de proche en proche, les brins de limaille de fer suspendus les uns aux autres. Et lorsque, enfin, d'incident en incident, on croit toucher au but, le chapeau tant désiré se trouve être celui-là même qui a été mangé[37]. Même odyssée dans une autre comédie non moins célèbre de Labiche. On nous montre d'abord, faisant leur quotidienne partie de cartes ensemble, un vieux garçon et une vieille fille qui sont de vieilles connaissances. Ils se sont adressés tous deux, chacun de son côté, à une même agence matrimoniale. A travers mille difficultés, et de mésaventure en mésaventure, ils courent côte à côte, le long de[b] la pièce, à l'entrevue qui les remet purement et simplement en présence l'un de l'autre[38]. Même effet circulaire, même retour au point de départ dans une pièce plus récente. Un mari persécuté croit échapper à sa femme et à sa belle-mère par le divorce. Il se remarie ; et voici que le jeu combiné du divorce et du mariage lui ramène son ancienne femme, aggravée, sous forme de nouvelle belle-mère[39].

Quand on songe à l'intensité et à la fréquence de ce genre de comique, on comprend qu'il ait frappé l'imagination de certains philosophes. Faire beaucoup de chemin pour revenir, sans le savoir, au point de départ, c'est fournir un grand effort pour un résultat nul. On pouvait être tenté de définir le comique de cette dernière manière. Telle paraît être l'idée de Herbert Spencer : le rire serait l'indice d'un effort qui rencontre tout à coup le vide[40]. Kant disait déjà : « Le rire vient d'une attente qui se résout subitement en rien. »[41] Nous reconnaissons que[a] ces définitions s'appliqueraient à nos derniers exemples ; encore faudrait-il apporter certaines restrictions à la formule, car il y a bien des efforts inutiles qui ne font pas rire. Mais si nos derniers exemples présentent[b] une grande cause aboutissant à un petit effet, nous en avons cité d'autres, tout de suite auparavant, qui devraient se définir de la manière inverse : un grand effet sortant d'une petite cause. La vérité est que cette seconde définition ne vaudrait guère mieux que la première. La disproportion entre la cause et l'effet, qu'elle se présente dans un sens ou dans l'autre, n'est pas la source directe[c] du rire. Nous rions de quelque chose que cette disproportion peut, dans certains cas, manifester, je veux dire de l'arrangement mécanique spécial qu'elle nous laisse apercevoir par transparence derrière la série des effets et des causes[42]. Négligez cet arrangement, vous abandonnez le seul

fil conducteur qui puisse vous guider dans le labyrinthe du comique, et la règle que vous aurez suivie,
applicable peut-être à quelques cas convenablement
choisis, reste exposée à la mauvaise rencontre du
premier exemple venu qui l'anéantira[43].

Mais pourquoi rions-nous de cet arrangement
mécanique ? Que l'histoire d'un individu ou celle
d'un groupe nous apparaisse, à un moment donné,
comme un jeu d'engrenages, de ressorts ou de
ficelles, cela est étrange, sans doute, mais d'où vient
le caractère spécial de cette étrangeté ? Pourquoi
est-elle comique ? A cette question, qui s'est déjà
posée à nous sous bien des formes, nous ferons toujours la même réponse. Le mécanisme raide que
nous surprenons de temps à autre, comme un intrus,
dans la vivante continuité des choses humaines, a
pour nous un intérêt tout particulier, parce qu'il est
comme une *distraction* de la vie[44]. Si les événements pouvaient être sans cesse attentifs[a] à leur
propre cours, il n'y aurait pas de coïncidences, pas
de rencontres, pas de séries circulaires ; tout se
déroulerait en avant et progresserait toujours[45]. Et si
les hommes étaient[b] toujours attentifs à la vie, si
nous reprenions constamment contact avec autrui et
aussi avec nous-mêmes, jamais rien ne paraîtrait se
produire en nous par ressorts ou ficelles. Le
comique est ce côté de la personne par lequel elle
ressemble à une chose, cet aspect des événements
humains qui imite, par sa raideur d'un genre tout
particulier, le mécanisme pur et simple, l'automa-

tisme, enfin le mouvement sans la vie. Il exprime donc une imperfection individuelle ou collective qui appelle la correction immédiate. Le rire est cette correction même. Le rire est un certain geste social, qui souligne et réprime une certaine distraction spéciale des hommes et des événements[46].

Mais ceci même nous invite à chercher plus loin et plus haut. Nous nous sommes amusés jusqu'ici à retrouver dans les jeux de l'homme certaines combinaisons mécaniques qui divertissent l'enfant. C'était là une manière empirique[a] de procéder. Le moment est venu de tenter une déduction méthodique et complète, d'aller puiser à leur source même, dans leur principe permanent et simple, les procédés multiples et variables du théâtre comique. Ce théâtre, disions-nous, combine les événements de manière à insinuer un mécanisme dans les formes extérieures de la vie. Déterminons donc les caractères essentiels par lesquels la vie, envisagée du dehors, paraît trancher sur un simple mécanisme[47]. Il nous suffira alors de passer aux caractères opposés pour obtenir la formule abstraite, cette fois générale et complète, des procédés[b] de comédie réels et possibles.

La vie se présente à nous comme une certaine évolution dans le temps, et comme une certaine complication dans l'espace. Considérée dans le temps, elle est le progrès continu d'un être qui vieillit sans cesse : c'est dire qu'elle ne revient jamais en arrière, et ne se répète jamais. Envisagée dans l'espace, elle étale à nos yeux des éléments coexistants si intimement solidaires entre eux, si exclusivement faits les uns pour les autres, qu'aucun d'eux ne pourrait appartenir en même temps à deux organismes différents : chaque être vivant est un système clos de phénomènes, incapable d'interférer avec d'autres systèmes[48]. Changement continu d'aspect, irréversibilité des phénomènes, individualité parfaite d'une série enfermée en elle-même, voilà les caractères extérieurs (réels ou apparents, peu importe) qui distinguent le vivant du simple mécanique[49]. Prenons-en le contre-pied : nous aurons trois procédés que nous appellerons, si vous voulez, la *répétition*, l'*inversion* et l'*interférence des séries*. Il est aisé de voir que ces procédés sont ceux du vaudeville, et qu'il ne saurait y en avoir d'autres.

On les trouverait d'abord, mélangés à doses variables, dans les scènes que nous venons de passer en revue, et à plus forte raison dans les jeux d'enfant dont elles reproduisent le mécanisme. Nous ne[a] nous attarderons pas à faire cette analyse. Il sera plus utile d'étudier ces procédés à l'état pur sur des exemples nouveaux. Rien ne sera plus facile d'ailleurs, car c'est souvent à l'état pur qu'on les rencontre dans la comédie classique, aussi bien que dans le théâtre contemporain.

I. *La répétition*. — Il ne s'agit plus, comme tout à l'heure, d'un mot ou d'une phrase qu'un personnage répète[50], mais d'une situation, c'est-à-dire d'une combinaison de circonstances, qui revient telle quelle à plusieurs reprises, tranchant ainsi sur le cours changeant de la vie. L'expérience nous présente déjà ce genre de comique, mais à l'état rudimentaire seulement[51]. Ainsi, je rencontre un jour dans la rue un ami que je n'ai pas vu depuis longtemps ; la situation n'a rien de comique. Mais, si, le même jour, je le rencontre de nouveau, et encore une troisième et une quatrième fois, nous finissons par rire ensemble de la « coïncidence ». Figurez-vous alors une série d'événements imaginaires qui vous donne suffisamment l'illusion de la vie, et supposez, au milieu de cette série qui progresse, une même scène qui se reproduise, soit entre les mêmes personnages, soit entre des personnages différents : vous aurez une coïncidence encore, mais plus extraordinaire[a52]. Telles sont les répétitions qu'on nous présente au théâtre. Elles sont d'autant plus comiques que la scène répétée est plus complexe et aussi qu'elle est amenée plus naturellement — deux conditions qui paraissent s'exclure, et que l'habileté de l'auteur dramatique devra réconcilier[53].

Le vaudeville contemporain use de ce procédé sous toutes ses formes. Une des plus connues consiste à promener un certain groupe de personnages, d'acte en acte, dans les milieux les plus divers, de manière à faire renaître dans des circonstances toujours nouvelles une même série d'événements ou de mésaventures qui se correspondent symétriquement.

Plusieurs pièces de Molière nous offrent une même composition d'événements qui se répète d'un bout de la comédie à l'autre. Ainsi *L'École des Femmes* ne fait que ramener et reproduire un certain[a] effet à trois temps : 1er temps, Horace raconte à Arnolphe ce qu'il a imaginé pour tromper le tuteur d'Agnès, qui se trouve être Arnolphe lui-même ; 2e temps, Arnolphe croit avoir paré le coup ; 3e temps, Agnès fait tourner les précautions d'Arnolphe au profit d'Horace. Même périodicité régulière dans *L'École des Maris*, dans *L'Étourdi*, et surtout dans *George Dandin*, où le même effet à trois temps se retrouve : 1er temps, George Dandin s'aperçoit que sa femme le trompe ; 2e temps, il appelle ses beaux-parents à son secours ; 3e temps, c'est lui, George Dandin, qui fait des excuses.

Parfois, c'est entre des groupes de personnages différents que se reproduira la même scène. Il n'est pas rare alors que le premier groupe comprenne les maîtres, et le second les domestiques. Les domestiques viendront répéter dans un autre ton, transposée en style moins noble, une scène déjà jouée par les maîtres[54]. Une partie du *Dépit amoureux* est construite sur ce plan, ainsi qu'*Amphitryon*. Dans une amusante petite comédie de Benedix, *Der Eigensinn*, l'ordre est inverse ; ce sont les maîtres qui reproduisent une scène d'obstination dont les domestiques leur ont donné l'exemple[55].

Mais, quels que soient les personnages entre lesquels des situations symétriques sont ménagées, une différence profonde paraît subsister entre la comédie classique et le théâtre contemporain. Introduire dans les événements un certain ordre mathématique en leur conservant néanmoins l'aspect de la vraisemblance, c'est-à-dire de la vie, voilà toujours ici le but. Mais les moyens employés diffèrent. Dans la plupart des vaudevilles, on travaille directement l'esprit du spectateur. Si extraordinaire en effet que soit la coïncidence, elle deviendra acceptable par cela seul qu'elle sera acceptée, et nous l'accepterons si l'on nous a préparés peu à peu à la recevoir[a]. Ainsi procèdent souvent les auteurs contemporains. Au contraire, dans le théâtre de Molière, ce sont les dispositions des personnages, et non pas celles du public, qui font que la répétition paraît naturelle[56]. Chacun de ces personnages représente une certaine force appliquée dans une certaine direction, et c'est parce que ces forces, de direction constante, se composent nécessairement entre elles de la même manière, que la même situation se reproduit. La comédie de situation, ainsi entendue, confine donc à la comédie de caractère. Elle mérite d'être appelée classique, s'il est vrai que l'art classique soit celui qui ne prétend pas tirer de l'effet plus qu'il n'a mis dans la cause.

II. *L'inversion.* — Ce second procédé a tant d'analogie avec le premier que nous nous contenterons de le définir sans insister sur les applications.

Imaginez certains personnages dans une certaine situation : vous obtiendrez une scène comique en faisant que la situation se retourne et que les rôles soient intervertis. De ce genre est la double scène de sauvetage dans *Le Voyage de Monsieur Perrichon*[57]. Mais il n'est même pas nécessaire que les deux scènes symétriques soient jouées sous nos yeux. On peut ne nous en montrer qu'une, pourvu qu'on soit sûr que nous pensons à l'autre. C'est ainsi que nous rions du prévenu qui fait de la morale au juge, de l'enfant qui prétend donner des leçons à ses parents, enfin de ce qui vient[a] se classer sous la rubrique du « monde renversé ».

Souvent on nous présentera un personnage qui prépare les filets où il viendra lui-même se faire prendre. L'histoire du persécuteur victime de sa persécution, du dupeur dupé, fait le fond de bien des comédies. Nous la trouvons déjà dans l'ancienne farce. L'avocat Pathelin indique à son client un stratagème pour tromper le juge : le client usera du stratagème pour ne pas payer l'avocat[58]. Une femme acariâtre exige de son mari qu'il fasse tous les travaux du ménage ; elle en a consigné le détail sur un « rôlet ». Qu'elle tombe maintenant au fond d'une cuve, son mari refusera de l'en tirer : « cela n'est pas sur son rôlet »[59]. La littérature moderne a exécuté bien d'autres variations sur le thème du voleur volé. Il s'agit toujours, au fond, d'une interversion de rôles, et d'une situation qui se retourne contre celui qui la crée[60].

Ici se vérifierait une loi dont nous avons déjà signalé plus d'une application. Quand une scène comique a été souvent reproduite, elle passe à l'état de « catégorie » ou de modèle. Elle devient amusante par elle-même, indépendamment des causes qui font qu'elle nous a amusés[61]. Alors des scènes nouvelles, qui ne sont pas comiques en droit, pourront nous amuser en fait si elles ressemblent à celle-là par quelque côté. Elles évoqueront plus ou moins confusément dans notre esprit une image que nous savons drôle[62]. Elles viendront se classer dans un genre où figure un type de comique officiellement reconnu. La scène du « voleur volé » est de cette espèce[a]. Elle irradie sur une foule d'autres scènes le comique qu'elle renferme. Elle finit par rendre comique toute mésaventure qu'on s'est attirée par sa faute, quelle que soit la faute, quelle que soit la mésaventure — que dis-je ? une allusion à cette mésaventure, un mot qui la rappelle. « Tu l'as voulu, George Dandin », ce mot n'aurait rien d'amusant sans les résonances comiques qui le prolongent[63].

III. — Mais nous avons assez parlé de la répétition et de l'inversion. Nous arrivons à l'*interférence des séries*. C'est un effet comique dont il est difficile[b] de dégager la formule, à cause de l'extraordinaire variété des formes sous lesquelles il se présente au théâtre. Voici peut-être comme il faudrait le définir : *Une situation est toujours comique quand elle appartient en même temps à deux séries d'événements absolument indépendantes, et qu'elle peut s'interpréter à la fois dans deux sens tout différents.*

On pensera aussitôt au *quiproquo*. Et le quiproquo est bien en effet une situation qui présente en même temps deux sens différents, l'un simplement possible, celui que les acteurs lui prêtent, l'autre réel, celui que le public lui donne. Nous apercevons le sens réel de la situation, parce qu'on a eu soin de nous en montrer toutes les faces ; mais les acteurs ne connaissent chacun que l'une d'elles[64] : de là leur méprise, de là le jugement faux qu'ils portent sur ce qu'on fait autour d'eux comme aussi sur ce qu'ils font eux-mêmes. Nous allons de ce jugement faux au jugement vrai ; nous oscillons entre le sens possible et le sens réel ; et c'est ce balancement de notre esprit entre deux interprétations opposées qui apparaît d'abord dans l'amusement que le quiproquo nous donne[65]. On comprend que certains philosophes aient été surtout frappés de ce balancement, et que quelques-uns aient vu l'essence même du comique dans un choc, ou dans une superposition, de deux jugements qui se contredisent[66]. Mais leur définition est loin de convenir à tous les cas ; et, là même où elle convient, elle ne définit pas le principe du comique, mais seulement une de ses conséquences plus ou moins lointaines. Il est aisé de voir, en effet, que le quiproquo théâtral n'est que le cas particulier d'un phénomène plus général[a], l'interférence des séries indépendantes, et que d'ailleurs le quiproquo n'est pas risible par

lui-même, mais seulement comme *signe* d'une interférence de séries[67].

Dans le quiproquo[a], en effet, chacun des personnages est inséré dans une série d'événements qui le
concernent, dont il a la représentation exacte, et sur
lesquels il règle ses paroles et ses actes. Chacune
des séries intéressant chacun des personnages se
développe d'une manière indépendante ; mais elles
se sont rencontrées à un certain moment dans des
conditions telles que les actes et les paroles qui font
partie de l'une d'elles pussent aussi bien convenir
à l'autre[68]. De là la méprise des personnages, de là
l'équivoque ; mais cette équivoque n'est pas
comique par elle-même ; elle ne l'est que parce
qu'elle manifeste la coïncidence des deux séries
indépendantes. La preuve en est que l'auteur doit
constamment s'ingénier à ramener notre attention
sur ce double fait, l'indépendance et la coïncidence.
Il y arrive d'ordinaire en renouvelant sans cesse la
fausse menace d'une dissociation entre les deux
séries qui coïncident. A chaque instant tout va cra-
quer, et tout se raccommode : c'est ce jeu qui fait
rire, bien plus que le va-et-vient de notre esprit
entre deux affirmations contradictoires. Et il nous
fait rire parce qu'il rend manifeste à nos yeux
l'interférence de deux séries indépendantes, source
véritable de l'effet comique.

Aussi le quiproquo ne peut-il être qu'un cas
particulier. C'est un des moyens (le plus artificiel peut-être) de rendre sensible l'interférence des

séries ; mais ce n'est pas le seul. Au lieu de deux séries contemporaines, on pourrait aussi bien[a] prendre une série d'événements anciens et une autre actuelle[69] : si les deux séries arrivent à interférer dans notre imagination, il n'y aura plus quiproquo, et pourtant le même effet comique continuera à se produire. Pensez à la captivité de Bonivard dans le château de Chillon : voilà une première série de faits. Représentez-vous ensuite Tartarin voyageant en Suisse, arrêté, emprisonné : seconde série, indépendante de la première. Faites maintenant que Tartarin soit rivé à la propre chaîne de Bonivard et que les deux histoires paraissent un instant coïncider, vous aurez une scène très amusante, une des plus amusantes que la fantaisie de Daudet ait tracées[70]. Beaucoup d'incidents du genre héroï-comique se décomposeraient ainsi[71]. La transposition, généralement comique, de l'ancien en moderne s'inspire de la même idée.

Labiche a usé du procédé sous toutes ses formes. Tantôt il commence par constituer les séries indépendantes et s'amuse ensuite à les faire interférer entre elles : il prendra un groupe fermé, une noce par exemple[72], et le fera tomber dans des milieux tout à fait étrangers où certaines coïncidences lui permettront de s'intercaler momentanément. Tantôt il conservera à travers la pièce[b] un seul et même système de personnages, mais il fera que quelques-uns de ces personnages aient quelque chose à dissimuler, soient obligés de s'entendre entre eux, jouent

enfin une petite comédie au milieu de la grande :
à chaque instant l'une[a] des deux comédies va
déranger l'autre, puis les choses s'arrangent[b] et la
coïncidence des deux séries se rétablit[73]. Tantôt
enfin c'est une série d'événements tout idéale qu'il
intercalera dans la série réelle, par exemple un passé
qu'on voudrait cacher, et qui fait sans cesse irruption dans le présent, et qu'on arrive chaque fois à
réconcilier avec les situations qu'il semblait devoir
bouleverser[74]. Mais toujours nous retrouvons les
deux séries indépendantes, et toujours la coïncidence
partielle.

Nous ne pousserons pas plus loin cette analyse
des procédés de vaudeville. Qu'il y ait interférence
de séries, inversion ou répétition, nous voyons
que l'objet est toujours le même : obtenir ce que
nous avons appelé une *mécanisation* de la vie. On
prendra un système d'actions et de relations, et on
le répétera tel quel, ou on le retournera sens dessus
dessous, ou on le transportera en bloc dans un autre
système avec lequel il coïncide en partie — toutes
opérations qui consistent à traiter la vie comme un
mécanisme à répétition, avec effets réversibles et
pièces interchangeables. La vie réelle est un
vaudeville dans l'exacte mesure où elle produit
naturellement des effets du même genre[75], et par
conséquent dans l'exacte mesure où elle s'oublie
elle-même, car si elle faisait sans cesse attention[c],
elle serait continuité variée, progrès irréversible,
unité indivisée[76]. Et c'est pourquoi le comi-

que des événements peut se définir une distraction
des choses, de même que le comique d'un caractère
individuel tient toujours, comme nous le faisions
pressentir et comme nous le montrerons en détail
plus loin[a], à une certaine distraction fondamentale de
la personne[77]. Mais cette distraction des événements
est exceptionnelle. Les effets en sont légers. Et elle
est en tout cas incorrigible, de sorte qu'il ne sert à
rien d'en rire. C'est pourquoi l'idée ne serait pas
venue de l'exagérer, de l'ériger en système, de créer
un art pour elle, si le rire n'était un plaisir[b] et si
l'humanité ne saisissait au vol la moindre occasion
de le faire naître[78]. Ainsi s'explique le vaudeville
qui est à la vie réelle ce que le pantin articulé est
à l'homme qui marche, une exagération très artificielle d'une certaine raideur naturelle des choses.
Le fil qui le relie à la vie réelle est bien fragile.
Ce n'est guère qu'un jeu, subordonné, comme tous
les jeux, à une convention d'abord acceptée[79]. La
comédie de caractère pousse dans la vie des racines
autrement profondes. C'est d'elle surtout que nous
nous occuperons dans la dernière partie de notre
étude. Mais nous devons d'abord analyser un certain genre de comique qui ressemble par bien des
côtés à celui du vaudeville, le comique de mots.

II

Il y a peut-être quelque chose d'artificiel à faire
une catégorie spéciale pour le comique de mots,

car la plupart des effets comiques que nous avons étudiés jusqu'ici se produisaient déjà par l'intermédiaire du langage[80]. Mais il faut distinguer entre le comique que le langage exprime et celui que le langage crée. Le premier pourrait, à la rigueur, se traduire d'une langue dans une autre, quitte à perdre la plus grande partie de son relief en passant dans une société nouvelle, autre par ses mœurs, par sa littérature, et surtout par ses associations d'idées. Mais le second est généralement intraduisible. Il doit ce qu'il est[a] à la structure de la phrase ou au choix des mots. Il ne constate pas, à l'aide du langage, certaines distractions particulières des hommes ou des événements. Il souligne les distractions du langage lui-même[81]. C'est le langage lui-même, ici, qui devient comique.

Il est vrai que les phrases ne se font pas toutes seules, et que si nous rions d'elles, nous pourrons rire de leur auteur par la même occasion. Mais cette dernière condition ne sera pas indispensable. La phrase, le mot auront ici une force comique indépendante[82]. Et la preuve en est que nous serons embarrassés, dans la plupart des cas[b], pour dire de qui nous rions, bien que nous sentions confusément parfois qu'il y a quelqu'un en cause[83].

La personne en cause, d'ailleurs, n'est pas toujours celle qui parle. Il y aurait ici une importante distinction à faire entre le *spirituel* et le *comique*. Peut-être trouverait-on qu'un mot[c] est dit comique quand il nous fait rire de celui qui le prononce, et spirituel quand il nous fait rire d'un tiers ou rire de nous[84]. Mais, le plus souvent, nous ne saurions décider si le mot est comique ou spirituel. Il est risible simplement.

Peut-être aussi faudrait-il[a], avant d'aller plus loin, examiner de plus près ce qu'on entend par esprit. Car un mot d'esprit nous fait tout au moins sourire, de sorte qu'une étude du rire ne serait pas complète si elle négligeait d'approfondir la nature de l'esprit, d'en éclaircir l'idée. Mais je crains que cette essence très subtile ne soit de celles qui se décomposent à la lumière[85].

Distinguons d'abord deux sens du mot esprit, l'un plus large, l'autre plus étroit. Au sens le plus large du mot, il semble[b] qu'on appelle esprit une certaine manière *dramatique* de penser. Au lieu de manier ses idées comme des symboles indifférents, l'homme d'esprit les voit, les entend, et surtout les fait dialoguer entre elles comme des personnes. Il les met en scène, et lui-même, un peu, se met en scène aussi[86]. Un peuple spirituel est aussi un peuple[c] épris du théâtre. Dans l'homme d'esprit[d] il y a quelque chose du poète, de même que dans le bon liseur[e] il y a le commencement d'un comédien. Je fais ce rapprochement à dessein, parce qu'on établirait sans peine une proportion entre les quatre termes. Pour bien lire, il suffit de posséder la partie intellectuelle de l'art du comédien ; mais pour bien jouer, il faut être comédien de toute son âme et dans toute sa personne[87]. Ainsi la création poétique exige un certain oubli de soi, qui n'est pas par où pèche d'ordinaire l'homme d'esprit[88]. Celui-ci transparaît plus ou moins derrière[a] ce qu'il dit et ce qu'il fait[89]. Il ne s'y absorbe pas, parce qu'il n'y met que son intelligence.

Tout poète pourra donc se révéler homme d'esprit quand il lui plaira. Il n'aura rien besoin d'acquérir pour cela ; il aurait plutôt à perdre quelque chose. Il lui suffirait de laisser ses idées converser entre elles « pour rien, pour le plaisir ». Il n'aurait qu'à desserrer le double lien qui maintient ses idées en contact avec ses sentiments et son âme en contact avec la vie[90]. Enfin il tournerait à l'homme d'esprit s'il ne voulait plus être poète par le cœur aussi, mais seulement par l'intelligence.

Mais si l'esprit consiste en général à voir les choses *sub specie theatri*, on conçoit qu'il puisse être plus particulièrement tourné vers une certaine variété de l'art dramatique, la comédie. De là un sens plus étroit du mot, le seul qui nous intéresse d'ailleurs au point de vue de la théorie du rire[91]. On appellera cette fois *esprit* une certaine disposition à esquisser en passant des scènes de comédie, mais à les esquisser si discrètement, si légèrement, si rapidement, que tout est déjà fini quand nous commençons à nous en apercevoir[92].

Quels sont les acteurs de ces scènes[93] ? A qui l'homme d'esprit a-t-il affaire ? D'abord à ses interlocuteurs eux-mêmes, quand le mot est une réplique directe à l'un d'eux. Souvent à une personne absente, dont il suppose qu'elle a parlé et qu'il lui répond. Plus souvent encore à tout le monde, je veux dire au sens commun, qu'il prend à partie en tournant au paradoxe une idée courante, ou en utilisant un tour de phrase accepté, en parodiant une citation ou un proverbe. Comparez ces petites scènes entre elles, vous verrez que ce sont généralement des variations[a] sur un thème de comédie que nous connaissons bien, celui du « voleur volé »[94]. On saisit une métaphore, une phrase, un raisonnement, et on les retourne contre celui qui les fait ou qui pourrait les faire, de manière qu'il ait dit ce qu'il ne voulait pas dire et qu'il vienne lui-même, en quelque sorte, se faire prendre au piège du langage[95]. Mais le thème du « voleur volé » n'est pas le seul possible. Nous avons passé en revue bien des espèces de comique ; il n'en est pas une seule qui ne puisse s'aiguiser en trait d'esprit[96].

Le mot d'esprit se prêtera[b] donc à une analyse dont nous pouvons donner maintenant, pour ainsi dire, la formule pharmaceutique. Voici cette formule. Prenez le mot, épaississez-le d'abord en scène jouée, cherchez ensuite la catégorie comique à laquelle cette scène appartiendrait : vous réduirez ainsi le mot d'esprit à ses plus simples éléments et vous aurez[c] l'explication complète[97].

Appliquons cette méthode à un exemple classique. « J'ai mal à votre poitrine », écrivait Mme de Sévigné à sa fille malade. Voilà un mot d'esprit. Si notre théorie est exacte, il nous suffira d'appuyer sur le mot, de le grossir et de l'épaissir, pour le voir s'étaler en scène comique. Or nous trouvons précisément cette petite scène, toute faite, dans *L'Amour médecin* de Molière. Le faux médecin Clitandre, appelé pour donner ses soins à la fille de Sganarelle, se contente de tâter le pouls à Sganarelle lui-même, après quoi il conclut sans hésitation, en se fondant sur la sympathie qui doit exister entre le père et la fille : « Votre fille est bien malade ! »[98] Voilà donc le passage effectué du spirituel au comique. Il ne nous reste plus alors, pour compléter notre analyse, qu'à chercher ce qu'il y a de comique dans l'idée de porter un diagnostic sur l'enfant après auscultation du père ou de la mère. Mais nous savons qu'une des formes essentielles de la fantaisie comique consiste à nous représenter l'homme vivant comme une espèce de pantin articulé, et que souvent, pour nous déterminer à former cette image, on nous montre deux ou plusieurs personnes qui parlent et agissent comme si elles étaient reliées les unes aux autres par d'invisibles ficelles[99]. N'est-ce pas cette idée qu'on nous suggère ici en nous amenant à matérialiser, pour ainsi dire, la sympathie que nous établissons entre la fille et son père[100] ?

On comprendra alors pourquoi[a] les auteurs qui ont traité de l'esprit ont dû se borner à noter l'extraordinaire complexité des choses que ce terme désigne, sans réussir d'ordinaire à[b] le définir[101]. Il y a bien des façons d'être spirituel, presque autant qu'il y en a de ne l'être pas. Comment apercevoir ce qu'elles ont de commun entre elles, si l'on ne commence par déterminer la relation générale du spirituel au comique ? Mais, une fois cette relation dégagée, tout s'éclaircit. Entre le comique et le spirituel on découvre alors le même rapport qu'entre une scène faite et la fugitive indication d'une scène à faire. Autant le comique peut prendre de formes, autant l'esprit aura de variétés correspondantes. C'est donc le comique, sous ses diverses formes, qu'il faut définir d'abord, en retrouvant (ce qui est déjà assez[a] difficile) le fil qui conduit d'une forme à l'autre. Par là[b] même on aura analysé l'esprit, qui apparaîtra alors comme n'étant que du comique volatilisé. Mais suivre la méthode inverse, chercher directement la formule de l'esprit, c'est aller à un échec certain. Que dirait-on du chimiste qui aurait les corps à discrétion dans son laboratoire, et qui prétendrait ne les étudier qu'à l'état de simples traces dans l'atmosphère ?

Mais cette comparaison du spirituel et du comique nous indique en même temps la marche à suivre pour l'étude du comique de mots. D'un côté, en effet, nous voyons qu'il n'y a pas de différence essentielle entre un mot comique et un mot d'esprit, et d'autre part le mot d'esprit, quoique lié à une figure de langage, évoque l'image confuse[c] ou nette d'une scène comique[102]. Cela revient à dire que le comique du langage doit correspondre, point par point, au comique des actions et des situations et qu'il n'en est, si l'on peut s'exprimer ainsi, que la projection sur le plan des mots[103]. Revenons donc au comique des actions et des situations. Considérons les principaux procédés par lesquels on l'obtient. Appliquons ces procédés au choix des mots et à la construction des phrases. Nous aurons ainsi les formes diverses du comique de mots et les variétés possibles de l'esprit[a].

I. — Se laisser aller, par un effet de raideur ou de vitesse acquise, à dire ce qu'on ne voulait pas dire ou à faire ce qu'on ne voulait pas faire, voilà, nous le savons, une des grandes sources du comique. C'est pourquoi la distraction est essentiellement risible. C'est pourquoi aussi l'on rit de ce qu'il peut y avoir de raide, de tout fait, de mécanique enfin dans le geste, les attitudes et même les traits de la physionomie[104]. Ce genre de raideur s'observe-t-il aussi dans le langage ? Oui, sans doute, puisqu'il y a des formules toutes faites et des phrases stéréotypées[105]. Un personnage qui s'exprimerait toujours dans ce style serait invariablement comique. Mais pour qu'une phrase isolée soit comique par elle-même, une fois détachée de celui qui la prononce, il ne suffit pas que ce soit une phrase toute faite, il faut encore qu'elle porte en elle un signe auquel nous reconnaissions, sans hésitation possible, qu'elle a été prononcée automatiquement[106]. Et ceci ne peut guère arriver[b] que lorsque la phrase renferme une absurdité manifeste, soit une erreur grossière, soit surtout une contradiction dans les termes. De là cette règle générale : *On obtiendra un mot comique*[a] *en insérant une idée absurde dans un moule de phrase consacré.*

« Ce sabre est le plus beau jour de ma vie », dit M. Prudhomme. Traduisez la phrase en anglais ou en allemand, elle deviendra simplement absurde, de comique qu'elle était en français. C'est que « le plus beau jour de ma vie » est une de ces fins de phrase toutes faites auxquelles notre oreille est habituée. Il suffit alors, pour la rendre comique, de mettre en pleine lumière l'automatisme de celui qui la prononce. C'est à quoi l'on arrive en y insérant une absurdité. L'absurdité n'est pas ici[b] la source du comique. Elle n'est qu'un moyen très simple et très efficace de nous le révéler[107].

Nous n'avons cité qu'un mot de M. Prudhomme. Mais la plupart des mots qu'on lui attribue sont faits sur le même modèle. M. Prudhomme est l'homme des phrases toutes faites. Et comme il y a des phrases toutes faites dans toutes les langues, M. Prudhomme est généralement transposable[c], quoiqu'il soit rarement traduisible[108].

Quelquefois la phrase banale, sous le couvert de laquelle l'absurdité passe, est un peu plus difficile à apercevoir. « Je n'aime pas à travailler entre mes repas », a dit un paresseux. Le mot ne serait pas amusant, s'il n'y avait ce salutaire précepte d'hygiène : « Il ne faut pas manger entre ses repas. »

Quelquefois aussi l'effet se complique. Au lieu d'un seul moule de phrase banal, il y en a deux ou trois qui s'emboîtent l'un dans l'autre. Soit,

par exemple, ce mot d'un personnage de Labiche :
« Il n'y a que Dieu qui ait le droit de tuer son semblable. »[109] On semble bien profiter ici[a] de deux propositions qui nous sont familières : « C'est Dieu qui
dispose de la vie des hommes », et : « C'est un
crime, pour l'homme, que de tuer[b] son semblable. »
Mais les deux propositions[c] sont combinées de
manière à tromper notre oreille et à nous donner
l'impression d'une de ces phrases qu'on répète et
qu'on accepte machinalement. De là une somno-
lence de notre attention, que tout à coup l'absurdité
réveille[110].

Ces exemples suffiront à faire comprendre
comment une des formes les plus importantes du
comique se projette et se simplifie sur le plan du
langage. Passons à une forme moins générale.

II. —« Nous rions toutes les fois que notre
attention est détournée sur le physique d'une personne, alors que le moral était en cause » : voilà
une loi que nous avons posée dans la première
partie de notre travail[111]. Appliquons-la au langage.
On pourrait dire que la plupart des mots présentent
un sens *physique* et un sens *moral*, selon qu'on les
prend au propre ou au figuré. Tout mot commence
en effet par désigner un objet concret ou une
action matérielle ; mais peu à peu le sens du mot
a pu se spiritualiser en relation abstraite ou en
idée pure[112]. Si donc notre loi se conserve ici, elle
devra prendre la forme suivante : *On obtient un*

effet comique quand on affecte[a] d'entendre une expres-
sion au propre, alors qu'elle était employée au figuré.
Ou encore : *Dès que notre attention se concentre sur*
la matérialité d'une métaphore, l'idée exprimée
devient comique.

« Tous les arts sont frères » : dans cette phrase
le mot « frère » est pris métaphoriquement pour
désigner une ressemblance plus ou moins profonde.
Et le mot est si souvent employé ainsi que nous ne
pensons plus, en l'entendant, à la relation concrète
et matérielle qu'une parenté implique[b]. Nous y penserions déjà davantage si l'on nous disait : « Tous
les arts sont cousins », parce que le mot « cousin »
est moins souvent pris au figuré ; aussi ce mot se
teindrait-il ici d'une nuance comique légère. Allez
maintenant jusqu'au bout, supposez qu'on attire
violemment notre attention sur la matérialité de
l'image en choisissant une relation de parenté
incompatible avec le genre des termes que cette
parenté doit unir : vous aurez un effet risible. C'est
le mot bien connu, attribué encore à M. Prudhomme[c] : « Tous les arts sont sœurs. »

« Il court après l'esprit », disait-on devant Boufflers d'un prétentieux personnage[d]. Si Boufflers avait
répondu : « Il ne l'attrapera pas », c'eût été le
commencement d'un mot d'esprit ; mais ce n'en eût
été que le commencement, parce que le terme
« attraper » est pris au figuré presque aussi souvent
que le terme « courir », et qu'il ne nous contraint
pas assez violemment à matérialiser l'image de

deux coureurs lancés l'un derrière l'autre. Voulez-vous que la réplique me paraisse tout à fait spirituelle ? Il faudra que vous empruntiez au vocabulaire du sport un terme si concret, si vivant, que je ne puisse m'empêcher[a] d'assister pour tout de bon à la course. C'est ce que fait Boufflers : « Je parie pour l'esprit. »

Nous disions que l'esprit consiste souvent à prolonger l'idée d'un interlocuteur jusqu'au point où il exprimerait le contraire de sa pensée et où il viendrait se faire prendre lui-même, pour ainsi dire, au piège de son discours[113]. Ajoutons maintenant que ce piège est souvent aussi une métaphore ou une comparaison dont on retourne contre lui la matérialité. On se rappelle ce dialogue entre une mère et son fils dans *Les Faux Bonshommes* : « Mon ami, la Bourse est un jeu dangereux. On gagne un jour et l'on perd le lendemain. — Eh bien, je ne jouerai que tous les deux jours. »[114] Et, dans la même pièce, l'édifiante conversation de deux financiers : « Est-ce bien loyal ce que nous faisons là ? Car enfin, ces malheureux actionnaires, nous leur prenons l'argent dans la poche... — Et dans quoi voulez-vous donc que nous le prenions ? »[115]

Aussi obtiendra-t-on un effet amusant quand on développera[b] un symbole ou un emblème dans le sens de leur matérialité et qu'on affectera alors de[c] conserver à ce développement la même valeur symbolique qu'à l'emblème. Dans un très joyeux vaudeville, on nous présente un fonctionnaire de

Monaco dont l'uniforme est couvert de médailles, bien qu'une[a] seule décoration lui ait été conférée : « C'est, dit-il, que j'ai placé ma médaille sur un numéro de la roulette, et comme ce numéro est sorti, j'ai eu droit à trente-six fois ma mise. » N'est-ce pas un raisonnement analogue[b] que celui de Giboyer dans *Les Effrontés* ? On parle d'une mariée de quarante ans qui porte des fleurs d'oranger sur sa toilette de noce : « Elle aurait droit à des oranges », dit Giboyer[116].

Mais nous n'en finirions pas si nous devions prendre une à une les diverses lois[c] que nous avons énoncées, et en chercher la vérification sur ce que nous avons appelé le plan du langage. Nous ferons mieux de nous en tenir aux trois propositions générales de notre dernier chapitre. Nous avons montré que des « séries d'événements » pouvaient devenir comiques soit par *répétition*, soit par *inversion*, soit enfin par *interférence*[117]. Nous allons voir qu'il en est de même des séries de mots.

Prendre des séries d'événements et les répéter dans un nouveau ton ou dans un nouveau milieu, ou les intervertir en leur conservant encore un sens, ou les mêler de manière que leurs significations respectives interfèrent entre elles, cela est comique[d], disions-nous, parce que c'est obtenir de la vie qu'elle se laisse traiter mécaniquement[118]. Mais la pensée, elle aussi, est chose qui vit. Et le langage, qui traduit la pensée, devrait être aussi vivant qu'elle[119]. On devine donc qu'une phrase deviendra

comique si elle donne encore un sens en se retour-
nant, ou si elle exprime indifféremment deux systèmes d'idées tout à fait indépendants[a], ou enfin si
on l'a obtenue en transposant une idée dans un ton
qui n'est pas le sien. Telles sont bien en effet les
trois lois fondamentales de ce qu'on pourrait appeler
la transformation comique des propositions, comme
nous allons le montrer sur quelques exemples.

Disons d'abord que ces trois lois sont loin
d'avoir une égale importance en ce qui concerne la
théorie[b] du comique. L'*inversion* est le procédé le
moins intéressant. Mais il doit être d'une application facile, car on constate que[c] les professionnels
de l'esprit, dès qu'ils entendent prononcer une
phrase, cherchent si l'on n'obtiendrait pas encore un
sens en la renversant, par exemple en mettant le
sujet à la place du régime et le régime à la place
du sujet. Il n'est pas rare qu'on se serve de ce
moyen pour réfuter une idée en termes plus ou
moins plaisants. Dans une comédie de Labiche, un
personnage crie au locataire d'au-dessus, qui lui
salit son balcon : « Pourquoi jetez-vous vos pipes
sur ma terrasse ? » A quoi la voix du locataire
répond : « Pourquoi mettez-vous votre terrasse sous
mes pipes ? »[120] Mais il est inutile d'insister sur ce
genre[d] d'esprit. On en multiplierait trop aisément les
exemples.

L'*interférence* de deux systèmes d'idées dans la
même phrase est une source intarissable d'effets
plaisants. Il y a bien des moyens d'obtenir ici

l'interférence, c'est-à-dire de donner à la même phrase deux significations indépendantes qui se superposent[121]. Le moins estimable de ces moyens est le calembour. Dans le calembour, c'est bien la même phrase qui paraît présenter deux sens indépendants, mais ce n'est qu'une apparence, et il y a en réalité deux phrases différentes, composées de mots différents, qu'on affecte de confondre entre elles en profitant de ce qu'elles donnent le même son à l'oreille[122]. Du calembour on passera d'ailleurs par gradations insensibles au véritable jeu de mots. Ici les deux systèmes d'idées se recouvrent réellement dans une seule et même phrase et l'on a affaire aux mêmes mots ; on profite simplement de la diversité de sens qu'un mot peut prendre, dans son passage surtout du propre au figuré[123]. Aussi ne trouvera-t-on souvent qu'une nuance de différence entre le jeu de mots, d'une part, et la métaphore poétique ou la comparaison instructive, de l'autre[124]. Tandis que la comparaison qui instruit et l'image qui frappe nous paraissent manifester[a] l'accord intime du langage et de la nature, envisagés comme deux formes parallèles de la vie, le jeu de mots nous fait plutôt penser à un laisser-aller du langage, qui oublierait un instant sa destination véritable et prétendrait maintenant régler les choses sur lui, au lien de se régler sur elles[125]. Le jeu de mots trahit donc[b] une *distraction* momentanée du langage, et c'est d'ailleurs par là qu'il est amusant[126].

Inversion et *interférence*, en somme, ne sont que

des jeux d'esprit aboutissant à des jeux de mots. Plus profond est[a] le comique de la *transposition*. La transposition est en effet au langage courant ce que la répétition est à la comédie.

Nous disions que la répétition est le procédé favori de la comédie classique[127]. Elle consiste à disposer les événements de manière qu'une scène se reproduise, soit entre les mêmes personnages dans de nouvelles circonstances, soit entre des personnages nouveaux dans des situations identiques. C'est ainsi qu'on fera répéter par les valets, en langage moins noble, une scène déjà jouée par les maîtres[128]. Supposez maintenant des idées exprimées dans le style qui leur convient et encadrées ainsi dans leur milieu naturel. Si vous imaginez un dispositif qui leur permette de se transporter dans un milieu nouveau en conservant les rapports qu'elles ont entre elles, ou, en d'autres termes, si vous les amenez à s'exprimer en un tout autre style et à se transposer en un tout autre ton, c'est le langage qui vous donnera cette fois la comédie, c'est le langage qui sera comique[129]. Point ne sera besoin, d'ailleurs, de nous présenter effectivement les deux expressions de la même idée, l'expression transposée et l'expression naturelle. Nous connaissons l'expression naturelle, en effet, puisque c'est celle que nous trouvons d'instinct[130]. C'est donc sur l'autre, et sur l'autre seulement, que portera l'effort d'invention comique. Dès que la seconde nous est présentée, nous suppléons, de nous-mêmes, la première. D'où cette règle générale : *On obtiendra un effet^a comique en transposant l'expression naturelle d'une idée dans un autre ton.*

Les moyens de transposition sont si nombreux et si variés, le langage présente une si riche continuité de tons, le comique peut passer ici par un si grand nombre de degrés, depuis la plus plate bouffonnerie jusqu'aux formes les plus hautes de l'*humour* et de l'ironie[131], que nous renonçons à faire une énumération complète. Il nous suffira, après avoir posé la règle, d'en vérifier de loin en loin les principales applications[132].

On pourrait d'abord distinguer deux tons extrêmes, le solennel et le familier. On obtiendra les effets les plus gros par la simple transposition de l'un dans l'autre. De là, deux directions opposées de la fantaisie comique.

Transpose-t-on en familier le solennel ? On a la parodie. Et l'effet de parodie, ainsi défini, se prolongera jusqu'à des cas où l'idée exprimée en termes familiers est de celles qui devraient, ne fût-ce que par habitude, adopter un autre ton. Exemple, cette description du lever de l'aurore, citée par Jean-Paul Richter : « Le ciel commençait à passer du noir au rouge, semblable à un homard qui cuit. »[133] On remarquera que l'expression de choses antiques en termes de la vie moderne donne le même effet, à cause de l'auréole de poésie qui entoure l'antiquité classique.

C'est, sans aucun doute, le comique de la parodie

qui a suggéré à quelques philosophes, en particulier
à Alexandre Bain, l'idée de définir le comique en
général par la *dégradation*. Le risible naîtrait
« quand on nous présente une chose, auparavant res-
pectée, comme médiocre et vile »[134]. Mais si notre
analyse est exacte, la dégradation n'est qu'une des
formes de la transposition, et la transposition elle-
même n'est qu'un des moyens d'obtenir le rire. Il
y en a beaucoup d'autres[a], et la source du rire doit
être cherchée plus haut. D'ailleurs, sans aller aussi
loin, il est aisé de voir que si la transposition
du solennel en trivial, du meilleur en pire, est
comique, la transposition inverse peut l'être encore
davantage.

On la trouve aussi souvent que l'autre. Et l'on
pourrait, semble-t-il, en distinguer[b] deux formes
principales, selon qu'elle porte sur la *grandeur* des
objets ou sur leur *valeur*.

Parler des petites choses comme si elles étaient
grandes, c'est, d'une manière générale, *exagérer*.
L'exagération est comique quand elle est prolongée
et surtout quand elle est systématique : c'est alors,
en effet, qu'elle apparaît comme un procédé de transposition. Elle fait si bien rire que quelques auteurs
ont pu définir le comique par l'exagération, comme
d'autres l'avaient défini par la dégradation[135]. En réalité, l'exagération, comme la dégradation, n'est
qu'une certaine forme d'une certaine espèce de
comique. Mais c'en est une forme très frappante.
Elle a donné naissance au poème héroï-comique,

genre un peu usé, sans doute, mais[a] dont on retrouve les restes chez tous ceux qui sont enclins à exagérer méthodiquement[136]. On pourrait dire de la vantardise, souvent, que c'est par son côté héroï-comique qu'elle nous fait rire.

Plus artificielle, mais plus raffinée aussi, est la transposition de bas en haut qui s'applique à la valeur des choses, et non plus à leur grandeur. Exprimer honnêtement une idée malhonnête, prendre une situation scabreuse, ou un métier bas, ou une conduite vile, et les décrire en termes de stricte *respectability*, cela est généralement comique. Nous venons d'employer un mot anglais[b] : la chose elle-même, en effet, est bien anglaise. On en trouverait d'innombrables exemples chez Dickens, chez Thackeray, dans la littérature anglaise en général[137]. Notons-le en passant : l'intensité de l'effet ne dépend pas ici de sa longueur. Un mot suffira parfois, pourvu que ce mot nous laisse entrevoir tout un système de transposition accepté[c] dans un certain milieu[138], et qu'il nous révèle, en quelque sorte, une organisation morale de l'immoralité. On se rappelle cette observation[d] d'un haut fonctionnaire à un de ses subordonnés, dans une pièce de Gogol[e] : « Tu voles trop pour un fonctionnaire de ton grade. »

Pour résumer ce qui précède, nous dirons qu'il y a d'abord deux termes de comparaison extrêmes, le très grand et le très petit, le meilleur et le pire, entre lesquels la transposition peut s'effectuer dans un sens ou dans l'autre. Maintenant, en resserrant peu à peu l'intervalle, on obtiendrait des termes à contraste de moins en moins brutal et des effets de transposition comique de plus en plus subtils.

La plus générale de ces oppositions serait peut-être celle du réel à l'idéal, de ce qui est à ce qui devrait être. Ici encore la transposition pourra se faire dans les deux directions inverses. Tantôt on énoncera ce qui devrait être en feignant de croire que c'est précisément ce qui est : en cela consiste l'*ironie*. Tantôt, au contraire, on décrira minutieusement et méticuleusement ce qui est, en affectant de croire que c'est bien là ce que les choses devraient être : ainsi procède souvent l'*humour*. L'humour, ainsi défini, est l'inverse de l'ironie. Ils sont, l'un et l'autre, des formes de la satire, mais l'ironie est de nature oratoire, tandis que l'humour a quelque chose de plus scientifique[a139]. On accentue l'ironie en se laissant soulever de plus en plus haut par l'idée du bien qui devrait être : c'est pourquoi l'ironie peut s'échauffer intérieurement jusqu'à devenir, en quelque sorte, de l'éloquence sous pression. On accentue l'humour, au contraire, en descendant de plus en plus bas à l'intérieur du mal qui est, pour en noter les particularités avec une plus froide indifférence. Plusieurs auteurs, Jean Paul entre autres, ont remarqué que l'humour affectionne les termes concrets, les détails techniques, les faits précis. Si notre analyse est exacte, ce n'est pas là un trait accidentel de l'humour, c'en est, là où il se rencontre, l'essence même[a]. L'humoriste est ici un moraliste[b] qui se déguise en savant, quelque chose comme un anatomiste qui ne ferait de la dissection que pour nous dégoûter ; et l'humour, au sens restreint où nous prenons le mot[c], est bien une transposition du moral en scientifique[140].

En rétrécissant encore l'intervalle des termes qu'on transpose l'un dans l'autre, on obtiendrait maintenant des systèmes de transposition comique de plus en plus spéciaux. Ainsi, certaines professions ont un vocabulaire technique : combien n'a-t-on pas obtenu d'effets risibles en transposant dans ce langage professionnel les idées de la vie commune[141] ! Également comique est l'extension de la langue des affaires aux relations mondaines, par exemple cette phrase d'un personnage de Labiche faisant allusion à une lettre d'invitation qu'il a reçue : « Votre amicale du 3 de l'écoulé », et transposant ainsi la formule commerciale : « Votre honorée du 3 courant. »[142] Ce genre de comique peut d'ailleurs atteindre une profondeur particulière quand il ne décèle plus seulement une habitude professionnelle, mais un vice de caractère[143]. On se rappelle les scènes des *Faux Bonshommes* et de *La Famille Benoiton* où le mariage est traité comme une affaire, et où les questions de sentiment se posent en termes strictement commerciaux[144].

Mais nous touchons ici au point où les particularités de langage ne font que traduire les particularités de caractère, et nous devons en réserver pour notre prochain chapitre l'étude plus approfondie[145]. Ainsi qu'il fallait s'y attendre, et comme on a pu voir[a] par ce qui précède, le comique de mots suit de près le comique de situation et vient se perdre, avec ce dernier genre de comique lui-même, dans le comique de caractère. Le langage n'aboutit à des effets risibles que parce qu'il est une œuvre humaine, modelée aussi exactement que possible sur les formes de l'esprit humain. Nous sentons en lui quelque chose qui vit de notre vie ; et si cette vie du langage était complète et parfaite, s'il n'y avait rien en elle de figé, si le langage enfin était un organisme tout à fait unifié, incapable de se scinder en organismes indépendants, il échapperait au comique, comme y échapperait d'ailleurs aussi une âme à la vie harmonieusement fondue, unie, semblable à une nappe d'eau bien tranquille[146]. Mais il n'y a pas d'étang qui ne laisse flotter des feuilles mortes à sa surface[147], pas d'âme humaine sur laquelle ne se posent des habitudes qui la raidissent contre elle-même en la raidissant contre les autres, pas de langue enfin assez souple, assez vivante[b], assez présente tout entière à chacune de ses parties pour éliminer le *tout fait* et pour résister aussi aux opérations mécaniques d'inversion, de transposition[148], etc., qu'on voudrait exécuter sur elle comme sur une simple chose. Le raide, le tout fait, le mécanique, par opposition au souple, au continuellement changeant, au vivant, la distrac-

tion par opposition à l'attention, enfin l'automatisme par opposition à l'activité libre, voilà, en
somme, ce que le rire souligne et voudrait corriger.
Nous avons demandé à cette idée d'éclairer notre
départ au moment où nous nous engagions dans
l'analyse du comique[149]. Nous l'avons vue briller à
tous les tournants décisifs de notre chemin[150]. C'est
par elle maintenant que nous allons aborder une
recherche plus importante et, nous l'espérons, plus
instructive. Nous nous proposons, en effet, d'étudier
les caractères comiques, ou plutôt de déterminer[a] les
conditions essentielles de la comédie de caractère[b],
mais en tâchant que cette étude contribue à nous
faire comprendre la vraie nature de l'art, ainsi que
le rapport général de l'art à la vie[151].

CHAPITRE III

Le comique de caractère

I

Nous avons suivi le comique à travers plusieurs de ses tours et détours, cherchant comment il s'infiltre dans une forme, une attitude, un geste, une situation, une action, un mot. Avec l'analyse des *caractères* comiques, nous arrivons maintenant à la partie la plus importante de notre tâche. C'en serait d'ailleurs aussi la plus difficile, si nous avions cédé à la tentation de définir le risible sur quelques exemples frappants, et par conséquent grossiers : alors, à mesure que nous nous serions élevés vers les manifestations du comique les plus hautes, nous aurions vu les faits glisser entre les mailles trop larges de la définition qui voudrait les retenir[1]. Mais nous avons suivi en réalité la méthode inverse : c'est du haut vers le bas que nous avons dirigé la lumière. Convaincu[a] que le rire a une signification et une portée sociales[b], que le comique exprime avant tout une certaine inadaptation particulière de la personne à la société, qu'il n'y a de comique enfin que l'homme, c'est l'homme, c'est le caractère que nous avons visé d'abord[2]. La difficulté était bien plutôt alors d'expliquer comment il nous arrive de rire d'autre chose que d'un caractère, et par quels subtils phénomènes d'imprégnation, de combinaison ou de mélange le comique peut s'insinuer dans un simple mouvement, dans une situation impersonnelle, dans une phrase indépendante. Tel est le travail que nous avons fait jusqu'ici. Nous nous donnions le métal pur, et nos efforts[a] ne tendaient qu'à reconstituer le minerai. Mais c'est le métal lui-même que nous allons étudier maintenant[3]. Rien ne sera plus facile, car nous avons affaire cette fois à un élément simple. Regardons-le de près, et voyons comment il réagit à tout le reste.

Il y a des états d'âme, disions-nous, dont on s'émeut dès qu'on les connaît, des joies et des tristesses avec lesquelles on sympathise, des passions et des vices qui provoquent l'étonnement douloureux, ou la terreur, ou la pitié chez ceux qui les contemplent, enfin des sentiments qui se prolongent d'âme en âme par des résonances sentimentales[4]. Tout cela intéresse l'essentiel de la vie. Tout cela est sérieux, parfois même tragique. Où la personne d'autrui cesse de nous émouvoir, là seulement peut commencer la comédie. Et elle commence avec ce qu'on pourrait appeler *le raidissement contre la vie sociale*[5]. Est comique le personnage[a] qui suit automatiquement son chemin sans se soucier de prendre contact avec les autres. Le rire est là pour corriger sa distraction et pour le tirer de son rêve[6]. S'il est permis de comparer aux petites choses les grandes, nous rappellerons ici ce qui se passe à l'entrée de nos Écoles. Quand le candidat a franchi les redoutables épreuves de l'examen, il lui reste à en affronter d'autres, celles que ses camarades plus anciens lui préparent pour le former à la société nouvelle où il pénètre et, comme ils disent, pour lui assouplir le caractère. Toute petite société qui se forme au sein de la grande est portée ainsi, par un vague instinct, à inventer un mode de correction et d'assouplissement pour la raideur des habitudes contractées ailleurs et qu'il va falloir modifier. La société proprement dite ne procède pas autrement[7]. Il faut que chacun de ses membres reste attentif à ce qui l'environne, se modèle sur l'entourage, évite enfin de s'enfermer dans son caractère ainsi que dans une tour d'ivoire. Et c'est pourquoi elle fait planer sur chacun, sinon la menace d'une correction, du moins la perspective d'une humiliation qui, pour être légère[a], n'en est pas moins redoutée. Telle doit être la fonction du rire. Toujours un peu humiliant pour celui qui en est l'objet, le rire est véritablement une espèce de brimade sociale[8].

De là le caractère équivoque du comique. Il n'appartient ni tout à fait à l'art, ni tout à fait à la vie. D'un côté les personnages de la vie réelle ne nous feraient pas rire[b] si nous n'étions capables d'assister à leurs démarches comme à un spectacle

que nous regardons du haut de notre loge ; ils ne
sont comiques à nos yeux que parce qu'ils nous
donnent la comédie. Mais, d'autre part, même au
théâtre, le plaisir de rire n'est pas un plaisir pur, je
veux dire un plaisir exclusivement esthétique, absolument désintéressé. Il s'y mêle une arrière-pensée[a]
que la société a pour nous quand nous ne l'avons
pas nous-mêmes[9]. Il y entre l'intention[b] inavouée
d'humilier, et par là, il est vrai, de corriger tout au
moins, extérieurement. C'est pourquoi la comédie
est bien plus près de la vie réelle que le drame.
Plus un drame a de grandeur, plus profonde est
l'élaboration à laquelle le poète a dû soumettre la
réalité pour en dégager le tragique à l'état pur. Au
contraire, c'est dans ses formes inférieures seulement, c'est dans le vaudeville et la farce, que la
comédie tranche sur le réel[10] : plus elle s'élève, plus
elle tend à se confondre avec la vie, et il y a des
scènes de la vie réelle qui sont si voisines de la
haute comédie que le théâtre pourrait se les appro-
prier sans y changer un mot.

Il suit de là que les éléments du caractère comique
seront les mêmes au théâtre et dans la vie. Quels
sont-ils ? Nous n'aurons pas de peine à les déduire.

On a souvent dit que les défauts *légers* de nos
semblables sont ceux qui nous font rire[11]. Je
reconnais qu'il y a une large part de vérité dans cette
opinion, et néanmoins je ne puis la croire tout à fait
exacte. D'abord, en matière de défauts, la limite est
malaisée[c] à tracer entre le léger et le grave : peut-être

n'est-ce pas parce qu'un défaut est léger qu'il nous fait rire, mais parce qu'il nous fait rire que nous le trouvons léger, rien ne désarme comme le rire. Mais on peut aller plus loin, et soutenir qu'il y a des défauts dont nous rions tout en les sachant graves : par exemple l'avarice d'Harpagon. Et enfin il faut bien s'avouer — quoiqu'il en coûte un peu de le dire — que nous ne rions pas seulement des défauts de nos semblables, mais aussi, quelquefois, de leurs qualités. Nous rions d'Alceste. On dira que ce n'est pas l'honnêteté d'Alceste qui est comique, mais la forme particulière que l'honnêteté prend chez lui et, en somme, un certain travers qui nous la gâte. Je le veux bien, mais il n'en est pas moins vrai que ce travers d'Alceste, dont nous rions, *rend son honnêteté risible*, et c'est là le point important[12]. Concluons donc enfin que le comique n'est pas toujours l'indice d'un défaut, au sens moral du mot, et que si l'on tient à y voir un défaut, et un défaut léger, il faudra indiquer à quel signe précis se distingue ici le léger du grave[13].

La vérité est que le personnage comique peut, à la rigueur, être en règle avec la stricte morale. Il lui reste seulement à se mettre en règle avec la société[14]. Le caractère d'Alceste est celui d'un parfait honnête homme. Mais il est insociable, et par là même comique. Un vice souple serait moins facile à ridiculiser qu'une vertu inflexible. C'est la *raideur* qui est suspecte à la société. C'est donc la raideur d'Alceste qui nous fait rire, quoique cette raideur soit ici honnêteté. Quiconque s'isole s'expose au ridicule, parce que le comique est fait, en grande partie, de cet isolement même. Ainsi s'explique que le comique soit si souvent relatif aux mœurs, aux idées — tranchons le mot, aux préjugés d'une société[15].

Toutefois, il faut bien reconnaître, à l'honneur de l'humanité, que l'idéal social et l'idéal moral ne diffèrent pas essentiellement. Nous pouvons donc admettre qu'en règle générale ce sont bien les défauts d'autrui qui nous font rire — quitte à ajouter, il est vrai, que ces défauts nous font rire en raison de leur *insociabilité* plutôt que de leur *immoralité*. Resterait alors à savoir quels sont les défauts qui peuvent devenir comiques, et dans quels cas nous les jugeons trop sérieux pour en rire.

Mais à cette question nous avons déjà répondu implicitement. Le comique, disions-nous, s'adresse à l'intelligence pure ; le rire est incompatible avec l'émotion. Peignez-moi un défaut aussi léger que vous voudrez : si vous me le présentez de manière à émouvoir ma sympathie, ou ma crainte, ou ma pitié, c'est fini, je ne puis plus en rire. Choisissez au contraire un vice profond et même, en général, odieux : vous pourrez le rendre comique si vous réussissez d'abord, par des artifices appropriés, à faire qu'il me laisse insensible. Je ne dis pas qu'alors le vice sera comique ; je dis que dès lors il pourra le devenir. *Il ne faut pas qu'il m'émeuve*, voilà la seule condition réellement nécessaire, quoiqu'elle ne soit sûrement pas suffisante.

Mais comment le poète comique s'y prendra-t-il pour m'empêcher de m'émouvoir ? La question est embarrassante. Pour la tirer au clair[a], il faudrait s'engager dans un ordre de recherches assez nouveau, analyser la sympathie artificielle que nous apportons au théâtre, déterminer dans quels cas nous acceptons, dans quels cas nous refusons de partager des joies et des souffrances imaginaires[16]. Il y a un art de bercer notre sensibilité et de lui préparer des rêves, ainsi qu'à un sujet magnétisé[17]. Et il y en a un aussi de décourager notre sympathie au moment précis où elle pourrait s'offrir, de telle manière que la situation, même sérieuse, ne soit pas prise au sérieux. Deux procédés paraissent dominer ce dernier art, que le poète comique applique plus ou moins inconsciemment. Le premier consiste à *isoler*, au milieu de l'âme du personnage, le sentiment qu'on lui prête, et à en faire pour ainsi dire un état parasite doué d'une existence indépendante[18]. En général, un sentiment intense gagne de proche en proche tous les autres états d'âme et les teint de la coloration qui lui est propre : si l'on nous fait assister alors à cette imprégnation graduelle, nous finissons peu à peu par nous imprégner nous-mêmes d'une émotion correspondante. On pourrait dire — pour recourir à une autre image — qu'une émotion est dramatique, communicative, quand tous les harmoniques y sont donnés avec la note fondamentale. C'est parce que l'acteur vibre tout entier que le public pourra vibrer à son tour[19]. Au contraire, dans l'émotion qui nous laisse indifférents et qui deviendra comique, il y a une *raideur*[a] qui l'empêche d'entrer en relation avec le reste de l'âme où elle siège. Cette raideur pourra s'accuser, à un moment donné, par des mouvements de pantin et provoquer alors le rire, mais déjà auparavant elle contrariait notre sympathie : comment se mettre à l'unisson d'une âme qui n'est pas à l'unisson d'elle-même[b20] ? Il y a dans *L'Avare* une scène qui côtoie le drame. C'est celle où l'emprunteur et l'usurier, qui ne s'étaient pas encore vus, se rencontrent face à face et se trouvent être le fils et le père. Nous serions véritablement ici dans le drame si l'avarice et le sentiment paternel, s'entrechoquant dans l'âme d'Harpagon, y amenaient une combinaison plus ou moins originale[21]. Mais point du tout. L'entrevue n'a pas plutôt pris fin que le père a tout oublié. Rencontrant de nouveau son fils, il fait à peine allusion à cette scène si grave : « Et vous, mon fils, à qui j'ai la bonté de pardonner l'histoire de tantôt, etc. »[22] L'avarice a donc passé à côté du reste sans y toucher, sans en être touchée, *distraitement*. Elle a beau s'installer dans l'âme, elle a beau être devenue maîtresse de la maison, elle n'en reste pas moins une étrangère. Tout autre serait une avarice de nature tragique. On la verrait attirer à elle, absorber, s'assimiler, en les transformant, les diverses puissances de l'être : sentiments et affections, désirs et aversions, vices et vertus, tout cela deviendrait une matière à laquelle l'avarice communiquerait un nouveau genre de vie[23]. Telle est, semble-t-il, la première[a] différence essentielle entre la haute comédie et le drame.

Il y en a une seconde, plus apparente[b], et qui dérive d'ailleurs de la première. Quand on nous peint un état d'âme avec l'intention de le rendre dramatique ou simplement de nous le faire prendre au sérieux, on l'achemine peu à peu vers des *actions* qui en donnent la mesure exacte[24]. C'est ainsi que l'avare combinera tout en vue du gain, et que le faux dévot, en affectant de ne regarder que le ciel, manœuvrera le plus habilement possible sur la terre. La comédie n'exclut certes pas les combinaisons de ce genre ; je n'en veux pour preuve que les machinations de Tartuffe. Mais c'est là ce que la comédie a de commun avec le drame, et pour s'en distinguer, pour nous empêcher de prendre au sérieux l'action sérieuse, pour nous préparer enfin à rire, elle use d'un moyen dont je donnerai ainsi la formule : *au lieu de concentrer notre attention sur les actes, elle la dirige plutôt sur les gestes.* J'entends ici par gestes les attitudes, les mouvements et même les discours par lesquels un état d'âme se manifeste sans but, sans profit, par le seul effet d'une espèce de démangeaison intérieure. Le geste ainsi défini diffère profondément de l'action. L'action est voulue, en tout cas consciente ; le geste échappe, il est automatique. Dans l'action, c'est la personne tout entière qui donne[25] ; dans le geste, une partie isolée de la personne s'exprime, à l'insu ou tout au moins à l'écart de la personnalité totale. Enfin (et c'est ici le point essentiel), l'action est exactement proportionnée au sentiment qui l'inspire ; il y a passage graduel de l'un à l'autre, de sorte que notre sympathie ou notre aversion peuvent se laisser glisser le long du fil qui va du sentiment à l'acte et s'intéresser progressivement. Mais le geste a quelque chose d'explosif, qui réveille notre sensibilité prête à se laisser bercer, et qui, en nous rappelant ainsi à nous-mêmes, nous empêche de prendre les choses au sérieux. Donc, dès que notre attention se portera sur le geste et non pas sur l'acte[a], nous serons dans la comédie[26]. Le personnage de Tartuffe appartiendrait au drame par ses actions : c'est quand nous tenons plutôt compte de ses gestes que nous le trouvons comique. Rappelons-nous son entrée en scène : « Laurent, serrez ma haire avec ma discipline. »[27] Il sait que Dorine l'entend, mais il parlerait de même, soyez-en convaincu, si elle n'y était pas[b]. Il est si bien entré dans son rôle d'hypocrite qu'il le joue, pour ainsi dire, sincèrement. C'est par là, et par là seulement, qu'il pourra devenir comique. Sans cette sincérité matérielle, sans les attitudes et le langage qu'une longue pratique de l'hypocrisie a convertis chez lui en gestes naturels, Tartuffe serait simplement odieux, parce que nous ne penserions plus qu'à ce qu'il y a de voulu dans sa conduite. On comprend ainsi que l'action soit essentielle dans le drame, accessoire dans la comédie[28].

A la comédie, nous sentons qu'on eût aussi bien pu choisir tout autre situation pour nous présenter le personnage : c'eût été encore le même homme, dans une situation différente. Nous n'avons pas cette impression à un drame. Ici personnages et situations sont soudés ensemble, ou, pour mieux dire, les événements font partie intégrante des personnes, de sorte que si le drame nous racontait une autre histoire, on aurait beau conserver aux acteurs les mêmes noms, c'est à d'autres personnes que nous aurions véritablement affaire[29].

En résumé, nous avons vu qu'un caractère peut être bon ou mauvais, peu importe : s'il est insociable, il pourra devenir comique. Nous voyons maintenant que la gravité du cas n'importe pas davantage : grave ou léger, il pourra nous faire rire[a] si l'on s'arrange pour que nous n'en soyons pas émus[30]. *Insociabilité* du personnage, *insensibilité* du spectateur, voilà, en somme, les deux conditions essentielles. Il y en a une troisième, impliquée dans les deux autres, et que toutes nos analyses tendaient jusqu'ici à dégager.

C'est l'automatisme. Nous l'avons montré dès le début de ce travail et nous n'avons cessé de ramener l'attention sur ce point : il n'y a d'essentiellement risible que ce qui est automatiquement accompli. Dans un défaut, dans une qualité même, le comique est ce par où le personnage se livre à son insu, le geste involontaire, le mot inconscient[31]. Toute distraction est comique. Et plus profonde

est la distraction, plus haute est la comédie. Une distraction systématique comme celle de Don Quichotte est ce qu'on peut imaginer au monde de plus
comique : elle est le comique même, puisé aussi
près que possible de sa source[32]. Prenez tout autre
personnage comique. Si conscient qu'il puisse être
de ce qu'il dit et de ce qu'il fait, s'il est comique,
c'est qu'il y a un aspect de sa personne qu'il ignore,
un côté par où il se dérobe à lui-même : c'est par
là seulement qu'il nous fera rire. Les mots profondément comiques sont les mots naïfs où un vice se
montre à nu : comment se découvrirait-il ainsi, s'il
était capable de se voir et de se juger lui-même[33] ?
Il n'est pas rare qu'un personnage comique blâme
une certaine conduite en termes généraux et en
donne aussitôt[a] l'exemple : témoin le maître de philosophie de M. Jourdain s'emportant après avoir
prêché contre la colère, Vadius tirant des vers de sa
poche après avoir raillé les liseurs de vers[34], etc.
A quoi peuvent tendre ces contradictions, sinon à
nous faire toucher du doigt l'inconscience des personnages[35] ? Inattention à soi et par conséquent à
autrui, voilà ce que nous retrouvons toujours. Et si
l'on examine les choses de près, on verra que l'inattention se confond précisément ici avec ce que nous
avons appelé l'insociabilité. La cause de raideur par
excellence, c'est qu'on néglige de regarder autour de
soi et surtout en soi : comment modeler sa personne sur celle d'autrui si l'on ne commence par
faire connaissance avec les autres et aussi avec

soi-même ? Raideur, automatisme, distraction, insociabilité, tout cela se pénètre, et c'est de tout cela qu'est fait le comique de caractère.

En résumé, si on laisse de côté, dans la personne humaine, ce qui intéresse notre sensibilité et réussit à nous émouvoir, le reste pourra[a] devenir comique, et le comique sera en raison directe de la part de raideur qui s'y manifestera. Nous avons formulé cette idée dès le début de notre travail. Nous l'avons vérifiée dans ses principales conséquences. Nous venons de l'appliquer à la définition de la comédie. Nous devons maintenant la serrer de plus près, et montrer comment elle nous permet de marquer la place exacte de la comédie au milieu des autres arts[b].

En un certain sens, on pourrait dire que tout *caractère* est comique, à la condition d'entendre par caractère ce qu'il y a de *tout fait* dans notre personne, ce qui est en nous à l'état de mécanisme une fois monté, capable de fonctionner automatiquement. Ce sera, si vous voulez, ce par où nous nous répétons nous-mêmes. Et ce sera aussi, par conséquent, ce par où d'autres pourront nous répéter[36]. Le personnage comique[c] est un *type*. Inversement, la ressemblance[d] à un type a quelque chose de comique. Nous pouvons avoir fréquenté longtemps une personne sans rien découvrir en elle de risible : si l'on profite d'un rapprochement accidentel pour lui appliquer le nom connu d'un héros de drame et de roman[e][37], pour un instant au moins

elle côtoiera à nos yeux le ridicule. Pourtant ce personnage de roman pourra n'être pas comique. Mais
il est comique de lui ressembler. Il est comique de
se laisser distraire de soi-même. Il est comique de
venir s'insérer, pour ainsi dire, dans un cadre préparé. Et ce qui est comique par-dessus tout, c'est de
passer soi-même à l'état de cadre où d'autres s'inséreront couramment, c'est de se solidifier en
caractère.

Peindre des caractères, c'est-à-dire des types généraux, voilà donc l'objet de la haute comédie. On l'a
dit bien des fois. Mais nous tenons à le répéter,
parce que nous estimons que cette formule suffit à
définir la comédie[38]. Non seulement, en effet, la
comédie nous présente des types généraux, mais
c'est, à notre avis, *le seul* de tous les arts qui vise
au général, de sorte que lorsqu'une fois on lui a
assigné ce but, on a dit ce qu'elle est, et ce que le
reste[a] ne peut pas être. Pour prouver que telle est
bien l'essence de la comédie, et qu'elle s'oppose
par là à la tragédie, au drame, aux autres formes
de l'art, il faudrait commencer par définir l'art
dans ce qu'il a de plus élevé : alors, descendant
peu à peu à la poésie comique, on verrait qu'elle
est placée aux confins de l'art et de la vie, et qu'elle
tranche, par son caractère de généralité, sur le reste
des arts[39]. Nous ne pouvons nous lancer ici dans une
étude aussi vaste. Force nous est bien pourtant d'en
esquisser le plan, sous peine de négliger ce qu'il y
a d'essentiel, selon nous, dans le théâtre comique.

Quel est l'objet de l'art ? Si la réalité venait
frapper directement nos sens et notre conscience, si
nous pouvions entrer en communication immédiate
avec les choses et avec nous-mêmes, je crois bien
que l'art serait inutile, ou plutôt que nous serions
tous artistes, car notre âme vibrerait alors continuellement à l'unisson de la nature[40]. Nos yeux, aidés de
notre mémoire, découperaient dans l'espace et fixe-
raient dans le temps des tableaux inimitables. Notre
regard saisirait au passage, sculptés dans le marbre
vivant du corps humain, des fragments de statue
aussi beaux que ceux de la statuaire antique. Nous
entendrions chanter au fond de nos âmes, comme
une musique quelquefois gaie, plus souvent plain-
tive, toujours originale, la mélodie ininterrompue de
notre vie intérieure[41]. Tout cela est autour de nous,
tout cela est en nous, et pourtant rien de tout cela
n'est perçu par nous distinctement. Entre la nature et
nous, que dis-je ? entre nous et notre propre
conscience, un voile s'interpose, voile épais pour le
commun des hommes, voile léger, presque transpa-
rent, pour l'artiste et le poète[42]. Quelle fée a tissé ce
voile ? Fût-ce par malice ou par amitié ? Il fallait
vivre, et la vie exige que nous appréhendions les
choses dans le rapport qu'elles ont à nos besoins.
Vivre consiste à agir. Vivre, c'est n'accepter des
objets que l'impression *utile* pour y répondre par
des réactions appropriées : les autres impressions doivent s'obscurcir ou ne nous arriver que confusément[43]. Je regarde et je crois voir, j'écoute et je

crois entendre, je m'étudie et je crois lire dans le
fond de mon cœur. Mais ce que je vois et ce que
j'entends du monde extérieur, c'est simplement ce
que mes sens en extraient pour éclairer ma conduite ;
ce que je connais de moi-même, c'est ce qui affleure
à la surface, ce qui prend part à l'action[44]. Mes sens
et ma conscience ne me livrent donc de la réalité
qu'une simplification pratique. Dans la vision qu'ils
me donnent des choses et de moi-même, les différences inutiles à l'homme sont effacées, les ressemblances utiles à l'homme sont accentuées, des routes
me sont tracées à l'avance où mon action s'enga-
gera. Ces routes sont celles où l'humanité entière a
passé avant moi. Les choses ont été classées en vue
du parti que j'en pourrai tirer. Et c'est cette classification que j'aperçois, beaucoup plus que la couleur
et la forme des choses[45]. Sans doute l'homme est
déjà très supérieur à l'animal sur ce point. Il est peu
probable que l'œil du loup fasse une différence entre
le chevreau et l'agneau ; ce sont là, pour le loup,
deux proies identiques, étant également faciles à
saisir, également bonnes à dévorer. Nous faisons,
nous, une différence entre la chèvre et le mouton ;
mais distinguons-nous une chèvre d'une chèvre, un
mouton d'un mouton ? L'*individualité* des choses et
des êtres nous échappe toutes les fois qu'il ne nous
est pas matériellement utile de l'apercevoir. Et là
même où nous la remarquons (comme lorsque
nous distinguons un homme d'un autre homme),
ce n'est pas l'individualité même que notre œil

saisit, c'est-à-dire une certaine harmonie tout à fait originale de formes et de couleurs, mais seulement un ou deux traits qui faciliteront la reconnaissance pratique[46].

Enfin, pour tout dire, nous ne voyons pas les choses mêmes ; nous nous bornons, le plus souvent, à lire des étiquettes collées sur elles. Cette tendance, issue du besoin, s'est encore accentuée sous l'influence du langage. Car les mots (à l'exception des noms propres) désignent des genres[a47]. Le mot, qui ne note de la chose que sa fonction la plus commune et son aspect banal, s'insinue entre elle et nous, et en masquerait la forme à nos yeux si cette forme ne se dissimulait déjà derrière les besoins qui ont créé le mot lui-même. Et ce ne sont pas seulement les objets extérieurs, ce sont aussi nos propres états d'âme qui se dérobent à nous dans ce qu'ils ont d'intime, de personnel, d'originalement vécu. Quand nous éprouvons de l'amour ou de la haine, quand nous nous sentons joyeux ou tristes, est-ce bien notre sentiment lui-même qui arrive à notre conscience avec les mille nuances fugitives et les mille résonances profondes qui en font quelque chose d'absolument nôtre ? Nous serions alors tous romanciers, tous poètes, tous musiciens. Mais le plus souvent, nous n'apercevons de notre état d'âme que son déploiement extérieur. Nous ne saisissons de nos sentiments que leur aspect impersonnel, celui que le langage a pu noter une fois pour toutes parce qu'il est à peu près le même, dans les mêmes conditions, pour tous les hommes. Ainsi, jusque dans notre propre individu, l'individualité nous échappe. Nous nous mouvons parmi des généralités et des symboles, comme en un champ clos où notre force se mesure utilement avec d'autres forces ; et fascinés par l'action, attirés par elle, pour notre plus grand bien, sur le terrain qu'elle s'est choisi, nous vivons dans une zone mitoyenne entre les choses et nous, extérieurement aux choses, extérieurement aussi à nous-mêmes. Mais de loin en loin, par distraction, la nature suscite des âmes plus détachées de la vie. Je ne parle pas de ce détachement voulu, raisonné, systématique, qui est œuvre de réflexion et de philosophie. Je parle d'un détachement naturel, inné à la structure du sens ou de la conscience, et qui se manifeste tout de suite par une manière virginale, en quelque sorte, de voir, d'entendre ou de penser[48]. Si ce détachement était complet, si l'âme n'adhérait plus à l'action par aucune de ses perceptions, elle serait l'âme d'un artiste comme le monde n'en a point vu encore. Elle excellerait dans tous les arts à la fois, ou plutôt elle les fondrait tous en un seul[49]. Elle apercevrait toutes choses dans leur pureté originelle, aussi bien les formes, les couleurs et les sons du monde matériel que les plus subtils mouvements de la vie intérieure. Mais c'est trop demander à la nature. Pour ceux mêmes d'entre nous qu'elle a faits artistes, c'est accidentellement, et d'un seul côté, qu'elle a soulevé le voile. C'est dans une direction seulement qu'elle a oublié d'attacher la perception au besoin. Et comme chaque direction correspond à ce que nous appelons un *sens*, c'est par un de ses sens, et par ce sens seulement, que l'artiste est ordinairement voué à l'art. De là, à l'origine, la diversité des arts. De là aussi la spécialité des prédispositions. Celui-là s'attachera[a] aux couleurs et aux formes, et comme il aime la couleur pour la couleur, la forme pour la forme, comme il les perçoit pour elles et non pour lui, c'est la vie intérieure des choses qu'il verra transparaître à travers leurs formes et leurs couleurs. Il la fera entrer peu à peu dans notre perception d'abord déconcertée. Pour un moment au moins, il nous détachera des préjugés de forme et de couleur qui s'interposaient entre notre œil et la réalité. Et il réalisera ainsi la plus haute ambition de l'art, qui est ici de nous révéler la nature[50]. — D'autres se replieront plutôt sur eux-mêmes[51]. Sous les mille actions naissantes qui dessinent au-dehors un sentiment[52], derrière le mot banal et social qui exprime et recouvre un état d'âme individuel, c'est le sentiment, c'est l'état d'âme qu'ils iront chercher simple et pur. Et pour nous induire à tenter le même effort sur nous-mêmes, ils s'ingénieront à nous faire voir quelque chose de ce qu'ils auront vu[53] : par des arrangements rythmés de mots, qui arrivent ainsi à s'organiser ensemble et à s'animer d'une vie originale, ils nous disent, ou plutôt ils nous suggèrent, des choses que le langage n'était pas fait pour exprimer[54]. — D'autres creuseront plus profondément encore. Sous ces joies et ces tristesses qui peuvent à la rigueur se traduire en paroles, ils saisiront quelque chose qui n'a plus rien de commun avec la parole, certains rythmes de vie et de respiration qui sont plus intérieurs à l'homme que ses sentiments les plus intérieurs, étant la loi vivante, variable avec chaque personne, de sa dépression et de son exaltation, de ses regrets et de ses espérances. En dégageant, en accentuant cette musique, ils l'imposeront à notre attention ; ils feront que nous nous y insérerons involontairement nous-mêmes, comme des passants qui entrent dans une danse[55]. Et par là ils nous amèneront à ébranler aussi, tout au fond de nous, quelque chose qui attendait le moment de vibrer. — Ainsi, qu'il soit peinture, sculpture, poésie ou musique, l'art n'a d'autre objet que d'écarter les symboles pratiquement utiles, les généralités conventionnellement et socialement acceptées, enfin tout ce qui nous masque la réalité, pour nous mettre face à face avec la réalité même[56]. C'est d'un malentendu sur ce point qu'est né le débat entre le réalisme et l'idéalisme dans l'art. L'art n'est sûrement qu'une vision plus directe de la réalité. Mais cette pureté de perception implique une rupture avec la convention utile, un désintéressement inné et spécialement localisé du sens ou de la conscience, enfin une certaine immatérialité de vie, qui est ce qu'on a toujours appelé de l'idéalisme. De sorte qu'on pourrait dire, sans jouer aucunement sur le sens des mots, que le réalisme est dans l'œuvre quand l'idéalisme est dans l'âme, et que c'est à force d'idéalité seulement qu'on reprend contact avec la réalité.

L'art dramatique ne fait pas exception à cette loi. Ce que le drame va chercher et amène à la pleine lumière, c'est une réalité profonde qui nous est voilée, souvent dans notre intérêt même, par les nécessités de la vie. Quelle est cette réalité ? Quelles sont ces nécessités ? Toute poésie exprime des états d'âme. Mais parmi ces états, il en est qui naissent surtout du contact de l'homme avec ses semblables. Ce sont les sentiments les plus intenses et aussi les plus violents. Comme les électricités s'appellent et s'accumulent entre les deux plaques du condensateur d'où l'on fera jaillir l'étincelle, ainsi, par la seule mise en présence des hommes entre eux, des attractions et des répulsions profondes se produisent, des ruptures complètes d'équilibre, enfin cette électrisation de l'âme qui est la passion. Si l'homme s'abandonnait au mouvement de sa nature sensible, s'il n'y avait ni loi sociale ni loi morale, ces explosions de sentiments violents seraient l'ordinaire de la vie. Mais il est utile que ces explosions soient conjurées. Il est nécessaire que l'homme vive en société, et s'astreigne par conséquent à une règle. Et ce que l'intérêt conseille, la raison l'ordonne : il y a un devoir, et notre destination est d'y obéir[57]. Sous cette double influence a dû se former pour le genre humain une couche super-

ficielle de sentiments et d'idées qui tendent à
l'immutabilité, qui voudraient du moins être
communs à tous les hommes, et qui recouvrent,
quand ils n'ont pas la force de l'étouffer, le feu intérieur des passions individuelles. Le lent progrès de
l'humanité vers une vie sociale de plus en plus paci-
fiée a consolidé cette couche peu à peu, comme la
vie de notre planète elle-même a été un long effort
pour recouvrir d'une pellicule solide et froide la
masse ignée des métaux en ébullition. Mais il y a
des éruptions volcaniques. Et si la terre était un être
vivant, comme le voulait la mythologie, elle aimerait peut-être, tout en se reposant, rêver à ces explosions brusques où tout à coup elle se ressaisit dans
ce qu'elle a de plus profond. C'est un plaisir de ce
genre que le drame nous procure. Sous la vie tranquille, bourgeoise, que la société et la raison nous
ont composée, il va remuer en nous quelque chose
qui heureusement n'éclate pas, mais dont il nous fait
sentir la tension intérieure. Il donne à la nature sa
revanche sur la société. Tantôt il ira droit au but ; il
appellera, du fond à la surface, les passions qui font
tout sauter. Tantôt il obliquera, comme fait souvent
le drame contemporain ; il nous révélera, avec une
habileté quelquefois sophistique, les contradictions
de la société avec elle-même ; il exagérera ce qu'il
peut y avoir d'artificiel dans la loi sociale ; et ainsi,
par un moyen détourné, en dissolvant cette fois
l'enveloppe, il nous fera encore toucher le fond[58].
Mais dans les deux cas, soit qu'il affaiblisse

la société soit qu'il renforce la nature, il poursuit le même objet, qui est de nous découvrir une partie cachée de nous-mêmes[a], ce qu'on pourrait appeler l'élément tragique de notre personnalité. Nous avons cette impression au sortir d'un beau drame. Ce qui nous a intéressés, c'est moins ce qu'on nous a raconté d'autrui que ce qu'on nous a fait entrevoir de nous, tout un monde confus de choses vagues qui auraient voulu être, et qui, par bonheur pour nous, n'ont pas été. Il semble aussi qu'un appel ait été lancé en nous à des souvenirs ataviques infiniment anciens, si profonds, si étrangers à notre vie actuelle, que cette vie nous apparaît pendant quelques instants comme quelque chose d'irréel ou de convenu, dont il va falloir faire un nouvel apprentissage[59]. C'est donc bien une réalité plus profonde que le drame est allé chercher au-dessous d'acquisitions plus utiles, et cet art a le même objet que les autres[b].

Il suit de là que l'art vise toujours l'*individuel*. Ce que le peintre fixe sur la toile, c'est ce qu'il a vu en un certain lieu, certain jour, à certaine heure, avec des couleurs qu'on ne reverra pas. Ce que le poète chante, c'est un état d'âme qui fut le sien, et le sien seulement[60], et qui ne sera jamais plus. Ce que le dramaturge nous met sous les yeux, c'est le déroulement d'une âme, c'est une trame vivante de sentiments et d'événements[61], quelque chose enfin qui s'est présenté une fois pour ne plus se reproduire jamais. Nous aurons beau donner à ces sentiments des noms généraux ; dans une autre âme ils ne seront plus la même chose[a]. Ils sont *individualisés*. Par là surtout ils appartiennent à l'art, car les généralités, les symboles, les types même, si vous voulez, sont la monnaie courante de notre perception journalière. D'où vient donc le malentendu sur ce point ?

La raison en est qu'on a confondu deux choses très différentes : la généralité des objets et celle des jugements que nous portons sur eux. De ce qu'un sentiment est reconnu généralement pour vrai, il ne suit pas que ce soit un sentiment général. Rien de plus singulier que le personnage de Hamlet. S'il ressemble par certains côtés à d'autres hommes, ce n'est pas par là[b] qu'il nous intéresse le plus. Mais il est universellement accepté, universellement tenu pour vivant. C'est en ce sens seulement qu'il est d'une vérité universelle. De même pour les autres[c] produits de l'art. Chacun d'eux est singulier, mais il finira, s'il porte la marque du génie, par être accepté de tout le monde. Pourquoi l'accepte-t-on ? Et s'il est unique en son genre, à quel signe reconnaît-on qu'il est vrai ? Nous le reconnaissons, je crois, à l'effort même qu'il nous amène à faire sur nous pour voir sincèrement à notre tour[62]. La sincérité est communicative. Ce que l'artiste a vu, nous ne le reverrons pas, sans doute, du moins pas tout à fait de même ; mais s'il l'a vu pour tout de bon, l'effort qu'il a fait pour écarter le voile s'impose à notre imitation. Son œuvre est un exemple qui nous sert de leçon. Et à l'efficacité de la leçon se mesure précisément la vérité de l'œuvre. La vérité porte donc en elle une puissance de conviction, de conversion même, qui est la marque à laquelle elle se reconnaît. Plus grande est l'œuvre et plus profonde la vérité entrevue, plus l'effet pourra s'en faire attendre, mais plus aussi cet effet tendra à devenir universel. L'universalité est donc ici dans l'effet produit, et non pas dans la cause.

Tout autre est l'objet de la comédie. Ici la généralité est dans l'œuvre même. La comédie peint des caractères que nous avons rencontrés, que nous rencontrerons encore sur notre chemin. Elle note des ressemblances. Elle vise à mettre sous nos yeux des types. Elle créera même, au besoin, des types nouveaux[a]. Par là, elle tranche sur les autres arts[b].

Le titre même des grandes comédies est déjà significatif. Le Misanthrope, l'Avare, le Joueur, le Distrait, etc., voilà des noms de genres ; et là même où la comédie de caractère a pour titre un nom propre, ce nom propre est bien vite entraîné, par le poids de son contenu, dans le courant des noms communs. Nous disons « un Tartuffe », tandis que nous ne dirions pas « une Phèdre » ou « un Polyeucte »[63].

Surtout, l'idée ne viendra guère[c] à un poète tragique de grouper autour de son personnage principal des personnages secondaires qui en soient, pour ainsi dire, des copies simplifiées[64]. Le héros de tragédie est une individualité unique en son genre. On pourra l'imiter, mais on passera alors, consciemment ou non, du tragique au comique. Personne ne lui ressemble, parce qu'il ne ressemble à personne[65]. Au contraire, un instinct remarquable porte le poète comique, quand il a[a] composé son personnage central, à en faire graviter d'autres tout autour qui présentent les mêmes traits généraux. Beaucoup de comédies ont pour titre un nom au pluriel ou un terme collectif. « *Les* Femmes savantes », « *Les* Précieuses ridicules », « *Le Monde* où l'on s'ennuie », etc., autant de rendez-vous pris sur la scène par des personnes diverses reproduisant un même type fondamental. Il serait intéressant d'analyser cette tendance de la comédie. On y trouverait d'abord, peut-être, le pressentiment d'un fait signalé par les médecins, à savoir que les déséquilibrés d'une même espèce sont portés par une secrète attraction à se rechercher les uns les autres. Sans précisément relever de la médecine, le personnage comique est d'ordinaire[b], comme nous l'avons montré, un *distrait*, et de cette distraction à une rupture complète d'équilibre le passage se ferait insensiblement[66]. Mais il y a une autre raison encore. Si l'objet du poète comique est de nous présenter des types, c'est-à-dire des caractères capables de se répéter, comment s'y prendrait-il mieux qu'en nous montrant du même type plusieurs exemplaires différents[67] ? Le naturaliste ne procède pas autrement quand il traite d'une espèce. Il en énumère et il en décrit les principales variétés.

Cette différence essentielle entre la tragédie et la comédie, l'une s'attachant à des individus et l'autre à des genres, se traduit d'une autre manière encore. Elle apparaît dans l'élaboration première de l'œuvre. Elle se manifeste, dès le début, par deux méthodes d'observation bien différentes[a].

Si paradoxale que cette assertion puisse paraître, nous ne croyons pas[b] que l'observation des autres hommes soit nécessaire au poète tragique. D'abord, en fait, nous trouvons que de très grands poètes ont mené une vie très retirée, très bourgeoise, sans que l'occasion leur ait été fournie de voir se déchaîner autour d'eux les passions dont ils ont tracé[c] la description fidèle. Mais, à supposer qu'ils eussent eu ce spectacle, on se demande[d] s'il leur aurait servi à grand-chose. Ce qui nous intéresse, en effet, dans l'œuvre du poète, c'est la vision de certains états d'âme très profonds ou de certains conflits tout intérieurs. Or, cette vision ne peut pas s'accomplir du dehors. Les âmes ne sont pas pénétrables les unes aux autres. Nous n'apercevons extérieurement[e] que certains signes de la passion. Nous ne les interprétons — défectueusement d'ailleurs[f] — que par analogie avec ce que nous avons éprouvé nous-mêmes[68]. Ce que nous éprouvons est donc l'essentiel, et nous ne pouvons connaître à fond que notre propre cœur — quand nous arrivons à le connaître. Est-ce à dire que le poète ait éprouvé ce qu'il décrit, qu'il ait passé par les situations de ses personnages et vécu leur vie intérieure[g][69] ? Ici encore la biographie des poètes nous donnerait un démenti. Comment supposer d'ailleurs que le même homme ait été Macbeth, Othello, Hamlet, le roi Lear, et tant d'autres encore ? Mais peut-être faudrait-il distinguer ici entre la personnalité qu'*on a* et celles[a] qu'*on aurait pu* avoir. Notre caractère est l'effet d'un choix qui se renouvelle sans cesse. Il y a des points de bifurcation (au moins apparents) tout le long de notre route, et nous apercevons bien des directions possibles, quoique nous n'en puissions suivre[b] qu'une seule. Revenir sur ses pas, suivre jusqu'au bout les directions entrevues, en cela paraît[c] consister précisément l'imagination poétique[70]. Je veux bien que Shakespeare n'ait été ni Macbeth, ni Hamlet, ni Othello ; mais il *eût été* ces personnages divers si les circonstances, d'une part, le consentement de sa volonté, de l'autre, avaient amené à l'état d'éruption violente ce qui ne fut chez lui que poussée intérieure. C'est se méprendre étrangement sur le rôle de l'imagination poétique que de croire qu'elle compose ses héros avec des morceaux empruntés à droite et à gauche autour d'elle, comme pour coudre un habit d'Arlequin. Rien de vivant ne sortirait de là. La vie ne se recompose pas[71]. Elle se laisse regarder simplement. L'imagination poétique ne peut être qu'une vision plus complète de la réalité. Si les personnages que crée le poète nous donnent l'impression de la vie, c'est qu'ils sont le poète lui-même, le poète multiplié, le poète s'approfondissant lui-même dans un effort d'observation intérieure si puissant qu'il saisit le virtuel dans le réel et reprend, pour en faire une œuvre complète, ce que la nature laissa en lui à l'état d'ébauche ou de simple projet.

Tout autre est le genre d'observation d'où naît la comédie. C'est une observation extérieure. Si curieux que le poète comique puisse être des ridicules de la nature humaine, il n'ira pas, je pense, jusqu'à chercher les siens propres. D'ailleurs il ne les trouverait pas : nous ne sommes risibles[a] que par le côté de notre personne qui se dérobe à notre conscience[72]. C'est donc sur les autres hommes que cette observation s'exercera. Mais, par là même, l'observation prendra un caractère de généralité qu'elle ne peut pas avoir quand on la fait porter sur soi. Car, s'installant à la surface, elle n'atteindra plus que l'enveloppe des personnes, ce par où plusieurs d'entre elles se touchent et deviennent capables de se ressembler[73]. Elle n'ira pas plus loin. Et lors même qu'elle le pourrait, elle ne le voudrait pas, parce qu'elle n'aurait rien à y gagner. Pénétrer trop avant dans la personnalité, rattacher l'effet extérieur à des causes trop intimes, serait compromettre et finalement sacrifier ce que l'effet avait de risible. Il faut, pour que nous soyons tentés d'en rire, que nous en localisions la cause dans une région moyenne de l'âme. Il faut, par conséquent, que l'effet nous apparaisse tout au plus comme moyen, comme exprimant une moyenne d'humanité[74]. Et, comme toutes les moyennes, celle-ci s'obtient par des rapprochements de données éparses, par une comparaison entre des cas analogues dont on exprime la quintessence, enfin par un travail d'abstraction et de généralisation semblable à celui que le physicien opère sur les faits pour en dégager des lois. Bref, la méthode et l'objet sont de même nature ici que dans les sciences d'induction, en ce sens que l'observation est extérieure et le résultat généralisable[a].

Nous revenons ainsi, par un long détour, à la double conclusion qui s'est dégagée au cours de notre étude. D'un côté une personne n'est jamais ridicule que par une disposition qui ressemble à une distraction, par quelque chose qui vit sur elle sans s'organiser avec elle, à la manière d'un parasite[75] : voilà pourquoi cette disposition s'observe du dehors et peut aussi se corriger. Mais, d'autre part, l'objet du rire étant cette correction même, il est utile que la correction atteigne du même coup le plus grand nombre possible de personnes. Voilà pourquoi l'observation comique va d'instinct au général[76]. Elle choisit, parmi les singularités, celles qui sont susceptibles de se reproduire et qui, par conséquent, ne sont pas indissolublement liées à l'individualité de la personne, des singularités communes, pourrait-on dire. En les transportant sur la scène, elle crée des œuvres qui appartiendront sans doute à l'art en ce qu'elles ne viseront consciemment qu'à plaire, mais qui trancheront sur les autres œuvres[b] d'art par leur caractère de généralité, comme aussi par l'arrière-pensée inconsciente de corriger et d'instruire. Nous avions donc bien le droit de dire que la comédie est mitoyenne entre l'art et la vie. Elle n'est pas désintéressée comme l'art pur. En organisant le rire, elle accepte la vie sociale comme un milieu naturel ; elle suit même une des impulsions de la vie sociale. Et sur ce point elle tourne le dos à l'art, qui est une rupture avec la société et un retour à la simple nature.

II

Voyons maintenant, d'après ce qui précède, comment on devra s'y prendre pour créer une disposition de caractère idéalement comique, comique en elle-même, comique dans ses origines, comique dans toutes ses manifestations. Il la faudra profonde, pour fournir à la comédie un aliment durable, superficielle cependant, pour rester dans le ton de la comédie, invisible à celui qui la possède puisque le comique est inconscient[a], visible au reste du monde pour qu'elle provoque un rire universel, pleine d'indulgence pour elle-même afin qu'elle s'étale sans scrupule, gênante pour les autres afin qu'ils la répriment sans pitié, corrigible immédiatement, pour qu'il n'ait pas été inutile d'en rire, sûre de renaître sous de nouveaux aspects, pour que le rire trouve à travailler toujours, inséparable de la vie sociale quoique insupportable à la société, capable enfin, pour prendre la plus grande variété de formes imaginable, de s'additionner à tous les vices et même à quelques vertus. Voilà bien les éléments à fondre ensemble. Le chimiste de l'âme auquel on aurait confié cette préparation délicate serait un peu désappointé, il est vrai, quand viendrait le moment de vider sa cornue. Il trouverait qu'il s'est donné beaucoup de mal pour recomposer un mélange qu'on se procure tout fait et sans frais, aussi répandu dans l'humanité que l'air dans la nature[77].

Ce mélange est la vanité. Je ne crois pas qu'il y ait de défaut plus superficiel ni plus profond[78]. Les blessures qu'on lui fait ne sont jamais bien graves, et cependant elles ne veulent pas guérir[a79]. Les services qu'on lui rend sont les plus fictifs de tous les services[80] ; pourtant ce sont ceux-là qui laissent derrière eux une reconnaissance durable. Elle-même est à peine un vice, et néanmoins tous les vices gravitent autour d'elle et tendent, en se raffinant, à n'être plus que des moyens de la satisfaire[81]. Issue de la vie sociale, puisque c'est une admiration de soi fondée sur l'admiration qu'on croit inspirer aux autres[82], elle est plus naturelle encore, plus universellement innée que l'égoïsme, car de l'égoïsme la nature triomphe souvent, tandis que c'est par la réflexion seulement que nous venons à bout de la vanité. Je ne crois pas, en effet, que nous naissions jamais modestes, à moins qu'on ne veuille appeler encore modestie une certaine timidité toute physique, qui est d'ailleurs plus près de l'orgueil qu'on ne le pense[b83]. La modestie vraie ne peut être qu'une méditation sur la vanité. Elle naît du spectacle des illusions d'autrui et de la crainte de s'égarer soi-même. Elle est comme une circonspection scientifique à l'égard de ce qu'on dira et de ce qu'on pensera de soi. Elle est faite de corrections et de retouches. Enfin c'est une vertu acquise[84].

Il est difficile de dire à quel moment précis le souci de devenir modeste se sépare de la crainte de devenir ridicule. Mais cette crainte et ce souci se confondent sûrement à l'origine. Une étude complète des illusions de la vanité, et du ridicule qui s'y attache, éclairerait d'un jour singulier la théorie du rire. On y verrait le rire accomplir régulièrement[a] une de ses fonctions principales, qui est de rappeler à la pleine conscience d'eux-mêmes les amours-propres distraits et d'obtenir ainsi la plus grande sociabilité possible des caractères. On verrait comment la vanité, qui est un produit naturel de la vie sociale, gêne cependant la société, de même que certains poisons légers sécrétés continuellement par notre organisme l'intoxiqueraient à la longue si d'autres sécrétions n'en neutralisaient l'effet[85]. Le rire accomplit sans cesse un travail de ce genre. En ce sens, on pourrait dire que le remède spécifique de la vanité est le rire, et que le défaut essentiellement risible est la vanité.

Quand nous avons traité du comique des formes et du mouvement, nous avons montré comment telle ou telle image simple, risible par elle-même, peut s'insinuer dans d'autres images plus complexes et leur infuser quelque chose de sa vertu comique[86] : ainsi les formes les plus hautes du comique s'expliquent parfois par les plus basses. Mais l'opération inverse se produit peut-être plus souvent encore, et il y a des effets comiques très grossiers qui sont dus à la descente d'un comique très subtil[87]. Ainsi la vanité, cette forme supérieure du comique, est un élément que nous sommes portés à rechercher minutieusement, quoique inconsciemment, dans toutes les manifestations de l'activité humaine. Nous la recherchons, ne fût-ce que pour en rire. Et notre imagination la met souvent là où elle n'a que faire. Il faudrait peut-être rapporter[a] à cette origine le comique tout à fait grossier de certains effets que les psychologues ont insuffisamment expliqués par le contraste[88] : un petit homme qui se baisse pour passer sous une grande porte ; deux personnes, l'une très haute, l'autre minuscule, qui marchent gravement en se donnant le bras, etc. En regardant de près cette dernière image, vous trouverez, je crois, que la plus petite des deux personnes vous paraît faire effort pour *se hausser* vers la plus grande, comme la grenouille qui veut se faire aussi grosse que le bœuf[89].

III

Il ne saurait être question d'énumérer ici les particularités de caractère qui s'allient à la vanité, ou qui lui font concurrence, pour s'imposer à l'attention du poète comique. Nous avons montré que tous les défauts peuvent devenir risibles, et même, à la rigueur, certaines qualités[90]. Lors même que la liste pourrait être dressée des ridicules connus, la comédie se chargerait de l'allonger, non pas sans doute en créant des ridicules de pure fantaisie, mais en démêlant des *directions* comiques qui avaient passé jusque-là inaperçues : c'est ainsi que l'imagination peut isoler dans le dessin compliqué d'un seul et même tapis des figures toujours nouvelles. La condition essentielle, nous le savons, est que la particularité observée apparaisse tout de suite comme une espèce de *cadre*[a], où beaucoup de personnes pourront s'insérer[91].

Mais il y a des cadres tout faits, constitués par la société elle-même, nécessaires à la société puisqu'elle est fondée sur une division du travail. Je veux parler des métiers, fonctions et professions. Toute profession spéciale donne à ceux qui s'y enferment certaines habitudes d'esprit et certaines particularités de caractère par où ils se ressemblent entre eux, et par où aussi ils se distinguent des autres[92]. De petites sociétés se constituent ainsi au sein de la grande. Sans doute elles résultent de l'organisation même de la société en général. Et pourtant elles risqueraient, si elles s'isolaient trop, de nuire à la sociabilité[93]. Or le rire a justement pour fonction de réprimer les tendances séparatistes[b]. Son rôle est de corriger la raideur en souplesse, de réadapter chacun à tous, enfin d'arrondir les angles[a]. Nous aurons donc ici une espèce de comique dont les variétés pourraient être déterminées à l'avance. Nous l'appellerons, si vous voulez, le *comique professionnel*.

Nous n'entrerons pas dans le détail de ces variétés. Nous aimons mieux insister sur ce qu'elles ont de commun. En première ligne figure la vanité professionnelle. Chacun des maîtres de M. Jourdain met son art au-dessus de tous les autres[94]. Il y a un personnage de Labiche qui ne comprend pas qu'on puisse être autre chose que marchand de bois. C'est, naturellement, un marchand de bois[95]. La vanité inclinera d'ailleurs ici à devenir *solennité* à mesure que la profession exercée renfermera une plus haute dose de charlatanisme. Car c'est un fait remarquable que plus un art est contestable, plus ceux qui s'y livrent tendent à se croire investis d'un sacerdoce et à exiger qu'on s'incline devant ses mystères. Les professions utiles sont manifestement faites pour le public ; mais celles d'une utilité plus douteuse ne peuvent justifier leur existence qu'en supposant que le public est fait pour elles : or, c'est cette illusion qui est au fond de la solennité[96]. Le comique[b] des médecins de Molière vient en grande partie de là[c]. Ils traitent le malade comme s'il avait été créé pour le médecin, et la nature elle-même comme une dépendance de la médecine.

Une autre forme de cette raideur comique est ce que j'appellerai l'*endurcissement professionnel*. Le personnage comique s'insérera si étroitement dans le cadre rigide de sa fonction qu'il n'aura plus de place pour se mouvoir, et surtout pour s'émouvoir, comme les autres hommes. Rappelons-nous le mot du juge Perrin Dandin à Isabelle, qui lui demande comment on peut voir torturer des malheureux :

> Bah ! cela fait toujours passer une heure ou deux[97].

N'est-ce pas une espèce d'endurcissement professionnel que celui de Tartuffe, s'exprimant, il est vrai, par la bouche d'Orgon :

> Et je verrais mourir frère, enfants, mère et femme,
> Que je m'en soucierais autant que de cela[98] !

Mais le moyen le plus usité de pousser une profession au comique est de la cantonner, pour ainsi dire, à l'intérieur du langage qui lui est propre. On fera que le juge, le médecin, le soldat appliquent aux choses usuelles la langue du droit, de la stratégie ou de la médecine, comme s'ils étaient devenus incapables de parler comme tout le monde. D'ordinaire, ce genre de comique est assez grossier. Mais il devient plus délicat, comme nous le disions, quand il décèle une particularité de caractère en même temps qu'une habitude professionnelle[99]. Rappelons-nous le joueur[a] de Régnard, s'exprimant avec tant d'originalité en termes de jeu, faisant prendre à son valet le nom d'Hector, en attendant qu'il appelle sa fiancée

> Pallas, du nom connu de la Dame de Pique[100],

ou encore les Femmes savantes, dont le comique consiste[a], pour une bonne part, en ce qu'elles transposent les idées[b] d'ordre scientifique en termes de sensibilité féminine : «Épicure *me plaît...* », « *J'aime* les tourbillons », etc. Qu'on relise le troisième acte : on verra qu'Armande, Philaminte et Bélise s'expriment régulièrement[c] dans ce style[101].

En appuyant plus loin dans la même direction, on trouverait qu'il y a aussi une logique professionnelle, c'est-à-dire des manières[d] de raisonner dont on fait l'apprentissage dans certains milieux, et qui sont vraies pour le milieu[e], fausses pour le reste du monde. Mais le contraste entre ces deux logiques, l'une particulière et l'autre universelle, engendre certains effets comiques d'une nature spéciale, sur lesquels il ne sera pas inutile de s'appesantir plus longuement. Nous touchons ici à un point important de la théorie du rire. Nous allons d'ailleurs élargir la question et l'envisager dans toute sa généralité.

IV

Très préoccupés en effet de dégager la cause profonde du comique, nous avons dû négliger jusqu'ici une de ses manifestations les plus remarquées. Nous voulons parler[f] de la logique propre au personnage comique et au groupe comique, logique étrange, qui peut, dans certains cas, faire une large place à l'absurdité[102].

Théophile Gautier a dit du comique extravagant que c'est la logique de l'absurde. Plusieurs philosophies du rire gravitent autour d'une idée analogue. Tout effet comique impliquerait contradiction par quelque côté. Ce qui nous fait rire, ce serait l'absurde réalisé sous une forme concrète, une « absurdité visible » — ou encore une apparence d'absurdité, admise d'abord, corrigée aussitôt[a] — ou mieux encore ce qui est absurde par un côté, naturellement explicable par un autre[103], etc. Toutes ces théories renferment sans doute une part de vérité ; mais d'abord elles ne s'appliquent qu'à certains effets comiques assez gros, et, même dans les cas où elles s'appliquent, elles négligent, semble-t-il[b], l'élément caractéristique du risible, c'est-à-dire[c] le *genre tout particulier* d'absurdité que le comique contient quand il contient de l'absurde. Veut-on s'en convaincre[d] ? On n'a qu'à choisir une de ces définitions et à composer des effets selon la formule : le plus souvent, on n'obtiendra pas un effet risible[e]. L'absurdité, quand on la rencontre dans le comique, n'est donc pas une absurdité quelconque. C'est une absurdité déterminée[f]. Elle ne crée pas le comique, elle en dériverait plutôt. Elle n'est pas cause, mais effet — effet très spécial, où se reflète la nature spéciale de la cause qui le produit. Nous connaissons cette cause[104]. Nous n'aurons donc pas de peine, maintenant, à comprendre l'effet.

Je suppose qu'un jour, vous promenant à la campagne, vous aperceviez au sommet d'une colline quelque chose qui ressemble vaguement à un grand corps immobile avec des bras qui tournent. Vous ne savez pas encore ce que c'est, mais vous cherchez parmi vos *idées*, c'est-à-dire ici parmi les souvenirs dont votre mémoire dispose, le souvenir qui s'encadrera le mieux dans ce que vous apercevez[105]. Presque aussitôt, l'image d'un moulin à vent vous revient à l'esprit : c'est un moulin à vent que vous avez devant vous. Peu importe que vous ayez lu tout à l'heure, avant de sortir, des contes de fées avec des histoires de géants aux interminables bras. Le bon sens consiste à savoir se souvenir, je le veux bien, mais encore et surtout à savoir oublier[106]. Le bon sens est l'effort d'un esprit qui s'adapte et se réadapte sans cesse, changeant d'idée quand il change d'objet. C'est une mobilité de l'intelligence qui se règle exactement sur la mobilité des choses. C'est la continuité mouvante de notre attention à la vie[107].

Voici maintenant Don Quichotte qui part en guerre. Il a lu dans ses romans que le chevalier rencontre des géants ennemis sur son chemin. Donc, il lui faut un géant. L'idée de géant est un souvenir privilégié qui s'est installé dans son esprit, qui y reste à l'affût, qui guette, immobile, l'occasion de se précipiter dehors et de s'incarner dans une chose. Ce souvenir *veut* se matérialiser, et dès lors le premier objet venu, n'eût-il avec la forme d'un géant qu'une ressemblance lointaine[a], recevra de lui la forme d'un géant[108]. Don Quichotte verra donc des géants là où nous voyons des moulins à vent. Cela est comique, et cela est absurde. Mais est-ce une absurdité quelconque ?

C'est une inversion toute spéciale du sens commun. Elle consiste à prétendre modeler les choses sur une idée qu'on a, et non pas ses idées sur les choses. Elle consiste à voir devant soi ce à quoi l'on pense, au lieu de penser à ce qu'on voit. Le bon sens veut qu'on laisse tous ses souvenirs dans le rang ; le souvenir approprié répondra alors chaque fois à l'appel de la situation présente et ne servira qu'à l'interpréter[109]. Chez Don Quichotte, au contraire, il y a un groupe de souvenirs qui commande aux autres[a] et qui domine le personnage lui-même : c'est donc la réalité qui devra fléchir cette fois devant l'imagination et ne plus servir qu'à lui donner un corps. Une fois l'illusion formée, Don Quichotte la développe d'ailleurs raisonnablement dans toutes ses conséquences[110] ; il s'y meut avec la sûreté et la précision du somnambule qui joue son rêve. Telle est l'origine de l'erreur, et telle est la logique spéciale qui préside ici à l'absurdité. Maintenant, cette logique est-elle particulière à Don Quichotte ?

Nous avons montré que le personnage comique pèche par[b] obstination d'esprit ou de caractère, par distraction, par automatisme. Il y a au fond du comique une raideur d'un certain genre, qui fait qu'on va droit son chemin, et qu'on n'écoute pas, et qu'on ne veut rien entendre. Combien de scènes comiques, dans le théâtre de Molière, se ramènent à ce type simple[a] : *un personnage qui suit son idée*, qui y revient toujours, tandis qu'on l'interrompt sans cesse ! Le passage se ferait d'ailleurs insensiblement de celui qui ne veut rien entendre à celui qui ne veut rien voir, et enfin à celui qui ne voit plus que ce qu'il veut. L'esprit qui s'obstine finira par plier les choses à son idée, au lieu de régler sa pensée sur les choses. Tout personnage comique est donc sur la voie de l'illusion que nous venons de décrire, et Don Quichotte nous fournit le type général de l'absurdité comique.

Cette inversion du sens commun porte-t-elle un nom ? On la rencontre, sans doute, aiguë ou chronique, dans certaines formes de la folie. Elle ressemble par bien des côtés à l'idée fixe. Mais ni la folie en général ni l'idée fixe ne nous feront rire[b], car ce sont des maladies[111]. Elles excitent notre pitié. Le rire, nous le savons, est incompatible avec l'émotion. S'il y a une folie risible, ce ne peut être qu'une folie conciliable avec la santé générale de l'esprit, une folie normale, pourrait-on dire. Or, il y a un état normal de l'esprit qui imite de tout point la folie, où l'on retrouve les mêmes associations d'idées que dans l'aliénation, la même logique singulière que dans l'idée fixe. C'est l'état de rêve. Ou bien donc notre analyse est inexacte, ou elle doit pouvoir se formuler dans le théorème suivant : *L'absurdité comique est de même nature que celle des rêves*[112].

D'abord, la marche de l'intelligence dans le rêve est bien celle que nous décrivions tout à l'heure. L'esprit, amoureux de lui-même, ne cherche plus alors dans le monde extérieur qu'un prétexte à matérialiser ses imaginations. Des sons arrivent encore confusément à l'oreille, des couleurs circulent encore dans le champ de la vision : bref, les sens ne sont pas complètement fermés. Mais le rêveur, au lieu de faire appel à tous ses souvenirs pour interpréter ce que ses sens perçoivent, se sert au contraire de ce qu'il perçoit pour donner un corps au souvenir préféré : le même bruit de vent soufflant dans la cheminée deviendra alors, selon l'état d'âme du rêveur, selon l'idée qui occupe son imagination, hurlement de bêtes fauves ou chant mélodieux. Tel est le mécanisme ordinaire de l'illusion du rêve[113].

Mais si l'illusion comique est une illusion de rêve, si la logique du comique est la logique des songes, on peut s'attendre à retrouver dans la logique du risible les diverses particularités[a] de la logique du rêve. Ici encore va se vérifier la loi que nous connaissons bien : une forme du risible étant donnée, d'autres formes, qui ne contiennent pas le même fond comique, deviennent risibles par leur ressemblance extérieure avec la première[114]. Il est aisé de voir, en effet, que tout *jeu d'idées* pourra nous amuser, pourvu qu'il nous rappelle, de près ou de loin, les jeux du rêve.

Signalons en premier lieu[b] un certain relâchement

général des règles du raisonnement. Les raisonnements
dont nous rions sont ceux que nous savons faux, mais
que nous pourrions tenir pour vrais si nous les enten-
dions en rêve. Ils contrefont le raisonnement vrai tout
juste assez pour tromper un esprit qui s'endort. C'est
de la logique encore, si l'on veut, mais une logique
qui manque de ton et qui nous repose, par là même,
du travail intellectuel[115]. Beaucoup de « traits d'esprit »
sont des raisonnements de ce genre, raisonnements
abrégés[a] dont on ne nous donne que le point de
départ et la conclusion[116]. Ces jeux d'esprit évoluent
d'ailleurs vers le jeu de mots à mesure que les relations établies entre les idées deviennent plus superficielles : peu à peu nous arrivons à ne plus tenir
compte du sens des mots entendus, mais seulement du
son[117]. Ne faudrait-il pas[b] rapprocher ainsi du rêve
certaines scènes très comiques où un personnage
répète systématiquement à contresens les phrases
qu'un autre lui souffle à l'oreille ? Si vous vous
endormez au milieu de gens qui causent, vous trouverez parfois que leurs paroles se vident peu à peu
de leur sens, que les sons se déforment et se soudent
ensemble au hasard pour prendre dans votre esprit des
significations bizarres, et que vous reproduisez ainsi,
vis-à-vis de la personne qui parle, la scène de Petit-
Jean et du Souffleur[118].

   Il y a encore des *obsessions comiques*, qui se rap-
prochent beaucoup, semble-t-il, des obsessions de
rêve. A qui n'est-il pas arrivé de voir la même

image reparaître dans plusieurs rêves successifs et prendre dans chacun d'eux une signification plausible, alors que ces rêves n'avaient pas d'autre point commun ? Les effets de répétition présentent quelquefois cette forme spéciale au théâtre et dans le roman : certains d'entre eux ont des résonances de rêve[119]. Et peut-être en est-il de même du refrain de bien des chansons : il s'obstine, il revient, toujours le même, à la fin de tous les couplets, chaque fois avec un sens différent.

Il n'est pas rare qu'on observe dans le rêve un *crescendo* particulier[a], une bizarrerie qui s'accentue à mesure qu'on avance. Une première concession arrachée à la raison en entraîne une seconde, celle-ci une autre plus grave, et ainsi de suite jusqu'à l'absurdité finale[120]. Mais cette marche à l'absurde donne au rêveur une sensation singulière[b]. C'est, je pense, celle que le buveur éprouve quand il se sent glisser agréablement vers un état où rien ne comptera plus pour lui, ni logique ni convenances. Voyez maintenant si certaines comédies de Molière ne donneraient pas la même sensation : par exemple *Monsieur de Pourceaugnac*, qui commence presque raisonnablement et se continue par des excentricités de toute sorte, par exemple encore *Le Bourgeois gentilhomme*, où les personnages, à mesure qu'on avance, ont l'air de se laisser entraîner dans un tourbillon de folie. « Si l'on en peut voir un plus fou, je l'irai dire à Rome » : ce mot, qui nous avertit que la pièce est terminée, nous fait sortir du rêve de plus en plus extravagant où nous nous enfoncions avec M. Jourdain.

Mais il y a surtout une démence qui est propre au rêve. Il y a certaines contradictions spéciales, si naturelles à l'imagination du rêveur, si choquantes pour la raison de l'homme éveillé, qu'il serait impossible d'en donner une idée exacte et complète à celui qui n'en aurait pas eu l'expérience[a]. Nous faisons allusion ici à l'étrange fusion que le rêve opère souvent entre deux personnes qui n'en font plus qu'une et qui restent pourtant distinctes[121]. D'ordinaire, l'un des personnages est le dormeur lui-même. Il sent qu'il n'a pas cessé d'être ce qu'il est ; il n'en est pas moins devenu un autre. C'est lui et ce n'est pas lui. Il s'entend parler, il se voit agir, mais il sent qu'un autre[b] lui a emprunté son corps et lui a pris sa voix. Ou bien encore il aura conscience de parler et d'agir comme à l'ordinaire ; seulement il parlera de lui comme d'un étranger avec lequel il n'a plus rien de commun ; il se sera détaché de lui-même[122]. Ne retrouverait-on pas cette confusion étrange dans certaines scènes[c] comiques ? Je ne parle pas d'*Amphitryon*[d], où la confusion est sans doute suggérée à l'esprit du spectateur, mais où le gros de l'effet comique vient plutôt de ce que nous avons appelé plus haut une « interférence de deux séries ». Je parle des raisonnements extravagants et comiques où cette confusion se rencontre véritablement à l'état pur, encore qu'il faille un effort de réflexion pour la dégager. Écoutez par exemple ces réponses de Mark Twain au reporter qui vient l'interviewer : « Avez-vous un frère ? — Oui ; nous l'appelions Bill. Pauvre Bill ! — Il est donc mort ? — C'est ce que nous n'avons jamais pu savoir. Un grand mystère plane sur cette affaire. Nous étions, le défunt et moi, deux jumeaux, et nous fûmes, à l'âge de quinze jours, baignés dans le même baquet. L'un de nous deux s'y noya, mais on n'a jamais su lequel. Les uns pensent que c'était Bill, d'autres que c'était moi. — Étrange. Mais vous, qu'en pensez-vous ? — Écoutez, je vais vous confier un secret que je n'ai encore révélé à âme qui vive. L'un de nous deux portait un signe particulier, un énorme grain de beauté au revers de la main gauche ; et celui-là, c'était moi. Or, c'est cet enfant-là qui s'est noyé..., etc. »[123] En y regardant de près, on verra que l'absurdité de ce dialogue n'est pas une absurdité quelconque[a]. Elle disparaîtrait si le personnage qui parle n'était pas précisément l'un des jumeaux dont il parle. Elle tient[b] à ce que Mark Twain déclare être un de ces jumeaux, tout en s'exprimant comme s'il était un tiers qui raconterait leur histoire. Nous ne procédons pas autrement dans beaucoup de nos rêves.

V

Envisagé de ce dernier point de vue, le comique nous apparaîtrait sous une forme un peu différente de celle que nous lui prêtions. Jusqu'ici, nous avions vu dans le rire un moyen de correction surtout. Prenez la continuité des effets comiques, isolez, de loin en loin, les types dominateurs : vous trouverez que les effets[a] intermédiaires empruntent leur vertu comique à leur ressemblance avec ces types, et que les types eux-mêmes sont autant de modèles d'impertinence vis-à-vis de la société[124]. A ces impertinences la société réplique par le rire, qui est une impertinence plus forte encore. Le rire n'aurait donc rien de très bienveillant. Il rendrait plutôt le mal pour le mal.

Ce n'est pourtant pas là ce qui frappe d'abord dans l'impression du risible. Le personnage comique est souvent un personnage avec lequel nous commençons par sympathiser matériellement. Je veux dire que nous nous mettons pour un très court instant à sa place, que nous adoptons ses gestes, ses paroles, ses actes, et que si nous nous amusons de ce qu'il y a en lui de risible, nous le convions, en imagination, à s'en amuser avec nous : nous le traitons d'abord en camarade. Il y a donc chez le rieur une apparence au moins de bonhomie, de jovialité aimable, dont nous aurions tort de ne pas tenir compte. Il y a surtout dans le rire un mouvement de *détente*, souvent remarqué, dont nous devons chercher la raison[125]. Nulle part cette impression n'était plus sensible que dans nos derniers exemples. C'est là aussi, d'ailleurs, que nous en trouverons l'explication.

Quand le personnage comique suit son idée automatiquement, il finit par penser, parler, agir comme s'il rêvait. Or le rêve est une détente[126]. Rester en contact avec les choses et avec les hommes, ne voir que ce qui est et ne penser que ce qui se tient, cela exige un effort ininterrompu de tension intellectuelle. Le bon sens est cet effort même[127]. C'est du travail. Mais se détacher des choses et pourtant apercevoir encore des images, rompre avec la logique et pourtant assembler encore des idées, voilà qui est simplement du jeu ou, si l'on aime mieux, de la paresse. L'absurdité comique nous donne donc d'abord[a] l'impression d'un jeu d'idées. Notre premier mouvement est de nous associer à ce jeu. Cela repose de la fatigue de penser[128].

Mais on en dirait autant des autres formes du risible. Il y a toujours au fond du comique, disions-nous, la tendance à se laisser glisser le long d'une pente facile, qui est le plus souvent la pente de l'habitude. On ne cherche plus à s'adapter et à se réadapter sans cesse à la société dont on est membre. On se relâche de l'attention qu'on devrait à la vie. On ressemble plus ou moins[b] à un distrait. Distraction de la volonté, je l'accorde, autant et plus que de l'intelligence. Distraction encore cependant, et, par conséquent, paresse[129]. On rompt avec les convenances comme on rompait tout à l'heure avec la logique. Enfin on se donne l'air de quelqu'un qui joue. Ici encore notre premier mouvement est d'accepter l'invitation à la paresse. Pendant un instant au moins, nous nous mêlons an jeu. Cela repose de la fatigue de vivre.

Mais nous ne nous reposons qu'un instant. La sympathie qui peut entrer dans l'impression du comique est une sympathie bien fuyante. Elle vient, elle aussi, d'une distraction. C'est ainsi qu'un père sévère va s'associer quelquefois, par oubli, à une espièglerie de son enfant, et s'arrête aussitôt[a] pour la corriger[130].

Le rire est, avant tout, une correction. Fait pour humilier, il doit donner à la personne qui en est l'objet une impression pénible. La société se venge par lui des libertés qu'on a prises avec elle. Il n'atteindrait pas son but s'il portait la marque de la sympathie et de la bonté.

Dira-t-on que l'intention au moins peut être bonne, que souvent on châtie parce qu'on aime, et que le rire, en réprimant les manifestations extérieures de certains défauts[131], nous invite ainsi, pour notre plus grand bien, à corriger ces défauts eux-mêmes et à nous améliorer intérieurement ?

Il y aurait beaucoup à dire sur ce point. En général et en gros, le rire exerce sans doute une fonction utile. Toutes nos analyses tendaient d'ailleurs à le démontrer. Mais il ne suit pas de là que le rire frappe toujours juste, ni qu'il s'inspire d'une pensée de bienveillance ou même d'équité.

Pour frapper toujours juste, il faudrait qu'il procédât d'un acte de réflexion. Or le rire est simplement l'effet d'un mécanisme monté en nous

par la nature, ou, ce qui revient à peu près au
même, par une très longue habitude de la vie
sociale. Il part tout seul, véritable riposte du tac au
tac. Il n'a pas le loisir de regarder chaque fois où
il touche. Le rire châtie certains défauts à peu près
comme la maladie châtie certains excès, frappant
des innocents, épargnant des coupables, visant à un
résultat général et ne pouvant faire à chaque cas
individuel l'honneur de l'examiner séparément. Il en
est ainsi de tout ce qui s'accomplit par des voies
naturelles[a] au lieu de se faire par réflexion
consciente. Une moyenne de justice pourra apparaître dans le résultat d'ensemble, mais non pas dans
le détail des cas particuliers[132].

En ce sens, le rire ne peut pas être absolument
juste. Répétons[b] qu'il ne doit pas non plus être bon.
Il a pour fonction d'intimider en humiliant. Il n'y
réussirait pas si la nature n'avait laissé à cet effet,
dans les meilleurs d'entre les hommes, un petit
fonds de méchanceté, ou tout au moins de malice.
Peut-être vaudra-t-il mieux que nous n'approfondis-
sions pas trop ce point. Nous n'y trouverions
rien de très flatteur pour nous. Nous verrions que
le mouvement de détente ou d'expansion n'est qu'un
prélude au rire, que le rieur rentre tout de suite
en soi, s'affirme plus ou moins orgueilleusement
lui-même, et tendrait à considérer la personne
d'autrui comme une marionnette dont il tient
les ficelles[133]. Dans cette présomption nous démêle-
rions d'ailleurs bien vite un peu d'égoïsme,

et, derrière l'égoïsme lui-même, quelque chose de moins spontané et de plus amer, je ne sais quel pessimisme naissant qui s'affirme de plus en plus à mesure que le rieur raisonne davantage son rire.

Ici, comme ailleurs, la nature a utilisé le mal en vue du bien. C'est le bien surtout qui nous a préoccupé dans toute cette étude. Il nous a paru que la société, à mesure qu'elle se perfectionnait, obtenait de ses membres une souplesse d'adaptation de plus en plus grande, qu'elle tendait à s'équilibrer de mieux en mieux au fond, qu'elle chassait de plus en plus à sa surface les perturbations inséparables d'une si grande masse, et que le rire accomplissait une fonction utile en soulignant la forme de ces ondulations.

C'est ainsi que des vagues luttent sans trêve à la surface de la mer, tandis que les couches inférieures observent une paix profonde. Les vagues s'entrechoquent, se contrarient, cherchent leur équilibre. Une écume blanche, légère et gaie, en suit les contours changeants. Parfois le flot qui fuit abandonne un peu de cette écume sur le sable de la grève. L'enfant qui joue près de là vient en ramasser une poignée, et s'étonne, l'instant d'après, de n'avoir plus dans le creux de la main que quelques gouttes d'eau, mais d'une eau bien plus salée, bien plus amère encore que celle de la vague qui l'apporta. Le rire naît ainsi que cette écume. Il signale, à l'extérieur de la vie sociale, les révoltes superficielles. Il dessine instantanément la forme mobile de ces ébranlements. Il est, lui aussi, une mousse à base de sel. Comme la mousse, il pétille. C'est de la gaîté. Le philosophe qui en ramasse pour en goûter y trouvera d'ailleurs quelquefois, pour une petite quantité de matière, une certaine dose d'amertume.

APPENDICE
DE LA VINGT-TROISIÈME ÉDITION

SUR LES DÉFINITIONS DU COMIQUE
ET SUR LA MÉTHODE SUIVIE DANS CE LIVRE

Dans un intéressant article de la *Revue du Mois*[1], M. Yves Delage opposait à notre conception du comique la définition à laquelle il s'était arrêté lui-même : « Pour qu'une chose soit comique, disait-il, il faut qu'entre l'effet et la cause il y ait désharmonie. » Comme la méthode qui a conduit M. Delage à cette définition est celle que la plupart des théoriciens du comique ont suivie, il ne sera pas inutile de montrer par où la nôtre en diffère. Nous reproduirons donc l'essentiel de la réponse que nous publiâmes dans la même revue[2] :

« On peut définir le comique par un ou plusieurs caractères généraux, extérieurement visibles, qu'on aura rencontrés dans des effets comiques çà et là recueillis. Un certain nombre de définitions de ce genre ont été proposées depuis Aristote ; la vôtre me paraît avoir été obtenue par cette méthode : vous tracez un cercle, et vous montrez que des effets comiques, pris au hasard, y sont inclus. Du moment que les caractères en question ont été notés par un observateur perspicace, ils appartiennent, sans doute, à ce qui est comique ; mais je crois qu'on les rencontrera souvent, aussi, dans ce qui ne l'est pas. La définition sera généralement trop large[134]. Elle satisfera

1. *Revue du Mois*, 10 août 1919 ; t. XX, p. 337 et suiv.
2. *Ibid.*, 10 nov. 1919 ; XX, p. 514 et suiv.

— ce qui est déjà quelque chose, je le reconnais —à l'une des exigences de la logique en matière de définition : elle aura indiqué quelque condition *nécessaire*. Je ne crois pas qu'elle puisse, vu la méthode adoptée, donner la condition *suffisante*. La preuve en est que plusieurs de ces définitions sont également acceptables, quoiqu'elles ne disent pas la même chose. Et la preuve en est surtout qu'aucune d'elles, à ma connaissance, ne fournit le moyen de construire l'objet défini, de fabriquer du comique[1].

« J'ai tenté quelque chose de tout différent. J'ai cherché dans la comédie, dans la farce, dans l'art du clown, etc., les *procédés de fabrication* du comique[135]. J'ai cru apercevoir qu'ils étaient autant de variations sur un thème plus général. J'ai noté le thème, pour simplifier ; mais ce sont surtout les variations qui importent. Quoi qu'il en soit, le thème fournit une définition générale, qui est cette fois une règle de construction. Je reconnais d'ailleurs que la définition ainsi obtenue risquera de paraître, à première vue, trop étroite, comme les définitions obtenues par l'autre méthode étaient trop larges. Elle paraîtra trop étroite, parce que, à côté de la chose qui est risible par essence et par elle-même, risible en vertu de sa structure interne, il y a une foule de choses qui font rire en vertu de quelque ressemblance superficielle avec celle-là, ou de quelque rapport accidentel avec une autre qui ressemblait à celle-là, et ainsi de suite ; le rebondissement du comique est sans fin, car nous aimons à rire et tous les prétextes nous sont bons ; le mécanisme des associations d'idées est ici d'une complication extrême ; de sorte que le psychologue qui aura abordé l'étude du comique avec cette méthode, et qui aura dû lutter contre des difficultés sans cesse renaissantes au lieu d'en finir une bonne fois avec le comique en l'enfermant dans une formule, risquera toujours de s'entendre dire qu'il n'a pas rendu compte de tous les faits[136]. Quand il aura appliqué sa théorie aux

---

1. Nous avons d'ailleurs brièvement montré, en maint passage de notre livre, l'insuffisance de telle ou telle d'entre elles.

exemples qu'on lui oppose, et prouvé qu'ils sont devenus comiques par ressemblance avec ce qui était comique en soi-même, on en trouvera facilement d'autres, et d'autres encore : il aura toujours à travailler. En revanche, il aura étreint le comique, au lieu de l'enclore dans un cercle plus ou moins large. Il aura, s'il réussit, donné le moyen de fabriquer du comique. Il aura procédé avec la rigueur et la précision du savant, qui ne croit pas avoir avancé dans la connaissance d'une chose quand il lui a décerné telle ou telle épithète, si juste soit-elle (on en trouve toujours beaucoup qui conviennent) : c'est une analyse qu'il faut, et l'on est sûr d'avoir parfaitement analysé quand on est capable de recomposer. Telle est l'entreprise que j'ai tentée.

« J'ajoute qu'en même temps que j'ai voulu déterminer les procédés de fabrication du risible, j'ai cherché quelle est l'intention de la société quand elle rit. Car il est très étonnant qu'on rie, et la méthode d'explication dont je parlais plus haut n'éclaircit pas ce petit mystère. Je ne vois pas, par exemple, pourquoi la "désharmonie", en tant que désharmonie, provoquerait de la part des témoins une manifestation spécifique telle que le rire, alors que tant d'autres propriétés, qualités ou défauts, laissent impassibles chez le spectateur les muscles du visage. Il reste donc à chercher *quelle est la cause spéciale de désharmonie* qui donne l'effet comique ; et on ne l'aura réellement trouvée que si l'on peut expliquer par elle pourquoi, en pareil cas, la société se sent tenue de manifester. Il faut bien qu'il y ait dans la cause du comique quelque chose de légèrement attentatoire (et de *spécifiquement* attentatoire) à la vie sociale, puisque la société y répond par un geste qui a tout l'air d'une réaction défensive, par un geste qui fait légèrement peur[137]. C'est de tout cela que j'ai voulu rendre compte. »

TABLE DES MATIÈRES

DOSSIER   CRITIQUE

Introduction au dossier critique

Ce dossier propose un certain nombre d'outils susceptibles d'accompagner et de prolonger la lecture du *Rire* de Bergson. On y trouvera successivement : un appareil de notes, un index (des noms, des notions, des images et des exemples), une table analytique, une anthologie de « lectures », une bibliographie.

Notes

L'appareil de notes vise deux objectifs principaux. Il s'emploie en premier lieu à mettre en valeur l'originalité de la solution apportée par Bergson dans cet ouvrage à une question théorique précise – la raison du « *rire spécialement provoqué par le comique* » –, en explicitant son inscription dans son milieu historique d'élaboration, c'est-à-dire en soulignant la portée dialogique, le plus souvent critique, avec d'autres théoriciens du rire et du comique, philosophes, esthéticiens et psychologues de son temps. D'où un double registre de notes : à des *notes « externes »*, renvoyant aux interlocuteurs implicites qui permettent de contextualiser l'analyse bergsonienne et d'en appréhender, tant sur le plan méthodologique que théorique, les enjeux critiques, répondent des *notes « internes »* signalant la manière dont ces dialogues externes se réfléchissent dans la composition de l'ouvrage, dans le développement de ses thèses principales, parfois dans le traitement local de tel ou tel exemple particulier.

Mais l'articulation même de ces deux premières dimensions, interne et externe, en justifie une troisième reconduisant l'originalité de la solution que Bergson apporte à la question du rire à la manière dont il pose le *problème* sous-jacent, qui décide et de cette question et de cette solution : produire l'articulation qu'elles appellent entre une philosophie de la vie dans ses dimensions tant biologique que psychologique, une philosophie sociale, et une philosophie de l'art. Or ce problème se singularise, non seulement à travers la confrontation avec d'autres théories du rire et pour ainsi dire du dehors, mais du dedans par l'engagement inédit, auquel l'étude circonstanciée du comique donne l'occasion, de certaines des décisions les plus profondes de la pensée bergsonienne elle-même. Suivant cette troisième dimension, outre les notes externes et internes, un jeu de *notes « transversales »* souhaite attirer l'attention sur le fait que la singularité de cet ouvrage ne réside pas au-delà ou par-delà le reste de la philosophie bergsonienne, qu'elle tient au contraire à son appartenance pleine et entière, tant à ses intuitions décisives qu'à la chaîne des livres qui en ont actualisé les mouvements, renouvelé les problèmes et marqué les tournants. Original par son objet et sa facture, *Le rire* n'est nullement un apax dans l'œuvre bergsonienne ; plus ouvert peut-être que tout autre à une lecture non philosophique, et lui-même très discret sur son propre horizon doctrinal, il n'en est pas moins étroitement lié tout d'abord aux deux grands livres qui le précèdent : l'*Essai sur les données immédiates de la conscience* (1889), dont il réactive la description de l'organisation des états de conscience, ainsi qu'une théorie de la liberté qui fait constamment entendre ici, en arrière-plan de toute l'analyse des formes de comique, le contrepoint d'un sérieux de l'existence, d'un «élément tragique» même de notre vie ; *Matière et mémoire* (1896), dont il enregistre la conception du corps vivant comme montage d'habitudes ou mémoire machinale, la théorie des « plans de conscience » et ses implications pour la compréhension de la formation des idées générales et des associations d'idées, et fondamentalement, la thèse de la dualité de la matière et de la mémoire et le problème *réel*, c'est-à-dire immanent à notre vie, de leur unification : celui de l'« attention à la vie ». Mais l'appareil de notes signale également, plus ponctuellement, la manière dont *Le rire*, prolongeant des thèses biologiques, psychologiques et métaphysiques mises en place dans les livres antérieurs, les ouvre sur des perspectives ultérieures de l'œuvre, par exemple sur le rapport de l'intelligence et de la vie qui sera thématisé pour lui-même dans *L'évolution créatrice*, ou encore sur la théorie des « sociétés closes » et la question de l'immanence de la vie sociale à la conscience et à la vie individuelles, qui seront développées dans *Les deux sources de la morale et de la religion*. Pour ces différents renvois, nous mentionnons la pagination des ouvrages de Bergson dans la collection « Quadrige » aux PUF.

Tel est, en somme, le principe qui a présidé à ce système d'annotation et qui, en guise d'une double invitation au lecteur, suffit à en définir l'objectif : situer *Le rire* dans la série des grands livres de l'œuvre de Bergson, et partant, le replacer dans l'unité dynamique du bergsonisme pour inviter à faire de cet essai un point de vue d'évaluation des effets du bergsonisme dans son ensemble dans le problème particulier du rire et du comique et, à travers lui, dans le champ des savoirs psychologiques et esthétiques où il a été posé, mais par là aussi pour inviter à y reconnaître un moment important dans l'évolution interne de la pensée bergsonienne, au regard des prolongements imprévisibles qu'il donne à ses moments antérieurs, et des premières incursions qu'il opère dans des problèmes qu'il appartiendra à l'avenir de l'œuvre de refondre.

L'appareil de notes signale enfin les variantes, mineures le plus souvent, entre la première parution du *Rire* en articles séparés (A), la 1re édition (1900) (I), et la 23e édition (1924) (II). Le texte reproduit ici est celui de l'édition de 1941 aux Presses Universitaires de France, chiffrée édition 57e, qui reprend la 23e édition en impression resserrée VIII-160 p. et dont la pagination est conservée.

Index

Ne figurent dans l'*Index des noms* que les occurrences des auteurs expressément mentionnés par Bergson ; n'y sont donc pas reprises celles qui interviennent dans nos propres notes. Pour l'intégralité des occurrences, comprenant par exemple celles d'œuvres dont les auteurs ne sont pas nommés, on se rapportera à l'*Index des exemples*. Quant aux auteurs figurant dans la bibliographie établie par Bergson dans la Préface, l'*Index des noms* ne recense que ceux à nouveau évoqués dans le corps de l'ouvrage.

A un *Index des notions*, destiné à faciliter la circulation dans le réseau conceptuel du *Rire* et son croisement avec la conceptualité du bergsonisme dans son ensemble, sont joints un *Index des exemples* et un *Index des images* dont le statut répond à la pratique et à l'écriture philosophiques inventées par Bergson dans l'*Essai* (on se rapportera utilement sur ce point aux explications d'A. Bouaniche, *in* H. Bergson, *Essai sur les données immédiates de la conscience*, Paris, PUF, 2007, Introduction du « Dossier critique »), et dont il fera la théorie, trois ans après *Le rire*, dans son « Introduction à la métaphysique ». L'essai sur le comique témoigne excellemment du rapport interne des notions conceptuelles aux images et aux exemples, qui ne viennent jamais simplement illustrer une analyse, remplir une classification formelle, ou donner un contenu particulier à une catégorie générale, mais qui satisfont au contraire une conception intensive du concept dont le travail exige de suivre les articulations fines de l'expérience concrète, tant pour respecter les continuités de sens à travers la multiplicité de ses métamorphoses que pour discerner les tendances hétérogènes qui s'y mêlent. Les exemples recensés ici de procédés, de situations ou d'images comiques, signalent ainsi autant de « cas » du concept, c'est-à-dire d'événements intensifs modulant la variation continue du sens du comique immanent aux états de chose et de conscience, et qui marquent chaque fois le passage l'un dans l'autre de l'émotion comique que nous faisons dans les expériences de la vie et de l'art, et du concept du comique que Bergson nous aide à créer dans la pensée.

Table analytique

La parution préalable en articles séparés n'y change rien : comme tous les livres de Bergson, *Le rire* est d'une construction précise et minutieuse, dont le principe d'organisation et de partition est lui-même thématisé dans l'ouvrage et met en œuvre une intuition fondamentale du bergsonisme : reprenant une typologie admise des « catégories » de comique, qui donne au livre son architecture générale, Bergson refuse d'y voir une classification taxinomique abstraite et figée ; il s'emploie au contraire à les replacer dans une série de gradation intensive dont ces catégories sont seulement des coupes ou des formes transitionnelles. Une telle ligne de variation vise simultanément à respecter la multiplicité indénombrable des figures du risible et de nos manières de rire, et à dégager l'unité de signification du comique « pur », c'est-à-dire saisi à sa source et dans sa direction la plus propre, le sens singulier ou *sui generis* qu'il prend dans les émotions et les perceptions risibles. La table analytique proposée ici en complément de l'elliptique table des matières figurant en fin de volume, s'attache à mettre valeur ces deux dimensions dont les exigences combinées fixent à la construction de l'argumentation bergsonienne les conditions de sa rigueur.

Nous conservons la numérotation des chapitres et des principales sections de chapitre en chiffre romain. Mais Bergson utilisant à nouveau des chiffres romains pour marquer des partitions internes aux sections, nous leur substituons, pour une meilleure lisibilité, la notation par lettre : A/... a/... b/... B/...

Lectures

L'anthologie de « Lectures » propose deux sélections de textes de longueur inégale, qui visent à apporter quelques éclairages latéraux sur l'analyse bergsonienne du comique et du rire spécifique qu'il provoque. Sous l'intitulé « Sources et interlocuteurs », la première présente des extraits d'articles ou d'ouvrages antérieurs au *Rire*, dont certains figurent dans la bibliographie dressée par Bergson pour la première édition, dont d'autres, sans être mentionnés par l'auteur lui-même, mais selon toute vraisemblance connus de lui, permettent de contextualiser certains aspects de son analyse et d'en cerner les enjeux dialectiques. Chacun de ces extraits est introduit d'une brève note introductive en ce sens ; et dans cet esprit encore, la plupart d'entre eux sont appelés par l'appareil de notes. La seconde présente quelques témoignages de la réception et de la postérité de ce livre, à travers les débats que l'analyse bergsonienne du rire a pu susciter dans les trois domaines qu'elle a justement tenté d'articuler, de l'art, de la psychologie, et de la sociologie du comique.

Bibliographie

La bibliographie figurant en fin de volume comporte trois volets. Le premier se borne à rappeler l'ensemble des livres qui composent l'œuvre de Bergson, ainsi que les sélections d'écrits et de lettres édités par André Robinet, et de cours édités par Henri Hude aux PUF. Le second rassemble les textes de Bergson ayant trait au *Rire*, à sa préparation, à sa composition, et à ses suites ; on y trouvera donc rassemblés les premiers témoignages de la réflexion bergsonienne sur le rire et sur le comique, les articles souches du livre, les textes ultérieurs de Bergson, lettres et articles revenant, souvent en réponse à des objections, sur son ouvrage pour en souligner tel ou tel aspect. Y sont mentionnées en outre les références précises des ouvrages recensés par Bergson dans les deux bibliographies successives du livre.

Le troisième volet comporte enfin trois séries de textes relatifs au *Rire* : recensions témoignant de la réception immédiate de l'ouvrage ; études qui lui sont spécialement consacrées ; autres travaux s'y rapportant à quelques égards, et susceptibles d'en éclairer le contenu et les prolongements. La liste n'en est pas exhaustive ; elle vise surtout, ici encore, à fournir un instrument de travail assez suggestif de la diversité des pistes de réflexion que cet ouvrage a pu, et peut encore, contribuer à nourrir.

Signalons enfin que nous avons renoncé à alourdir cette bibliographie en lui adjoignant les références d'ouvrages auxquels Bergson, sans les mentionner explicitement, paraît parfois faire allusion dans le courant de son analyse, et qui sont susceptibles d'en préciser les enjeux critiques et positifs. Pour celles-ci, nous renvoyons à l'appareil de notes.

Nous remercions Frédéric Worms, pour la confiance qu'il nous a témoignée et qui a porté ce travail. Nos remerciements vont également à Armelle Talbot, Arnaud Bouaniche et Arnaud François, pour leurs conseils avisés, et leur si précieuse amitié. Nous remercions enfin Michel Prigent et les Presses Universitaires de France qui ont pris l'initiative de cette réédition, et en ont accompagné la réalisation.

Table des abréviations

Notes

Note de la note 1 p. V :

1. Cette Préface se substitue à un Avant-propos mis en tête des éditions précédentes, depuis la première en 1900 : « Nous réunissons en un volume trois articles sur *Le Rire* (ou plutôt sur *le rire spécialement provoqué par le comique*) que nous avons publiés récemment dans la *Revue de Paris*. Ces articles avaient pour objet de déterminer les principales "catégories" comiques, de grouper le plus grand nombre possible de faits et d'en dégager les lois : ils excluaient, par leur forme même, les discussions théoriques et la critique des systèmes. Devions-nous, en les rééditant, y joindre un examen des travaux relatifs au même sujet et comparer nos conclusions à celles de nos devanciers ? Notre thèse y eût gagné en solidité peut-être ; mais notre exposition se fût compliquer démesurément, en même temps qu'elle eût donner un volume hors de proportion avec l'importance du sujet traité. Nous nous décidons, en conséquence, à reproduire les articles tels qu'ils ont paru. Nous y joignons simplement l'indication des principales recherches entreprises sur la question du comique dans les trente dernières années. »

Note de la note 2 p. V :

1. « Le Rire », *Revue de Paris*, 7e Année, t. 1, janvier-février 1900, p. 512-544, et p. 759-790 ; t. 2, mars-avril 1900, p. 146-179.

1. Bergson paraît reprendre à son compte la dévalorisation traditionnelle du comique, genre « bas » aux antipodes de la noblesse des caractères, personnages et actions tragiques. Dès les premières lignes du premier chapitre pourtant, il pointera la disproportion entre l'humble « petit problème » que posent l'essence et la signification du rire et « l'impertinent défi » qu'il n'a cessé de lancer à la spéculation philosophique des « plus grands penseurs ». Surtout, sa propre solution à ce problème, conduite sur le triple terrain de la

psychologie, de l'art, et de la sociologie, le conduira à statuer théoriquement sur l'importance finalement des plus sérieuses du « *rire spécialement provoqué par le comique* » dans la vie réelle, et à empêcher d'y voir seulement l'expression d'un pur plaisir désintéressé : cf. *infra*, p. 14-16, 101-104, 151-153.

2. Pour les ouvrages mentionnés dans la première édition, cf. Bibliographie en fin du *Dossier*. On notera que certaines références qui y figuraient disparaissent de la réédition de 1923 : Charles Darwin, *L'expression des émotions* ; et Theodor Piderit, *La mimique et la physiognomonie*. Il s'agit des références les plus explicitement tournées vers une approche physionomique du rire. Le chapitre VI de l'ouvrage de Piderit, auquel Darwin lui-même se réfère, s'intitule « Rire et pleurs », et traite de leurs manifestations principalement dans les muscles respiratoires et faciaux (trad. fr. A. Girot, Paris, Félix Alcan, 1888, p. 136-162). Les pages 126-130 auxquelles renvoie la bibliographie bergsonienne comprennent un Appendice portant sur les « Mouvements des extrémités dans leurs rapports avec l'ouïe », et qui met en valeur l'importance du rythme dans l'émotion suscitée par la musique, le chant et la danse – thème dont on retrouvera des échos dans *Le rire* : cf. *infra*, p. 119-120 ; note 59 du chap. III.

3. Pour cette différence de méthode, capitale pour la démarche argumentative, le plan de l'ouvrage, et ses enjeux théoriques de fond, cf. *infra*, p. 1-2, 49, 155-157, et note 1 du chap. I. La « précision » deviendra dans *La pensée et le mouvant* l'exigence fondamentale de toute méthode, « substituer au *tout fait* ce qui *se fait* », « saisir le mouvement, non plus du dehors et dans son résultat étalé, mais du dedans et dans sa tendance à changer », « adopter la continuité mobile du dessin des choses » : cf. en particulier « MRV », in *PM*, p. 1-2 et s., et p. 23.

NOTES DU CHAPITRE PREMIER

Variantes p. 2 : [a] ... sur lequel j'appellerai l'attention... (A) (I).

1. Voici posé le principal réquisit de la méthode revendiquée dans *Le rire*, annoncée dans la Préface, réaffirmée dans l'Appendice. Il repose sur la critique, omniprésente dans la pensée bergsonienne, de la définition comme assemblage de propriétés logiques statiques, et de la conception qui la sous-tend de l'essence comme forme générale et immuable : cf. « IM », *PM*, p. 185-188 ; *EC*, p. 12-13, 276-277, 301-302, 313-314 et s. ; « PP », in *PM*, p. 73-74. L'inadéquation d'une telle définition qui tend à « enfermer » son objet pour les phénomènes vivants, auxquels est apparentée ici la fantaisie comique, sera explicitée en 1907 dans une confrontation cette fois directe avec les sciences de la vie (cf. *EC*, p. 13 et 107-108). Mais d'ores et

déjà, le comique étant d'emblée rapporté à un mouvement vital de l'activité psychique, il s'agit d'en suivre l'allure propre, c'est-à-dire la variabilité même ou la tendance au changement (ce que la section V du chapitre I appelle la « force d'expansion du comique »), au moyen d'une définition « souple » ou précise, c'est-à-dire capable d'en épouser les variations ou gradations continues au lieu d'en abstraire des caractères discrets ou discontinus pour tenter de recomposer les formes qui s'y découpent (cf. également *infra*, p. 16-17, 49). Pour l'expression de « gradations insensibles », cf. *MM*, p. 207, 235 ; pour celle de « définition souple », cf. « IM », in *PM*, p. 188 ; « AC », in *ES*, p. 38 ; « PCB », in *PM*, p. 235-236. A tous ces égards, le « contact soutenu » avec une telle mobilité indivise n'est autre que ce que Bergson appellera peu après *Le rire* la méthode de « l'intuition », qui trouve dans le comique l'occasion d'un nouveau déploiement : cf. « IM », in *PM*, p. 177-211 ; « MRV », in *PM*, 27-31 ; et pour le rapport de « camaraderie » avec le réel, dans ce contexte, « IP », in *PM*, p. 139. Notons d'emblée deux enjeux majeurs d'une telle méthode pour l'ensemble de l'ouvrage. Replaçant les formes du comique (de mouvement, de geste, de situation, de mot, de caractère) dans l'activité, de nature d'abord psychologique, qui les engendre et les différencie, cette orientation méthodologique éclaire en premier lieu le statut conceptuel des catégories de comique qui donnent leur unité à chaque chapitre, et attire l'attention sur les passages ou les figures de *transition* d'une forme à l'autre (cf. « MRV », in *PM*, p. 6-8) ; il s'agit bien de penser l'unité du comique *et* la multiplicité de ses formes, en concevant cette unité comme multiplicité qualitative, unité dynamique d'un continuum de « métamorphoses » ; sur ce point, voir *infra*, p. 84, 98-99, et significativement la critique adressée par Bergson à J. Sully dans sa recension de *An Essay on Laughter*, in *Mélanges*, p. 601-602. Cette orientation méthodologique précise en second lieu le statut conceptuel et le rôle argumentatif des exemples, qui ne visent pas simplement à illustrer par le cas particulier une définition générale, mais à suivre les lignes de variation graduelle de la fantaisie comique, ce qui, une fois dégagées les règles de cette variation (tel est l'enjeu des analyses psychologiques du chapitre I), permet de prévenir certaines objections invoquant des exemples différents de ceux effectivement évoqués ; cf. *infra*, p. 156-157.

2. Sur le rapport du caractère comique à la folie, cf. *infra*, 14, 138 et s. ; pour son rapport au rêve, cf. *infra*, p. 32 et 142-147.

3. Voici explicitement posés les deux enjeux théoriques majeurs du livre. D'abord, avant d'être recherchés dans les arts du dessin, du roman ou du théâtre qui leur conféreront des degrés de raffinement divers, les procédés de fabrication du comique doivent l'être dans « les procédés de travail de l'imagination humaine », de sorte que la fantaisie comique, replacée dans la vie biologique et psychique où il faudra en dégager les « lois » ou la

logique propre (cf. *infra*. p. 9), témoigne d'une sorte d'art comique spontané. C'est pourquoi, en retour, certains arts comiques pourront servir, tantôt de fil directeur, tantôt de loupe grossissante, pour analyser cette production vitale de comique (cf. *infra*, p. 51 et s.). Mais simultanément, ces procédés de l'imagination à l'œuvre dans la vie de la conscience et dans l'art doivent être à leur tour replacés dans leur milieu réel de fonctionnement, à savoir la vie *sociale*, de sorte que la psychologie de la fantaisie comique ouvrira sur une logique de l'imagination sociale, apte à montrer comment le social travaille dans la vie psychique individuelle, traversant même l'âme du rêveur d'« un rêve rêvé par la société entière » (*infra*, p. 32), faisant encore jouer ses exigences dans les formes sophistiquées de l'art comique (*infra*, p. 103-104, 130-131). C'est en ce sens que l'étude du comique nous instruira « sur l'art et sur la vie », plus précisément sur la place de l'art d'une part, de la société d'autre part, dans notre vie dans ses dimensions biologique et psychologique ; et c'est pourquoi également une telle connaissance s'annonce, non pas spéculative et désintéressée, mais « pratique », « intime » et « utile ».

Variantes p. 3 : [a] ... moule. Je me demande comment... n'a pas fixé... (A) (I). [b] ... c'est toujours par... (A) (I). [c] ... Je voudrais signaler maintenant... (A) (I).

4. Pour cet exemple, cf. *infra*, p. 30.

5. D'origine aristotélicienne (cf. Aristote, *Parties des animaux*, III, 10, 673 a 8), fréquente dans la tradition renaissante, c'est bien sûr à Rabelais que l'expression est attachée : cf. l'« Avis au Lecteur » de *La Vie très horrificque du Grand Gargantua père de Pantagruel* (1534-1535).

6. Le point n'a pourtant pas échappé à de nombreux penseurs et littérateurs, en particulier lorsqu'ils mettent en valeur, dans une perspective qui sera globalement celle de Bergson, la fonction de brimade remplie par le rire de raillerie : humilier les vices, moquer la bassesse de caractère, brimer le ridicule (cf. par exemple Aristote, *Poétique*, chap. V ; Cicéron, *De Oratore*, II, 58 ; Nicolas Boileau, *Satire*, VIII ; Baltazar Castiglione, *Le Parfait Courtisan*, et notamment dans son sillage, toute la tradition des moralistes des XVIIᵉ et XVIIIᵉ siècles). La suite de cette section puis la fin de la seconde montreront que la position bergsonienne se singularise alors par la détermination *sociologique* d'une telle fonction du rire : cf. *infra*, p. 6 et 14-16.

7. Sur l'amoralité du rire qui découle d'une telle apathie, et l'agressivité latente qui la sous-tend et dont il appartiendra aux exigences propres à la vie sociale de rendre compte, cf. *infra*, p. 15-16, 103-104, 150-151.

Variantes p. 4 : [a] ... Essayer, pour un moment... (A) (I). [b] ... sur lequel je désirerais attirer... (A) (I).

8. Sur la situation limite d'une âme parfaitement «à l'unisson de la vie », cf. *infra*, p. 115 et s. Pour cette image mélodique elle-même, cf. « Le bon

sens et les études classiques » (1895), in *Mélanges*, p. 366 ; « AC », in *ES*, p. 46 ; *EC*, p. 301. Le concept d'« intelligence » prendra une importance croissante dans la pensée bergsonienne dans les années suivantes, inscrivant la théorie de la connaissance dans une théorie de la vie dans *L'évolution créatrice*, puis à nouveau dans la philosophie sociale des *Deux sources de la morale et de la religion* : cf. *EC*, p. 136-166 ; « PP », in *PM*, p. 34-42, 84-85 ; *DS*, p. 115-124 et s. On en trouve dès ici l'une des principales caractérisations. « Faculté de rapporter un point de l'espace à un autre point de l'espace, un objet matériel à un objet matériel » (*EC*, p. 176), l'activité de la conscience déterminée comme intelligence opère de l'extérieur sur son objet, et appréhende cet objet lui-même comme un ensemble composé de parties spatialisées dans une étendue où elles subsistent extérieures les unes aux autres ; c'est en ce sens que ses opérations cardinales sont l'analyse et la recomposition par rapports extrinsèques. Ainsi procède l'intelligence fabricatrice, expliquera Bergson en 1907, par opposition à l'instinct adapté aux allures de la matière organique : « Elle est la vie regardant au dehors, s'extériorisant par rapport à elle-même, adoptant en principe, pour les diriger en fait, les démarches de la nature inorganisée » (*EC*, p. 162). Ainsi procède l'intelligence qui neutralise, explique-t-il ici, l'émotion et le mouvement sympathique par lequel nous nous replacerions dans ce qui se dit, ce qui se fait, ce qui est senti par autrui en en épousant l'indivise modulation. Sur l'hétérogénéité entre intelligence et sympathie, cf. *EC*, 175-179 ; et *E*, p. 140-142. S'annonce un motif majeur de l'analyse psychologique du comique, qui trouve là sa principale condition subjective (dans le rieur) : c'est une telle attitude de l'intelligence, à l'œuvre dans notre perception immédiate et notre imagination non moins que dans la pensée réfléchie, qui permet de traiter l'individualité vivante d'une personne comme un agencement inorganique, ou d'appréhender en elle le fonctionnement d'un montage mécanique.

9. Cf. *infra*, p. 14, 60, 102 ; et note 36 du chap. I.

10. On remarquera cette première occurrence de la position du spectateur, en rapport, non à une scène de théâtre il est vrai, mais à la vie réelle. Il ne s'agit toutefois pas d'une simple métaphore, mais d'un « devenir-scène de comédie » d'un événement de la vie elle-même (par exemple un salon où l'on danse). Commence à se dégager ici les conditions dans lesquelles la vie *se théâtralise*, c'est-à-dire l'émergence dans la vie réelle de traits structuraux du théâtre comique (non de la tragédie qui n'est nullement une autre « espèce » d'un théâtre générique mais, venant d'une tout autre source, une forme différente *en nature* de la comédie, cf. *infra*, p. 121 et s.) – ce que viendra compléter la troisième observation et récapituler le dernier paragraphe de la section : « Le comique naîtra, semble-t-il, quand des hommes

réunis en groupe dirigeront tous leur attention sur un d'entre eux.» Sur ce point, cf. *infra*, p. 16 note 48, et p. 103-104.

11. Pour cette situation-test, cf. « AC », in *ES*, p. 42, et *DS*, p. 36. Bergson soulignera à plusieurs reprises cette capacité de faire du comique avec des actions ou des situations les plus diverses, y compris les plus sérieuses ou les plus graves (cf. par ex. *infra*, p. 40, 60-61). Ce n'est pas un problème d'« inspiration », mais une *logique de transformation* déterminable par des *opérations*, psychiques ou artistiques, inconscientes ou intentionnelles.

12. Capitale, cette troisième observation identifie comme condition de réussite du comique dans le déclenchement d'un rire un *milieu de socialité*. D'où une nouvelle variante du motif de l'« isolement » : il faut que l'intelligence du rieur isole ce dont il rit, mais que le rieur ne s'isole pas d'une communauté de rieurs au moins potentielle, ce qui signale d'emblée la dimension communautaire, sinon grégaire, du rire. Une troisième variante, la plus profonde du point de vue vital *et* sociologique, viendra compléter cette série en désignant comme risible celui qui *s'isole lui-même* de la communauté ; cf. *infra*, p. 15, 106, 135-136 ; et Index des notions, « Isolement ». Pour l'importance de ce motif du point de vue des procédés de fabrication du comique, cf. *infra*, p. 107-111.

Variantes p. 5 : [a] ... arrivé, assis en wagon... (A) (I). [b] ... cache toujours une arrière-pensée d'entente... (A) (I).

13. En ce sens, tout rire est par soi, au moins virtuellement, communicatif, en même temps que la propagation du rire est toujours limitée à un groupe déterminé, ou comme le dira Bergson dans *Les deux sources*, à une « société close ». Pour un prolongement de cette thèse fondamentale, cf. E. Dupréel, « Le problème sociologique du rire » (1928), in *Essais pluralistes*, Paris, PUF, 1949, p. 27 et s. (« Lectures » du *Dossier*).

14. Cf. *infra*, p. 105-106 ; et l'extrait de La Bruyère proposé dans les « Lectures » du *Dossier*. Sur le problème que cette observation pose au repérage d'une « catégorie spéciale pour le comique de mots », à la possibilité de traduire le comique, et plus généralement à la compréhension du rapport du comique au langage, cf. également *infra*, p. 78-79 et s.

15. Voici tirées les implications critiques de cette première section, qui expliquent rétrospectivement son fil directeur : approcher le comique par les conditions propres à l'effet de rire dans lequel il se réalise. Ayant séparé le comique de son effet, et cet effet lui-même de son milieu réel toujours à quelque degré social, les théories auxquelles Bergson fait allusion ici se voient reprochées une vue purement mentaliste incapable de rendre compte de l'effet produit par le comique, émotion actualisée dans des manifestations corporelles immédiatement comprises dans un espace intersubjectif de perception et de jugement, et dont il faut alors comprendre la signification

concrète *dans* et *pour* ce milieu. Mais Bergson distille en outre des éléments d'explication de cette illusion intellectualiste : de ce que rire implique une certaine position d'extériorité apathique et d'indifférence vis-à-vis de ce ou de celui dont on rit, on croirait pouvoir en déduire que le rire est lui-même désintéressé, et le comique « une simple curiosité où l'esprit s'amuse » et se distraie. Il n'en est rien ; et il s'agira alors de montrer comment ce rapport d'indifférence « vacuolisé » par l'intelligence, et vécu subjectivement comme désintéressé, remplit une fonction et sert en fait des intérêts de la vie sociale elle-même : tel sera l'un des enjeux de la section suivante (cf. *infra*, p. 14-17). Et c'est pourquoi déjà, au terme de ce paragraphe, Bergson pose une telle fonction et une telle utilité sociales du comique et du rire comme « l'idée directrice de toutes nos recherches », y compris celles menées sur le terrain de la psychologie individuelle tout au long du premier chapitre.

La notion de « contraste intellectuel » fait allusion à la théorie d'Emil Kraepelin, qui eut une importante notoriété, en particulier par l'intermédiaire de Theodor Lipps qui la reprit et la discuta dans *Komik und Humor. Eine Psychologisch-ésthetische Untersuchung*, Hamburg und Leipzig, V. von L. Voss, 1898, Partie I, chap. III, p. 29-34, et 46-57. Elle est également soutenue par Léon Dumont dès 1862 dans *Des causes du rire*, Paris, Auguste Durand, p. 222-226, puis à nouveau dans *Théorie scientifique de la sensibilité. Le plaisir et la peine*, 1875, 2ᵉ éd., Paris, Librairie Germer Baillère et Cⁱᵉ, 1877, p. 204 et s. : cf. « Lectures » du *Dossier*. L'expression d'absurdité sensible renvoie quant à elle à une tradition ouverte par Kant qui voit dans le rire provoqué par le comique l'effet dans l'intuition sensible d'un phénomène baroque dont l'étrangeté tient à une sorte de conflit (contradiction, incohérence, disproportion) éprouvée dans une tension et dans une attente, que résout subitement une issue insolite ou imprévue (Kant, *Critique de la faculté de juger*, § 54, trad. fr. A. Philonenko, Paris, Vrin, 1993, 238-242). Dans une perspective kantienne, Schopenhauer définira à son tour l'origine du risible, et plus spécifiquement du ridicule, par une absurdité survenant dans l'intuition sensible compte tenu du concept de l'entendement qu'elle est supposée remplir (A. Schopenhauer, *Le monde comme volonté et comme représentation*, trad. fr. A. Burdeau, 6ᵉ éd., Paris, F. Alcan, 1912, t. I, p. 63-66, et t. II, p. 225-235 ; cf. également *infra*, note 100 du chap. I). Ces deux orientations théoriques se recoupent partiellement dans la thèse de Spencer qui donnera, dans son essai de *Physiologie du rire*, une interprétation énergétique du contraste ou de la contradiction intellectuelle en termes de tension nerveuse : *Essais de morale, de science et d'esthétique*, t. I : *Essais sur le progrès*, trad. fr. A. Burdeau, Paris, Librairie Germer Baillère et Cⁱᵉ, 1877, p. 303-306 ; et ici note 125 du chap. III. Pour un aperçu sur ces différentes positions doctrinales, voir l'extrait de Camille Mélinand dans notre anthologie de « Lectures », p. 285-288.

16. Première occurrence de la mécanisation de la vie, leitmotiv dont la suite de l'ouvrage s'attachera à suivre les innombrables variations. Souvenons-nous alors de l'avertissement donné rétrospectivement par l'Appendice : « J'ai noté le thème, pour simplifier ; mais ce sont surtout les variations qui importent » (*infra*, p. 156). Notons surtout ici que cette première saynète, dont le sens s'éclairera le long de la série d'exemples dont elle marque le premier terme (tout comme le sens de la notion de « distraction » introduite ici), mobilise les analyses conduites dans *Matière et mémoire* sur le *corps vivant* et les schèmes sensori-moteurs qui, anticipant ses actions possibles sur les choses qui l'entourent, l'adaptent à son milieu. « Les muscles ont continué d'accomplir le même mouvement quand les circonstances demandaient encore autre chose » : c'est la plasticité de ces montages corporels perception-action, système d'*habitudes* que Bergson appelait en 1896 « mémoire motrice » ou « mémoire corporelle », qui est donc spécifiquement mise en cause ici, comme l'exprime l'image du mouvement d'inertie (« vitesse acquise ») ; sur l'habitude comme mémoire motrice ou schème corporel dynamique, cf. *MM*, p. 83-91, 167-170 ; plus particulièrement sur les circuits sensori-nerveux et musculaires, cf. *MM*, p. 13-29 et s. Il convient donc de ne pas isoler ce premier moment de la série graduelle qu'il forme avec les suivants, et dont Bergson indiquera lui-même la direction : suivre le mouvement par lequel la cause du comique « pénètre » de plus en plus « à l'intérieur » de la personne, c'est-à-dire dans sa vie saisie en son individualité temporelle (*infra*, p. 8-9, 13), ou pour le dire à nouveau dans les termes de *Matière et mémoire*, le mouvement par lequel elle s'installe dans des « plans de conscience » plus profonds, nous conduisant des montages des habitudes dans la vie biologique qui « imprime de la généralité à son *action* » à une mémoire toujours plus individualisée, et ainsi même, de la distraction du corps vivant qui se trahit dans son allure mécanique à la distraction de l'esprit ou du « caractère » qui se signale dans le rêve ou « l'esprit de chimère » ; cf. *infra*, 10-11, 111-112, 139-142 ; et pour tout cet arrière-plan théorique et la théorie des plans de conscience, cf. *MM*, p. 167-173, 180-181, 185-192 ; « FR », in *ES*, p. 121-122.

17. Tout comme la « distraction » à laquelle elle s'oppose, la « souplesse attentive » renvoie à la théorie bergsonienne de « l'attention à la vie », qui passera au premier plan de l'analyse du comique de caractère dans le chapitre III : cf. *MM*, p. 107-117 ; et *infra*, p. 111-113, 126, 130, 140-142. Ici, il s'agit d'une attention encore concentrée sur le plan de l'action, « attention de l'espèce » déterminée par la seule vie biologique et les habitudes contractées par le corps vivant ; voir à cet égard *MM*, p. 100-103, qui avait

cerné une « reconnaissance » spécifiquement corporelle, attention motrice en cause ici ; et « EI », in *ES*, p. 172.

18. La différence entre ces deux premières situations annonce discrètement la progression qui conduira, du chapitre I au chapitre II, des procédés naturels de la fantaisie comique à leur reprise dans les « artifices » du jeu enfantin et du vaudeville ; elle annonce par là également la question corrélative de l'*unité* des procédés comiques à l'œuvre dans la vie réelle et dans l'art ; cf. *infra*, p. 51, 78, 103.

19. Éclairant le sens de la progression de cette section, approfondissant la naturalisation de la source du comique, et précisant simultanément la notion de « distraction » ou d'inattention à la vie, cette série d'anachronismes *dans la personne* s'appuie ici encore sur les analyses de 1896 ; mais ce n'est plus seulement le corps vivant considéré pour lui-même qui est en cause, mais *l'unification* de l'esprit et du corps comme « organe de l'attention de l'esprit à la vie » c'est-à-dire du corps comme fonction du présent ou organe d'insertion de la mémoire dans le milieu matériel actuel ; voir sur ce point les analyses de la mobilisation pragmatique du passé par et pour le présent, et du rôle du corps dans cette actualisation des souvenirs, *MM*, p. 95-96, 103-117 ; 167-173 ; « AC », in *ES*, p. 47-57 ; « FV », in *ES*, p. 72-78 ; « R », in *ES*, p. 94-100.

20. Cf. J. de La Bruyère, *Les Caractères, ou les Mœurs de ce Siècle*, XI, 7, rééd. Paris, R. Laffont, coll. « Bouquins », 1992, p. 839-843. Il est vrai que l'article n'est pas concis ; mais La Bruyère prend lui-même soin de s'en justifier dans une note introductive : « Ceci est moins un caractère particulier qu'un recueil de faits de distractions. Ils ne sauraient être en trop grand nombre s'ils sont agréables ; car, les goûts étant différents, on a à choisir. » La remarque touche juste, du point de vue de l'argumentation bergsonienne elle-même qui y fait peut-être allusion au début du paragraphe suivant (« Nous rions déjà de la distraction qu'on nous présente comme un simple fait. ») : avec la distraction, nous avons une opération naturelle qui fonde une causalité comique « dans la personne même », mais qui reste encore une opération générale dans la vie personnelle. Il faudra encore qu'elle pénètre dans la vie personnelle *en son individualité* ; et c'est dans cette direction que nous conduisent les deux exemples suivants en passant du « Distrait » à la figure singulière de Don Quichotte. Les analyses ultérieures sur le statut de l'individualité, en particulier dans le chapitre III, montreront cependant combien le lien du comique et de l'individuel, jusques et surtout dans la comédie dramatique où il devrait trouver sa plus grande intensité, est problématique (cf. *infra*, p. 11-12 et 115-126). On notera enfin que l'« automatisme » mental qu'invoquera à de multiples reprises Bergson, s'il appartient aux savoirs psychologiques et à la psychopathologie de son temps, chez Paul Dupuy ou Pierre Janet (cf. P. Janet, *L'automatisme psychologique*,

essai de psychologie expérimentale sur les formes inférieures de l'activité humaine, Paris, Félix Alcan, 1889), avait déjà reçu chez La Bruyère ses lettres de noblesse comique : « Le sot est automate, il est machine, il est ressort ; le poids l'emporte, le fait mouvement, le fait tourner, et toujours, et dans le même sens, et avec la même égalité.» , *Les Caractères*, XI, 142, *op. cit.*, p. 869 ; cf. également VIII, 65, *ibid.*, p. 806.

21. Pour ces deux images, et les attendus méthodologiques et théoriques qu'elles enveloppent, cf. *infra*, p. 28-29, 101-102 et s., note 82 du chap. I.

22. Énoncé de la première « loi », dont le sens est psychologique, et qui ouvre ainsi l'examen de la logique de l'imagination à l'œuvre, tant dans l'engendrement de l'émotion comique que dans les procédés de « fabrication » du comique. Tel est précisément ici le sens de la notion de loi : celui d'un procédé génétique ou règle d'engendrement ; cf. Index des notions « Loi », « Procédé », « Formule ».

23. Cette dimension historique et biographique est capitale : elle tranche avec le caractère accidentel, ponctuel, dispersé, des simples faits de distraction corporelle ou mentale évoqués jusqu'ici, en portant notre attention sur l'individualité temporelle d'*une* vie. C'est pourquoi, dans les lignes qui suivent, la distraction n'est plus seulement perçue comme une inattention générale à la vie mais – la mise en abîme donquichottesque viendra bientôt l'illustrer – comme l'intrusion dans l'histoire individuelle réelle d'autres histoires individuelles fictionnelles, dans le milieu réel d'un milieu imaginaire mais non moins « bien défini », dans la personne et ses actions réelles de souvenirs de personnages et d'actions romanesques. En cela consiste la « profondeur de comique » de « l'esprit de chimère » à laquelle nous a conduit la progression des exemples, de la simple anecdote au portrait croqué par le moraliste, et de celui-ci au récit romanesque.

24. La distraction ne qualifie donc plus les actions du corps vivant ; ce sont ces actions et la vie du corps elles-mêmes qui deviennent des distractions de l'esprit – ce que signifie ici le somnambulisme ; sur le caractère naturel d'un certain somnambulisme, comme direction structurelle de la vie subjective liée à l'hétérogénéité, psychologique, de la mémoire et du corps et, métaphysique, de l'esprit et de la matière, cf. *MM*, p. 171-173.

25. Sur le personnage de Don Quichotte, figure la plus profonde du comique selon Bergson, et sur la prégnance ici encore des acquis de *Matière et mémoire*, cf. *infra*, p. 111-112, et p. 139-142 où « l'esprit de chimère » est analysé pour lui-même.

26. Pour cette continuité et sa signification intensive, essentielles pour toute l'analyse du *Rire*, cf. note 16 du chap. I.

Variantes p. 11 : [a] ... Là me paraît... (A) (I). [b] ... comme j'essaierai de... (A) (I).

27. Sur cette distraction systématique, cf. *infra*, p. 111-112 et 140-142.

On notera que cette caractérisation de la distraction (détachement du réel, exaltation, organisation systématique autour d'une « idée centrale » ou d'une « idée fixe ») convient parfaitement à certaines descriptions cliniques déjà usuelles à l'époque de Bergson, par exemple chez Pierre Janet et Théodule Ribot. Bergson y fera lui-même allusion ; cf. *infra*, p. 142 et note 111 du chap. III. On pressent alors que la distraction *spécifiquement* comique devra recevoir des conditions plus restrictives pour se différencier de ce qui touche bien sûr ici au plus « sérieux de l'existence » ; précisément Bergson s'y emploiera juste après le « pas de plus » franchi par le paragraphe suivant : cf. *infra*, p. 14.

28. Sur la parenté de la distraction et du rêve, cf. *infra*, 143-147 ; *MM*, p. 170-174 ; « R », in *ES*, p. 100-104 ; « FR », in *ES*, p. 127-128.

29. Sur cette amplification cumulative dans la distraction systématique de l'esprit de chimère, cf. *infra*, p. 145-146.

30. Sur la signification psychologique de cette métaphore du point de vue de l'imagination comique, cf. *infra*, p. 21-22. Voici la troisième forme de comique et de distraction, qui en approfondit à nouveau la distraction matricielle dans la subjectivité. Après le *corps vivant* et l'inadéquate insertion de ses habitudes motrices dans son milieu, après *l'esprit* et l'inadéquate insertion de la mémoire dans les schèmes corporels de la perception et de l'action présentes, une troisième forme de distraction vient affecter le caractère moral ou la *volonté*, dont le concept élaboré dans l'*Essai* est à l'arrière-plan des lignes qui suivent, comme du chapitre III dont elles introduisent dès ici le thème directeur : la différence entre comédie et tragédie. Sur cet usage du terme de « caractère », cf. *EC*, p. 5 ; sur le sens plus restrictif qu'en proposera Bergson dans *Le rire*, cf. *infra*, p. 113. Rappelons simplement que la volonté, loin de constituer une faculté spéciale, se confond pour Bergson avec « l'âme entière [dont] la décision libre émane », et que cette décision n'est à son tour rien d'autre que l'acte intensif (d'intensité variable imposant l'idée de « degrés de liberté ») par lequel une action, et les états de conscience qui s'y rapportent, *expriment* et *mobilisent* à quelque degré le tout d'une existence, c'est-à-dire le moi pris dans toute son épaisseur temporelle, « moi profond » qui par là même se modifie lui-même en son intégralité dans cet acte. Voilà ce qui fait que « tout le sérieux de la vie lui vient de notre liberté » (*infra*, p. 60). Cette conception de la liberté et la théorie de l'organisation des états de conscience qui la sous-tend, seront au cœur de l'analyse de l'art dramatique, et fonderont même ce dernier dans l'idée d'un *tragique de l'existence*, cf. *infra*, p. 60, 102, 123. Sur la question de la liberté dans l'*Essai*, cf. les commentaires classiques de V. Jankélévitch, *Henri Bergson*, 1959, 2ᵉ éd. coll. « Quadrige », 1999, chap. II, p. 28-79 ; et les analyses plus récentes de F. Worms, *Bergson ou les deux sens de la vie*, Paris, PUF, 2004, p. 75-88.

31. Sur le vice, et plus généralement le caractère tragique, cf. *infra*, p. 107-109 et 121-124 ; sur le caractère comique et l'image du « cadre », cf. *infra*, 107-114, 129-130 ; pour la théorie de l'organisation des états de conscience impliquée ici, et la bipolarité établie par l'*Essai* multiplicité qualitative ou de fusion/multiplicité quantitative ou de juxtaposition, cf. note 36 du chap. I, et *infra*, p. 107-109.

32. Cf. *infra*, p. 107-113 et 121-130.

Variantes p. 12 : [a] ... si bien à la personne que... (A) (I). [b] ... Et c'est, je le répète, un... (A) (I).

33. D'apparence extérieure au propos, cette remarque est capitale : elle installe la bipolarité de l'*individuel* et du *général* autour de laquelle s'organiseront, dans le chapitre III, la différenciation de la tragédie et de la comédie, et à travers elle, le double questionnement sur le rapport du comique à la vie et sur la place de la comédie parmi les autres arts, double questionnement en fonction duquel est affronté dans *Le rire* le problème du « rapport général de l'art à la vie ». Pour la signification de cette sémiologie des titres de pièces théâtrales, cf. *infra*, p. 125-126, et sur l'analyse sous-jacente du rôle du langage dans la formation des idées générales, p. 117-118.

34. Cf. *infra*, p. 107 ; notes 36 du chap. I et 18 du chap. III.

35. Sur ces deux procédés, cf. *infra*, p. 59-63.

36. Nouvelle figure de l'*isolement* qui annonce l'analyse de la comédie de caractère du chapitre III, et qui solidarise dès ici deux aspects. Il s'agit d'abord de l'isolement, dans le courant de la vie psychologique, d'un sentiment ou d'un trait caractériel qui s'autonomise des autres états d'âme et les soumet à sa domination, et qui par là, conformément aux acquis de l'*Essai* sur les multiplicités de fusion, échappe à l'activité synthétique par laquelle les états de la conscience s'interpénètrent dans une unité de changements qualitatifs où ils demeurent indistincts ; cf. *E*, p. 124-126, où il est déjà fait mention d'Alceste, et l'examen critique de la notion de « motifs » de la volonté, p. 117-120 et s. ; cf. aussi « IM », in *PM*, p. 190-196 ; et *infra*, p. 58 et 107-109. Mais il s'agit par là même d'un isolement du personnage sous le regard des spectateurs qui, face à ce sentiment dominateur et séparé, ne peuvent être gagnés par une sympathie intersubjective où les sentiments du personnage se prolongeraient dans les leurs et s'y mêleraient, et se trouvent dans la position d'extériorité de l'intelligence pure (cf. *supra*, p. 3-4). D'où la thèse surprenante : s'il y a identification du spectateur, ce ne peut être avec le personnage comique, mais seulement avec celui qui tire les ficelles, le trait de caractère comique lui-même ! Sur l'importance d'un point de vue psychogénétique pour cette question, en rapport avec les souvenirs de nos jeux d'enfants, cf. *infra*, p. 51 et s. ; notes 2, 13 et 23 du chap. II.

Variantes p. 13 : [a] ... que le rire châtie les mœurs... [sans guillemets]. (A) (I). [b] ... Je ne pousserai pas plus loin... (A) (I).

37. Sur l'ambivalence de la figure d'Alceste à cet égard, cf. *infra*, p. 57-58, 105-106.

38. Sur le caractère inconscient de soi du risible, cf. Platon, *Philèbe*, 47d-50b. Il introduit ici la thèse développée dans la dernière partie de cette section concernant la fonction correctrice du rire, et qui répond à la double question posée à la fin de la section précédente (*supra*, p. 6). Le caractère inconscient de ce qu'il y a de comique en nous, ou plutôt à la surface de nous-mêmes, n'est rien d'autre que l'*inattention* dont il est question depuis le début de cette section, non seulement l'inattention à la vie générale, ou à notre vie individuelle et à notre situation présentes, mais l'inattention *spécifique* à soi *sous le regard d'autrui*, « et par conséquent à autrui » : cf. *infra*, p. 111-113, et l'analyse de la vanité p. 131-134. Or c'est précisément sur cette inattention que se porte l'attention de la société spectatrice. Tel est le chiasme figuré par l'anneau de Gygès inversé.

39. Attribuée au poète Jean Senteuil (*castigat ridendo mores*), peut-être inspirée de L'*Art poétique* d'Horace, cette expression fit office de devise de la troupe des Comédiens Italiens de l'Hôtel de Bourgogne ; Molière y fait plusieurs fois allusion, par exemple dans la Préface et le Premier placet au roi du *Tartuffe*. Plus proche de Bergson, Victor Courdaveaux en fera une critique sévère dans *Le rire dans la vie et dans l'art*, Paris, Didier et Cᵢₑ, 1875, p. 61-73 et 221-233, en en empruntant en fait très littéralement les termes à *La Lettre à M. d'Alembert* (Rousseau, *La Lettre à M. d'Alembert*, Paris, Flammarion, coll. « GF », 1967, p. 64-70) – ce qui conduira Bergson à en préciser pour son compte l'acception purement sociale, et non morale : cf. *infra*, p. 102-106, 150-151 ; et les extraits de Rousseau et Courdaveaux dans les « Lectures » du *Dossier*, p. 301-314.

40. Récapitulant la série d'exemples qui viennent d'être examinés, Bergson les replace dans une variation continue d'intensité d'attention à la vie (de la simple maladresse corporelle ou du montage sensori-moteur inadapté à l'idée fixe dans la mémoire de l'exalté, enfin au sentiment dominateur dans le caractère ou la volonté) ; de là s'annoncent deux points capitaux : d'une part, la thèse d'une communication ou de « résonances harmoniques » entre les degrés ou formes de comique, des plus grossières aux plus subtiles, thèse qui, sans nier l'hétérogénéité qualitative des formes comiques, impose d'en établir le ressort dans la vie psychologique (tel sera l'objet des analyses de la dernière section du chapitre sur la « force d'expansion » de l'imagination comique ; cf. en particulier *infra*, p. 32 et s.) ; d'autre part, la thèse d'une *direction* de cette gradation continue qui plonge le comique « de plus en plus profondément dans la personne » et qui, du comique de formes et de mouvements au comique de situation et de mots, et de là au comique de caractère, n'est autre que le mouvement même du livre. Toute la compréhension du « rapport général de l'art à la vie » que

Bergson entend préciser à travers l'analyse du comique en dépend, dans la mesure où ce mouvement est à la fois celui par lequel le comique pousse plus profondément ses racines dans la vie en ce qu'elle a d'essentiellement temporel et individuel (et devient par là même plus subtil et ambigu, comme le révèlera le comique de caractère), et par lequel l'art se libère des procédés psychosociaux spontanés de l'imagination, puis des procédés conventionnels de l'artifice (et entre par là même dans un rapport plus ambigu avec la fonction sociale du comique). Sur le sens de ce mouvement d'ensemble, cf. *infra*, p. 151-152.

41. Pour ces deux aspects, cf. *MM*, p. 96-117 : le discernement des contours de la situation présente implique la double opération, de cadrage perceptif et moteur que notre corps opère dans le monde matériel, et de reconnaissance attentive par laquelle notre esprit vient compléter la perception actuelle en y actualisant certains souvenirs ; l'élasticité adaptative implique inversement l'aptitude à se détacher relativement de l'actualité pure, de manière à amplifier le présent vivant et en suivre l'imprévisible mobilité ; voir la définition du bon sens *infra*, p. 140, et n. 107 du chap. III ; et pour l'«élasticité» de l'esprit ou de la mémoire, cf. *MM*, p. 87-88, 103-104, 115. Dans la composition variable de ces deux activités se décide l'équilibre de la vie biopsychique, entre les deux pôles extrêmes de l'impulsivité immédiate du corps vivant (automatisme) et de la distraction extrême de l'esprit (rêve). Tout le paragraphe qui suit fait passer ces analyses au service de la thèse centrale de l'ouvrage, du moins celle qui répond le plus explicitement à l'enjeu annoncé par son sous-titre, et qu'il reformulera à de multiples reprises par la suite : « le rire a une signification et une portée sociales », cf. *infra*, p. 67, 101-104, 105 et s., 150-152.

42. Allusion au darwinisme social, peu fréquente sous la plume de Bergson ; c'est la mise en chantier de *L'évolution créatrice* qui le conduira à se confronter directement, et dans cette nouvelle perspective proprement biologique, au darwinisme, en particulier aux thèses d'Ernst Haeckel. Voir également le « Rapport sur *Le darwinisme dans les sciences morales* de J. M. Baldwin » (1913), in *Mélanges*, p. 1020-1023. Pour l'expression de « sérieux de l'existence », cf. note 30 du chap. I.

43. Ce passage pose une thèse cruciale que la suite du paragraphe s'attache à expliciter, et sur laquelle se termine d'ailleurs l'ouvrage. *Le rire* engage bien ici une philosophie sociale, qui annonce les développements ultérieurs du premier chapitre des *Deux sources* sur l'immanence de la société au moi individuel ; cf. *DS*, p. 6-14 et s.

44. Souvenir, peut-être, de la distinction d'Auguste Comte entre statique et dynamique sociales. Sur cet écart entre les conditions fondamentales de la solidarité sociale, représentable comme un équilibre ou un « accord tout fait », et les efforts sans cesse renouvelés d'adaptation mutuelle des individus et

groupes sociaux, écart signalant une temporalité spécifique de la vie sociale conçue comme historicité des modes de sociabilité, voir les exemples de mode vestimentaire, *infra*, p. 29-30 et s., et les analyses consacrées aux tensions entre division sociale du travail et relations de sociabilité, *infra*, p. 135-138.

45. Voilà posées la *fonction sociale du rire* et, à travers elle, la *signification sociologique du comique*. Mais Bergson en cerne simultanément les contours et la nature : une fois mise à l'écart la répression matérielle proportionnée à une atteinte matérielle des conditions fondamentales de la vie individuelle et collective, le rire apparaît comme un geste social répressif qui ne prend sens qu'en rapport à un « signe », signe d'une tendance possible à l'isolement ou « symptôme » d'une insociabilité latente, et qui relève donc d'un plan symbolique de la vie sociale : « brimade », « intimidation », « humiliation », seront par la suite autant de noms de ce châtiment symbolique qu'est, en son essence, le rire spécifiquement provoqué par le comique. Notons d'emblée qu'une telle caractérisation engage un problème, que Bergson ne fait que suggérer quelques lignes plus bas lorsqu'il évoque le caractère général du but poursuivi, assez important toutefois pour qu'il termine son livre sur lui, concernant l'*interprétation* d'un tel signe par une logique ou pensée sociale inévitablement *floue* – interprétation immédiate et non réfléchie qui livre ce signe à l'équivoque, logique sociale qui travaille en masse « sans faire à chaque cas l'honneur de l'examiner séparément » (*infra*, p. 151).

46. Pour cette métaphore topique, que l'*Essai* appliquait déjà au moi (*E*, 126-128), et qui porte à présent sur la société elle-même, cf. Index des images, « Surface », et les deux derniers paragraphes du livre ; cf. également *EC*, p. 6, 11, 47, 302.

Variantes p. 16 : [a] ... Gardons-nous pourtant de prendre cette formule pour une définition du comique. Elle ne convient qu'à des cas élémentaires, théoriques, parfaits, où le comique est pur de tout mélange. Nous ne la donnons pas davantage pour une explication. Nous en ferons plutôt, si vous voulez, le *leitmotiv*... (A) (I). [b] ... toujours, mais sans s'y appesantir trop... (A) (I).

47. Sur cette tension entre valeur morale et fonction sociale du rire et sur la bipolarité immanente à notre vie entre généralité et individualité, qui la sous-tend, cf. *infra*, p. 115-118 et 150-153.

48. Est ainsi annoncée l'articulation complexe, que doit contribuer à préciser l'analyse du rire provoqué par le comique, entre une philosophie de l'art, une philosophie de la vie, et une philosophie sociale, ou comme le dira Bergson au terme de cette section, « – puisque le comique se balance entre la vie et l'art – le rapport général de l'art à la vie » comprise dans ses dimensions tant biologique et psychologique que sociologique. Les analyses qui précèdent permettent déjà d'établir un double rapport. La fonction

sociale du rire nous apprend que ce qu'il y a de proprement comique dans une œuvre esthétique ne peut relever d'une théorie de l'art pur, ou autrement dit qu'une œuvre, par les procédés comiques qu'elle recèle ou utilise, est investie, plus ou moins consciemment mais inévitablement, par une exigence sociale, et même par une « intention » sociale (*infra*, p. 104, 150, 157). Cette dernière pourra s'y raffiner à l'extrême, s'y spiritualiser, tendre à s'effacer, mais jamais disparaître tout à fait. Mais c'est dire à l'inverse que dans la vie sociale réside la source, non de la création artistique en général, et non de l'expérience esthétique dans sa singularité la plus propre, mais bien d'une *certaine direction de l'art* qui y trouve son sens et sa fonction, et d'une *certaine dimension d'expérience esthétique* qui y trouve sa condition, identifiée ici à un rapport perceptif *désintéressé* ou du moins élargi au-delà du souci de la seule conservation. Sur cette caractérisation du sentiment esthétique, et son horizon kantien, cf. H. Bergson, *Cours*, t. II : *Leçons d'esthétique. Leçons de morale, psychologie et métaphysique*, Paris, PUF, 1992, 1re Leçon d'esthétique, p. 38-40. Entendue en ce sens, une expérience esthétique hors de toute sociabilité ne serait pas inconcevable ; reste qu'elle ne peut devenir possible *dans la vie sociale* qu'à partir du moment où celle-ci se différencie et génère ainsi en elle-même quelque « zone neutre » où, délestant partiellement les rapports individuels de ce qui intéresse sa et leur conservation, « l'homme se donne simplement en spectacle à l'homme », dans une appréciation inextricablement socio-esthétique où les personnes « commencent à se traiter elles-mêmes comme des œuvres d'art ». Soulignons cependant : « commencent » seulement – comme l'expliquera Bergson au chapitre III, *infra*, p. 103 et s.

49. Cf. ci-dessus note 42.

50. Sur cette précaution de méthode, qui marque la distance prise par Bergson vis-à-vis des théories antérieures du rire, cf. *supra*, p. 1-2, note 1 du chap. I, et *infra*, p. 155-156. Sur l'expression « pur de tout mélange », ou ce que Bergson appelle aussi le comique à sa « source », et sur sa signification méthodologique, voir les explications de G. Deleuze sur les rapports entre « tendances pures » et « mixtes de fait » dans la méthode bergsonienne : *Le bergsonisme*, Paris, PUF, 1966, 5e éd. 1994, p. 11-13 et s.

Variantes p. 17 : ^a ... dans ses détours... (A) (I).

51. Sur ces détours et stationnements « de loin en loin » qui fixent le statut des exemples dans l'analyse et appartiennent de plein droit à la méthode, cf. note 1 du chap. I, et *infra*, p. 28-29, 94 ; sur cette expression même, cf. *MM*, p. 319 ; *EC*, p. 3, 31, 268, 273, 315 ; « EI », in *ES*, p. 172 ; « IM », in *PM*, p. 211-212 ; *DS*, p. 97. Pour le lien entre la règle des « gradations insensibles » réaffirmée ici, par laquelle il s'agit bien de retrouver la diversité des formes comiques, et le mouvement même du livre remontant des diverses formes comiques à leur source, c'est-à-dire aussi des formes

mixtes ou « mélanges » à la tendance comique pure comme distraction de caractère ou inattention de l'esprit à la vie, cf. *infra*, p. 101-102.

52. Allusion vraisemblablement à la définition aristotélicienne du risible comme « une partie du laid », cf. Aristote, *Poétique*, 1449 a 32-35, trad. fr. M. Magnien, Paris, LGF, 1990, p. 91.

53. Pour la portée positive de ces remarques critiques, cf. *infra*, p. 22 et note 66.

54. Sur cet artifice méthodologique, et la raison qui en rend compte, cf. *infra*, p. 51 ; notes 1-2 du chap. II ; et Index des images «É paississement».

Variantes p. 18 : [a] ... privilège de faire rire quelques personnes. C'est ainsi qu'on pourra rire de certains bossus, par exemple. Je n'entrerai pas ici dans des détails inutiles. Je demanderai seulement... (A) (I). [b] ... absolument. Je crois qu'il... (A) (I).

55. Pour cet exemple, voir la discussion des thèses du physiologiste Ewald Hecker par Dumont, in *Théorie scientifique de la sensibilité, op. cit.*, p. 213-214.

56. La recommandation faite au lecteur dans ce paragraphe est d'importance : il s'agit bien de saisir une donnée immédiate de la perception, ce que *Matière et mémoire* a thématisé sous le concept d'*image* (cf. Index des notions, « Image », « Vision »), ce qui appelle plusieurs remarques. On notera d'abord que cette donnée est l'image, non simplement d'une forme statique, mais du résultat physionomique d'une prise d'habitude corporelle qui est elle-même interprétée confusément, dans la perception immédiate, comme *activité volontaire*. Ainsi, la dimension de « caractère » ou de « vie morale » (*infra*, p. 19) est d'emblée présente dans la vision comique, bien qu'à une intensité très faible, à ce premier niveau où le corps semble pourtant seul concerné ; et c'est pourquoi, à l'inverse, un corps vivant quelconque n'est jamais risible par lui-même, mais seulement parce qu'« on aura surpris chez lui [...] une expression humaine » (*supra*, p. 3). C'est ce rapport, dans l'image comique d'une physionomie, entre effort volontaire et forme figée que viendra expliciter dans le paragraphe suivant l'analyse du *phénomène de l'expression*. Enfin, soulignons que nous n'avons encore affaire ici qu'à une image comique simple ; la dernière section du chapitre introduira l'idée d'une association, d'une combinaison, et même d'une « contamination » mutuelle d'une multiplicité d'images comiques, et dès lors la nécessité de dégager la « logique » qui en règle les opérations ; cf. *infra*, p. 28 et s.

57. Sur l'expressivité du visage, du point de vue physionomique, cf. Th. Piderit, *La mimique et la physiognomonie, op. cit.*, 1re Partie, chap. III, p. 45 et s. ; Ch. Darwin, *L'expression des émotions*, trad. fr. S. Pozzi et R. Benoît, Paris, C. Reinwald, 1877, chap. I, et la lecture critique qu'en donne Bergson in *E*, p. 26-28. Pour la distinction impliquée dans cette analyse de l'expressivité de l'image perceptive entre mouvement actuel et

mouvement virtuel, voir également, bien que dans une perspective sensiblement différente, la définition de l'image affective comme « tendance motrice sur un nerf sensible » immobilisé in *MM*, p. 55-56.

58. De ce point de vue, le visage comique a une valeur expressive limite : tout y étant actuellement donné, il tend à l'inexpressivité. S'annonce ici la substitution, capitale pour la psychologie de l'imagination comique, des procédés de *suggestivité* du mécanique dans le vivant aux mouvements d'*expressivité* de la personne dans son corps : cf. *infra*, p. 23-24, 44-49, notes 68 et 122-123 du chap. I.

59. Cf. *supra*, p. 9-10.

60. Sur le sens spécifique du terme d'«â me » ici, comme notion imaginative guidant une interprétation spontanée immanente à la vision comique, cf. *infra*, p. 21-22 ; pour la métaphore, d'origine néo-platonicienne, de l'âme hypnotisée par la matière dans laquelle elle s'engage, ou de l'activité créatrice de la vie hypnotisée par les formes qu'elle engendre, cf. « R », in *ES*, p. 96-97 ; *EC*, p. 105, 128.

61. Pour le continuum reliant cette analyse à la précédente, l'image d'une « *distraction fondamentale* » de la personne se prolongeant ici dans une velléité excentrique de la nature elle-même dont l'activité morphogénétique aurait distraitement contracté dans un visage une mauvaise habitude, voir l'analyse de la logique de l'imagination *infra*, p. 32-33 et s. Pour le rapport qui en découle entre le ressort naturel de la difformité comique, qui en fonde ainsi la potentialité la plus générale, et les procédés par lesquels le caricaturiste se borne à le reprendre et l'accentuer, cf. la distinction de l'art et de l'artifice, *infra*, p. 50, 51, 78.

62. Allusion à Th. Lipps, qui analyse la caricature comme une espèce des arts d'imitation, dont les procédés consistent en grossissement ou exagération des contrastes, cf. *Komik und Humor, op. cit.*, p. 44-47. Sur la place restreinte du procédé d'exagération dans l'analyse bergsonienne, cf. *infra*, p. 94 et s. L'originalité de la position bergsonienne est ici de soutenir au contraire que le ressort comique de la caricature n'est pas nécessairement lié à un rapport d'imitation original/copie, l'analyse conduisant à montrer qu'un visage peut être «à lui-même, pour ainsi dire, sa propre caricature ».

Variantes p. 21 : [a] ... est toujours pour nous... (A) (I).

63. Pour le sens précis du terme « manifester » ici, et la critique implicite, réitérée souvent par la suite, d'une confusion théorique fréquente entre la cause réelle du comique et ce qui n'est qu'un moyen d'en déclencher l'actualisation dans son effet, voir la distinction entre *comique latent* et *comique manifeste*, *infra*, p. 30, 34 ; note 86 du chap. I.

64. Pour cette expression, cf. *EC*, p. 129, 155-156, 302. Ici, elle signale que la première catégorie de comique (« comique de formes »), enveloppe déjà la composante motrice qui passera au premier plan dans la catégorie

examinée dans la section suivante (« comique de mouvement »). Dans la gradation continue des types de comique, le comique des formes apparaît comme une limite intensive du comique de mouvements, ou, ce qui revient au même, la caricature comme une forme transitionnelle entre ces deux types ; sur ce point, cf. note 1 ci-dessus.

65. Résonances claires avec l'attelage ailé du *Phèdre*, l'âme formatrice du corps du *Timée*, le corps emprisonnant du *Phédon* : il semble que notre imagination soit spontanément platonicienne. Incidemment aussi, cette « philosophie » de l'imagination remet à leur juste place les théories, auxquelles faisait écho l'idée d'une « cristallisation » de toute la vie morale d'une personne dans son faciès (*supra*, p. 19), sur les corrélations physiognomoniques entre traits physiques apparents et traits caractériels ou dispositions psychiques ; cf. par exemple H. Spencer, *Essais sur le progrès, op. cit.*, p. 264-272.

Variantes p. 22 : [a] ... ce qu'on nomme la grâce... (A) (I). [b] ... où la nature réussit... (A) (I). [c] ... mouvements. J'énonce... (A) (I).

66. Pour la notion de « grâce », sentiment esthétique d'un corps (ou d'un esprit) dépouillé de la pesanteur et de la résistance de la matérialité, cf. *E*, p. 9-10 ; « La politesse » (1885/1892), in *Mélanges*, p. 322-324 ; *Cours*, t. II : *Leçons d'esthétique, op. cit.*, p. 42-43 ; et *infra*, p. 38. Cf. également L. Dumont, *Théorie scientifique de la sensibilité, op. cit.*, p. 186-192. Bergson l'emprunte avant tout, dès l'*Essai*, à Spencer : *La Grâce* (1852-1854), in *Essais sur le progrès, op. cit.*, p. 281-291, sous-texte de toute cette section. Spencer définit la grâce dans un mouvement ou une action par une économie de dépense de forces exprimant une aisance, une facilité, une agilité ; il l'oppose alors à la raideur, au gauche, au discontinu et à l'irrégulier signalant une inadaptation du corps au mouvement qu'il exécute ; il étend en outre cette définition aux attitudes ou simples postures, aux formes et objets inanimés mêmes, pour autant que s'y indique, soit en puissance, soit par analogie, une telle mobilité gracieuse ; il conclut enfin son étude par l'hypothèse selon laquelle l'idée et le sentiment de la grâce trouvent leur principe dans la sympathie (cf. *ibid.*, p. 290-291). L'enjeu de cette section s'éclaire par là même : refusant d'aborder le comique par les catégories du beau et du laid, l'apparentant à une *raideur* disgracieuse plutôt qu'à la *laideur* déplaisante, elle substitue à une appréciation esthétique une évaluation vitale du corps vivant humain. La section suivante aura pour objet de montrer que cette évaluation fait immédiatement jouer dans notre perception du corps une logique spéciale de l'imagination.

Variantes p. 23 : [a] ... mécanique. Je ne suivrai pas... (A) (I). [b] ... en écartant tout le côté... (A) (I). [c] ... fait tous les frais. Je veux dire... (A) (I). [d] ... et que nous rions... (A) (I). [e] ... que nous y trouvons représentée...

(A) (I). [f] ... on trouvera, je crois, que le dessin est toujours comique... (A) (I).

67. Sur cette image, cf. *infra*, p. 59 et s., et Index des exemples « Pantin ».

68. Pour le mécanisme de suggestion décrit ici, voir son examen développé *infra*, p. 44-48, et notes 122-125 du chap. I. Il était déjà au centre de l'analyse du sentiment esthétique de l'*Essai* (*E*, p. 10-14), reprenant une assimilation des effets de l'art à ceux de l'hypnose développée par Paul Souriau dans *La suggestion dans l'art*, Paris, Alcan, 1893 ; sur ce point, cf. I. Kalinowski, « La littérature comme pathologie », in *Le moment 1900 en philosophie*, F. Worms (éd.), Lille, Presses Universitaires du Septentrion, 2004, p. 331 et s. Mais *Le rire*, en précisant le fonctionnement psychologique de la suggestion au moyen de la théorie des deux mémoires et du « circuit » de la reconnaissance acquise avec *Matière et mémoire* (cf. *MM*, p. 83-95, 113-116), introduit une distinction qu'exploitera la théorie de l'art dans le chapitre III (*infra*, p. 118-124). Dans l'émotion esthétique, la suggestivité de la perception actuelle consiste à nous faire pénétrer dans une multiplicité originale de sensations, de sentiments et d'idées mobilisant des plans toujours plus profonds de notre conscience. Dans le sentiment comique, la suggestion tient à ce que l'image actuelle d'une personne vivante n'appelle d'autre actualisation que celle du souvenir-image d'un mécanisme extérieur tout proche des automatismes moteurs montés dans notre mémoire corporelle. C'est bien ce double circuit de reconnaissance, celui qui nous fait percevoir une personne vivante, puis celui qui nous fait percevoir discrètement mais nettement en elle un montage mécanique, qui produit psychologiquement l'émotion comique.

Variantes p. 24 : [a] ... l'originalité de chaque dessinateur... (A) (I). [b] ... Mais je laisse de côté... (A) (I). [c] ... et je n'insisterai ici... (A) (I). [d] ... court tout le temps derrière... (A) (I). [e] ..à tout instant... (A) (I).

69. Pour cette image de l'« insertion » ou de l'« emboîtement », cf. *MM*, p. 108, 129, 140, 156.

70. Sur ce caractère « fuyant » de la vision comique, et son importance pour l'analyse psychologique de la « logique de l'imagination » à l'œuvre dans le sentiment comique, cf. *infra*, p. 27, 32 et s., 47.

71. Sur cette individuation temporelle de l'idée, comme de tout état de conscience et de toute individualité vivante, cf. *E*, p. 100-101 ; « AC », in *ES*, p. 44-46 ; et ici *infra*, p. 67-68 et 99. Quant à l'exemple lui-même, il n'est pas sans évoquer les réflexions de Cicéron sur les rapports, dans « l'action » du discours éloquent, de la voix et du geste, de l'élocution et de « l'éloquence du corps » (*De Oratore*, II, 17-18).

72. Sur l'opposition entre la durée comme continuité cumulative de changements et la répétition mécanique, cf. *E*, 57-58, 65, 87, 93, 98, 150 ; *MM*,

p. 83-89. On notera que la répétition d'un mot ou d'un énoncé reste ici un ressort de comique gestuel, c'est-à-dire un procédé calqué sur la formation naturelle d'habitudes dans le corps vivant ; sur la nouvelle figure que prendra la répétition lorsque le langage comique sera analysé pour lui-même, cf. *infra*, p. 93 et s.

Variantes p. 25 : [a] ... ne se répéteraient jamais : par là... (A) (I).

73. Sur cette thèse majeure du bergsonisme, cf. *E*, p. 90-102, 122 et s. ; *EC*, p. 1-7.

74. Le comique d'imitation étant rapporté à son image matricielle, cette analyse confirme la leçon tirée précédemment : ce type de comique ne dépend pas nécessairement de l'exagération ou de la dégradation d'un original, ni d'un effet de contraste entre un modèle et sa copie : cf. *supra*, p. 20-21 et note 62. S'annonce surtout la tension entre individualité et généralité, que Bergson développera pour elle-même dans l'analyse du comique de caractère vers laquelle tout le livre s'achemine, mais qui, au niveau du chapitre I, implique d'abord les thèses acquises par *Matière et mémoire* sur le statut de l'organisme vivant dans la subjectivité individuelle concrète : notre corps consistant essentiellement dans le montage de mécanismes voués à la répétition (schèmes moteurs ou habitudes) et conditionnant l'actualisation de la vie de l'esprit, il est à la fois ce qui inscrit la subjectivité dans la vie et l'action au présent, mais aussi ce qui introduit la généralité ou l'impersonnalité de la vie spécifique dans la subjectivité elle-même : cf. *MM*, p. 30-31, 68-69, 76-78, 188 ; et *infra*, p. 115-118. Dès lors, à travers l'analyse du geste comique comme geste répétitif, et à travers le comique d'imitation qui le prolonge, c'est bien *le potentiel comique du corps en général* qui est mis en lumière, pour autant que tout corps vivant procède en lui-même au montage de gestes ou dispositifs moteurs aptes à fonctionner répétitivement et automatiquement ; et c'est là que le comique d'imitation trouve sa propre généralité, ou que s'explique son extension illimitée.

Variantes p. 26 : [a] ... parodie. Je viens de... (A) (I). [b] ... mais je pense que les pitres en ont depuis longtemps... (A) (I). [c] ... Ainsi me paraît se résoudre la petite... (A) (I). [d] ... ne devrait jamais se répéter... (A) (I). [e] ... nous soupçonnons toujours du mécanique... (A) (I).

75. Cf. l'analyse du visage comique, *supra*, p. 19.

76. Pour la parodie, cf. *infra*, p. 94 et s. Sur la signification de cette démarche déductive, cf. *infra*, p. 28, 67.

77. B. Pascal, *Pensées*, éd. M. Le Guern, Paris, Gallimard, coll. « Folio », 1977, t. I, p. 70, fragment 11 (éd. Brunschvicg, fr. 133).

Variantes p. 27 : [a] ... mécanique. Tel me paraît être l'artifice... (A). ... mécanique. Tel me semble être l'artifice... (I). [b] ... gros. Je ne sais si ceux qui l'exécutent ont lu Pascal... (A) (I). [c] ... est certainement la vision... (A). ... est sans aucun doute la vision... (I).

78. Cf. *infra*, p. 59-61 ; et Index des exemples « Pantin ». Sur le caractère à présent *distinct* de l'image des marionnettes seulement entrevue « plus subtilement » dans l'aphorisme pascalien, et sur le problème sous-jacent, pour l'analyse psychologique de la suggestion, d'une variation du degré de netteté de l'image comique suggérée, cf. *infra*, p. 44-46 ; et l'analyse du mot d'esprit, p. 80-84.

79. Sur le caractère « fuyant » des visions comiques, cf. note 70 ci-dessus. Ce passage des gestes simples aux actions complexes n'est autre que celui du comique de mouvements au comique de situation traité au chapitre suivant. Mais la distinction geste/action trouvera sa signification la plus profonde du point de vue du traitement comique du « caractère » ou de la personnalité morale, et de la différence de nature qu'il permet de mettre au jour entre comédie et drame : cf. *infra*, p. 109-111.

Variantes p. 28 : [a] ... régulièrement. Je veux dire que... (A) (I).
[b] ... Pascal. Je définirai volontiers... (A) (I).

80. Annonce des développements du chapitre II sur les techniques vaudevillistes ainsi replacées dans la continuité des formes de comique analysées dans ce premier chapitre : cf. *infra*, p. 67-77. Le processus de dérivation d'images à partir d'une « source » comique est précisément l'enjeu de la section suivante sur la « force d'expansion du comique ».

81. Cf. *supra*, p. 1-2, note 1 ci-dessus.

82. Passage capital qui éclaire, tant rétrospectivement que prospectivement, l'allure de l'argumentation en rendant raison de son caractère inévitablement lacunaire : sur l'expression « de loin en loin », cf. notes 1 et 51 du chap. I ; *infra*, p. 29, 94. Corrélativement, ce bref discours de la méthode met l'accent sur un problème soulevé par une logique de l'imagination devant rendre compte des continuités ou « gradations insensibles » entre images comiques, et qui forme l'un des enjeux centraux de cette section, à savoir le problème de la nature des transitions entre images, dont Bergson souligne d'emblée la dualité : transitions de la « formule » (est risible en droit tout ce qui – gestes, attitudes corporelles, tournure d'esprit, sentiment ou caractère moral – tend à un certain degré d'insociabilité) à certains « effets dominateurs » qui en découlent (« modèles », « images centrales » ou « primitives », par exemple « du mécanique plaqué sur du vivant ») selon un *rapport de déduction* dont le principe se trouvera dans une reprise implicite de la théorie des « plans de conscience » de *Matière et mémoire* ; mais aussi transitions de ces images centrales à d'autres images qui en découlent, non plus selon un rapport déductif, mais selon des rapports de ressemblance ou d'analogie plus ou moins lointaines (chaque image centrale ayant, suivant une organisation rayonnante, plusieurs lignes de dérivation analogique), ce qui mobilisera cette fois un redéploiement de la théorie des associations d'idée élaborée de *Matière et mémoire*, mise au service dans cette section

de l'analyse du *phénomène de la suggestion*. Il s'agira alors de comprendre, non seulement les rapports des images dérivées avec une image centrale, mais en outre les rapports entre les lignes de dérivation elles-mêmes : cf. *infra*, p. 42, la loi des « harmoniques » comiques.

Variantes p. 29 : [a] ... roue, quoiqu'il avance comme... (A) (I). [b] ... penser à une immense avenue comme on en voit dans la forêt de Fontainebleau, avec des croix... (A) (I). [c] ... directions. Je crois en apercevoir trois... (A) (I).

83. Allusion au *Traité de la roulette* (1658) de Pascal sur la courbe cycloïde.

84. Cette première direction ou chaîne de dérivation associative des images comiques procède par une extension d'une image primitive en une « image plus vague », ce qui ne signifie pas plus confuse – l'analyse de la *suggestion* montrera au contraire que tout son art consiste justement à rendre nette et distincte une image vague (cf. *infra*, p. 44-48). « Plus vague » signifie ici *plus générale*. De même, la seconde direction nous conduira de l'image d'un corps « prenant le pas » sur l'âme à « quelque chose de plus général », l'image de la forme prenant le pas sur le fond, la lettre sur l'esprit, le moyen sur la fin... (*infra*, p. 40), et la troisième, « de l'idée précise d'une mécanique à l'idée plus vague de chose en général » (*infra*, p. 44). Chaque direction de dérivation associative est donc définie par un mouvement différent de généralisation de l'image comique ; d'où l'importance à nouveau de *Matière et mémoire* dont l'analyse de la formation de *l'idée générale* à partir du circuit de la reconnaissance et du double jeu de la perception et du souvenir vient éclairer, dans cette section, le rôle et le statut de la « ressemblance » et des continuités associatives entre images comiques : cf. *MM*, p. 173-187 ; Index, « Ressemblance », « Parenté ».

Variantes p. 30 : [a] ... cas de notre chapeau, par exemple... (A) (I). [b] ... des énormes difficultés... (A) (I). [c] ... vérité est loin d'être aussi... (A) (I).

85. De cette analyse de l'idée générale de raideur et de son rôle dans l'image perceptive d'un déguisement en général, se dégage l'enchaînement de trois éléments : 1° la rupture d'une habitude perceptive telle que, là où nos schèmes sensori-moteurs montés par nos habitudes sociales ne distinguent pas la surface du corps du corps lui-même, une réification anachronique par rapport à la temporalité changeante de la mode vestimentaire introduit un écart dans la perception du corps ; 2° à la faveur de cette rupture ou de cet écart, l'imagination « détache » ou « isole » au sein de l'image du corps sa surface sur laquelle se concentre l'attention de l'observateur, surface qui devient alors perçue pour elle-même (sur cette fixation de l'attention sur la surface ou « l'enveloppe », cf. *infra*, p. 35, 38, 39 ; Index des notions, « Isolement ») ; 3° un nouveau rapport interne au champ

perceptif entre *deux corps* ou *deux images* accolées l'une à l'autre telles qu'un corps soit inévitablement perçu comme « plaqué », de l'extérieur ou artificiellement, sur l'autre. On voit ici que l'idée générale de raideur n'est pas une simple abstraction théorétique, mais conduit le montage d'un schème organisateur d'images immanent au champ perceptif, à savoir un *schème métonymique* tel que, pour un corps quelconque, notre perception y distinguera une enveloppe superposée arbitrairement sur un enveloppé, un contenu engoncé dans un contenant inadapté.

86. Cette distinction entre comique *en droit* (en vertu de la logique de l'imagination dans laquelle s'articulent les exigences de la vie sociale) et comique *en fait* revêt ici un double enjeu. Du point de vue sociologique d'une part, elle met au jour l'importance des habitudes sociales qui inhibent certains effets comiques, et nous permettent d'accorder quelque sérieux à beaucoup de comportements ou de phénomènes sociaux risibles en droit (et dont la vie sociale elle-même aura elle-même besoin, le cas échéant, de nous faire rire) ; d'un point de vue critique d'autre part, elle limite le rôle causal souvent accordé, par exemple chez Kant et Lipps, et déjà chez Descartes (cf. *Les passions de l'âme*, 2ᵉ p., art. 126, Paris, Gallimard, « Tel », 1988, p. 226-227), à l'*inattendu*, que l'on insiste soit sur le caractère imprévu d'une vision insolite, soit sur le contraste intellectuel qu'il contribue à provoquer (cf. note 15 du chap. I). Sur ce point, voir les objections déjà opposées à cette thèse par V. Courdaveaux, *Le rire dans la vie et dans l'art*, *op. cit.*, p. 53-58, et C. Mélinand, « Pourquoi rit-on ? », art. cit., p. 63-65. Mais Bergson ne se contente pas d'arguer que toute surprise ne fait pas rire ; il lui assigne une fonction précise de cause occasionnelle, ou de facteur déclenchant, cohérente avec sa théorie des degrés d'attention à la vie déterminant la sélection et le niveau de généralité des souvenirs-images (par exemple celui du vêtement) actualisés dans la perception. Cf. ici encore *MM*, p. 114-117, 180-181.

Variantes p. 31 : [a] ... il nous paraissait faire corps... (A) (I).

87. Sur cette imputation d'une telle image perceptive à « notre imagination », et sur sa signification pré-réflexive en rapport avec le concept d'image de *Matière et mémoire*, cf. *supra*, p. 18 et 21-22.

Variantes p. 32 : [a] ... mais dans toutes les recherches... (A) (I).
[b] ... interprétation... (II) : restitution ici de (A) et (I) : ... interpénétration...

88. Sur la proximité de cette logique pré-reflexive de l'imagination avec une logique des songes, cf. *infra*, p. 37, et surtout 143-147.

89. Sur la théorie, impliquée ici, des multiplicités qualitatives ou « de fusion » que forment nos états de conscience, et sur ses enjeux méthodologiques et critiques pour l'analyse psychologique, cf. *E*, p. 74-79, 90-91 et s. ; sur l'image de la surface ou « croûte » réifiée de la conscience, cf. *E*, p. 126-128.

Variantes p. 33 : [a] ... pense toujours à... (A) (I). [b] ... même, rapprocher l'image... (A) (I).

90. Précision importante pour l'analyse de la force d'expansion du comique : les séries de dérivation d'images comiques ne suivent pas seulement des ressemblances et analogies de plus en plus étendues ; elles varient en outre en intensité en fonction de leur plus ou moins grande proximité par rapport à l'image primitive dont elles sont dérivées. Pour une autre application de ce principe, cf. *infra*, p. 35, et la récapitulation conclusive du chapitre I, p. 49.

91. Cf. Alphonse Daudet, *Tartarin sur les Alpes : nouveaux exploits du héros tarasconnais*, Paris, Fayard, 1901, chap. V, p. 49.

92. Sur le sens précis de cette expression de « ton » comique, cf. *infra*, p. 42.

93. Klapka Jerome, *Novel Notes*, Leipzig, Bernhard Tauchnitz, 1894, chap. III.

Variantes p. 34 : [a] ... vivant d'elle... (A) (I). [b] ... sera donc toute image... (A) (I). [c] ... devra donc toujours renfermer... (A) (I).

94. Cf. *supra*, p. 30 et ci-dessus note 86.

95. Cette analogie témoigne de la logique de l'imagination qui, au moyen d'idées de plus en plus générales, étend la relation primitive mécanique/vivant et le schème métonymique de l'imagination à des termes de plus en plus éloignés de l'image perceptive d'*un* corps vivant singulier, et qui n'est autre que le ressort psychologique de la « force d'expansion du comique » : en l'occurrence, elle marque le continuum de dérivation de l'image comique du déguisement, guidé par une nouvelle généralisation de l'idée de corps vivant à la société elle-même. Cf. à nouveau *infra*, p. 37, 38, 41.

Variantes p. 35 : [a] ... forme. Je n'insiste pas sur... (A) (I). [b] ... nature. Je cueille dans un journal, tout à fait au hasard, un exemple de ce genre de comique. Il y a une dizaine d'années, un grand paquebot... (A) (I).

96. Sur ces expressions, cf. *infra*, p. 113-114 ; Index « Formule », « Cadre ». Pour l'importance spécifique de ces dernières images comiques, au regard de la thèse directrice de la fonction sociale du rire, cf. les analyses du « comique professionnel » *infra*, p. 40-43, 131, 133, 135-138 et note 7 du chap. III.

97. Cf. note 90 ci-dessus.

Variantes p. 36 : [a] ... crime retentissant commis... (A) (I).

98. Molière, *Le Médecin malgré lui*, Acte II, scène 4.

99. Molière, *Monsieur de Pourceaugnac*, Acte I, scène 8.

Variantes p. 37 : [a] ... un procédé artificiel de recomposition... (A) (I). [b] ... n'est pas autre chose... (A) (I). [c] ... Ainsi, pour tout résumer... (A) (I).

100. Souvenir, peut-être, de la définition du comique pédant chez

Schopenhauer, qui s'appuie sur sa conception générale, formulée dans la conceptualité kantienne, du ridicule : « L'origine du ridicule est toujours dans la subsomption paradoxale et conséquemment inattendue d'un objet sous un concept hétérogène, et le phénomène du rire révèle toujours la perception subite d'un désaccord entre un tel concept et l'objet réel qu'il sert à représenter, c'est-à-dire entre l'abstrait et l'intuitif » (A. Schopenhauer, *Le monde comme volonté et comme représentation*, trad. fr. A. Burdeau, 6e éd., Paris, F. Alcan, 1912, t. II : Livre II, chap. VIII, p. 225). Le ressort de ce comique spécifique qu'est le pédantisme consiste alors «à accorder peu de confiance à son propre entendement, et par conséquent à ne pouvoir pas lui permettre de distinguer immédiatement ce qui est juste dans un cas particulier ; à le placer alors sous la tutelle de la raison, et à se servir d'elle dans toutes les occasions, c'est-à-dire à partir toujours de concepts généraux, de règles ou de maximes, et à s'y conformer exactement, dans la vie, dans l'art, et même dans la conduite morale. De là cet attachement du pédant pour la forme, les manières, les expressions et les mots, qui tiennent chez lui la place de la réalité, des choses » ; ce qui conduit d'ailleurs Schopenhauer à conclure : « On pourrait adresser à Kant lui-même le reproche de pousser à la pédanterie en morale » ! (cf. A. Schopenhauer, *Le monde comme volonté et comme représentation*, t. I, *op. cit.*, p. 65).

101. Cf. *supra*, p. 32 ; *infra*, p. 143-147 ; notes 112-113 du chap. III.

102. Cf. note 95.

Variantes p. 38 : [a] ... nous paraissait donc... (A).

103. Sur cette philosophie spontanée de l'imagination, et son interprétation morale de la grâce du corps, cf. *supra*, p. 21-22. Sa reprise ici en cerne plus précisément l'objet, en même temps qu'elle éclaire le déplacement par rapport à la première direction de dérivation et d'expansion. La première direction nous conduisait du corps vivant à une vie générale, celle de la nature ou celle de la société comme corps collectif ; cette seconde direction conduira du corps vivant à une vie personnelle, c'est-à-dire, suivant la leçon de l'*Essai*, une vie unifiée par l'activité synthétique d'une conscience temporelle qui n'est autre que ce que Bergson appelle quelques lignes plus bas la « personnalité morale ». Mais précisons aussitôt : il s'agit du caractère individuel ou de la vie morale *telle que l'interprète l'imagination* à partir de la perception externe du corps et de ses mouvements. Tel est précisément l'objet de la philosophie imaginative et pré-reflexive : la vie intellectuelle et morale, non telle que nous l'expérimentons en nous, ni telle que nous l'éprouvons sympathiquement avec autrui, mais *telle qu'elle est spontanément interprétée par l'imagination dans notre champ perceptif*, en fonction des conduites et des qualités de mouvement du corps. D'où l'insistance à nouveau mise, dans les analyses qui suivent, sur la concentration de l'attention sur le corps comme signe d'une perturbation du caractère. On notera

qu'à cet égard, le corps vivant trouve sa potentialité comique la plus générale (« le physique »), et non plus en fonction de telle difformité, tel mouvement ou tel geste.

104. Cf. note 95 ci-dessus.

105. Pour l'importance de cet effet de netteté, cf. *supra*, p. 23-24, et l'analyse de la suggestion *infra*, p. 46-47.

Variantes p. 39 : [a] ... monotone, interrompant toujours tout avec... (A) (I). [b] ... rond ? Toujours de ce que... (A) (I). [c] ... tombera presque sûrement sur... (A) (I). [d] ... dans tous ces exemples... (A) (I). [e] ... genre. Et je crois que c'est là encore ce qui... (A) (I).

106. Sur ce rapport des procédés vaudevillistes avec les mécanismes naturels de fabrication d'effets comiques dans la vie quotidienne et sociale, les premiers s'appuyant et complexifiant les seconds sans en modifier fondamentalement le fonctionnement et le sens psychologiques, cf. *infra*, p. 51, 69, 78, 104 ; notes 1-2 du chap. III.

107. Cf. E. Labiche, *La Cagnotte*, Acte I, scène VIII.

108. Allusions, respectivement, au personnage de Nonancourt dans *Un chapeau de paille d'Italie* de Labiche, et à celui de Cordenbois dans *La Cagnotte* (voir en particulier Acte IV, scènes 5, 7, 10, et Acte V, scène 2).

109. C'est en effet un procédé privilégié par le drame romantique, dans son entreprise de rompre l'artificiel partage des genres comique et tragique, que d'insérer les avatars du corps burlesque dans les aventures sublimes de l'esprit. Et Hugo lui-même retient de Napoléon une leçon proche que celle que lui emprunte Bergson quelques lignes plus loin : « Dans le drame, tel qu'on peut, sinon l'exécuter, du moins le concevoir, tout s'enchaîne et se déduit ainsi que dans la réalité. Le corps y joue son rôle comme l'âme ; et les hommes et les événements, mis en jeu par ce double agent, passent tour à tour bouffons et terribles, quelquefois terribles et bouffons tout ensemble. Ainsi le juge dira : "A la mort, et allons dîner !". [...] Les hommes de génie, si grands qu'ils soient, ont toujours en eux leur bête qui parodie leur intelligence. C'est par là qu'ils touchent à l'humanité, c'est par là qu'ils sont dramatiques. « Du sublime au ridicule, il n'y a qu'un pas », disait Napoléon, quand il fut convaincu d'être homme » (V. Hugo, *Cromwell*, Préface, in *Œuvres complètes. Drame I*, Paris, J. Hetzel, A. Quantin et Cie, 1881, p. 32-33).

110. Cf. Gal Gaspar Gourgaud, *Saint-Hélène : journal inédit de 1815 à 1818*, Paris, Flammarion, 1899, 2 vol.

111. Cf. *supra*, p. 29, et note 84 ci-dessus.

112. Cf. *supra*, p. 35 ; *infra*, p. 135-137 ; note 7 du chap. III.

113. Molière, *Le Malade imaginaire*, Acte II, scène 5.

114. Molière, *L'Amour médecin*, respectivement : Acte II, scène 5 ; et Acte II, scène 4.

Variantes p. 42 : [a] ... clairement, je l'espère, à mesure... (A) (I).
[b] ... fondamental. Je crois que la fantaisie... (A) (I). [c] ... moral ? Je ne sais, mais on sent que la relation existe, quoiqu'elle soit inexprimable. Peut-être... (A) (I). [d] ... parler. Quoi qu'il en soit, nulle autre harmonique... (A) (I).

115. Beaumarchais, *La folle journée, ou le mariage de Figaro*, Acte III, scène 14.

116. Point nodal de la psychologie de l'imagination comique, cette loi mobilise une fois encore les analyses de *Matière et mémoire*, cf. en particulier *MM*, p. 181-189 : ces « harmoniques » ne sont pas des associations d'idées, puisque, selon les acquis de ce dernier ouvrage, de telles associations sont diversement déterminées sur des plans de conscience hétérogènes formant autant de « tons de notre vie mentale », ou plutôt se résolvent en degrés de contraction du tout de la mémoire corrélatifs de degrés d'attention à la perception et à la situation présentes, de sorte qu'une même perception, selon un plan de contraction, entrera dans telle série associative de souvenirs-images (par exemple la forme voulant primer sur le fond), et selon un autre autrement contracté, dans une autre série (le corps taquinant, prenant le pas sur l'esprit). Bergson appelle ici « harmoniques » les jeux d'échos ou de résonances *entre les plans de conscience eux-mêmes*.

117. Cf. Beaumarchais, *Le mariage de Figaro*, Acte III, scène 12.

Variantes p. 43 : [a] ... lentement, comme s'il scandait son discours... (A) (I). [b] ... Pourceaugnac. Presque toujours c'est... (A) (I).

118. Molière, *L'Amour médecin*, Acte II, scène 5.

119. Molière, *Monsieur de Pourceaugnac*, Acte II, scène 11.

Variantes p. 44 : [a] ... s'agissait surtout ici... (A) (I). [b] ... mouvements divers qui... (A) (I).

120. Cf. note 84 du chap. I.

Variantes p. 45 : [a] ... On pensait vaguement à... (A) (I). [b] ... boule. Finalement apparaissait... (A) (I).

121. Sur cette nouvelle opération de déplacement de l'attention du spectateur, sur le rôle que vient y tenir le rythme, et sur l'importance du caractère progressif et graduel de l'impression produite dans cet exercice clownesque comme dans le suivant, cf. l'analyse de la suggestion *infra*, p. 46-47 ; notes 122-125 du chap. I.

122. Sur le phénomène de la suggestion mentale, sur lequel la dernière partie de cette section recentre toutes les analyses psychologiques du chapitre I, cf. *E*, p. 11-13, 118, 125 ; *MM*, 133, 150-151, 191 ; « FR », in *ES*, p. 133 ; et ci-dessus note 68. Son mécanisme dans l'hypnose fait l'objet, au tournant du siècle, d'un intérêt largement partagé, par exemple chez Binet, Richet, Bernheim ; Bergson lui-même lui consacre un article en 1886 : « De la simulation inconsciente dans l'état d'hypnotisme », in *Revue*

philosophique de la France et de l'étranger, t. XXII, novembre 1886, p. 525-531, rééd. in *Mélanges*, p. 333-341. Cf. également les considérations sur le somnambulisme dans la 43ᵉ leçon des *Cours*, t. I : *Leçons de psychologie et de métaphysique*, Paris, PUF, 1990, p. 277-280.

123. Ce processus graduel qui insensiblement nous conduit d'une perception à une autre – en l'occurrence, de celle d'une personne à celle d'une chose inerte – s'éclaire ici encore à la lumière de *Matière et mémoire*, et ce sous un double aspect : il s'agit d'abord de rendre la perception actuelle de plus en plus confuse, c'est-à-dire aussi bien de la rendre de moins en moins apte à déterminer le rappel sélectif des souvenirs susceptibles de s'insérer en elle pour la compléter – en un mot, de perturber le circuit de la reconnaissance attentive en affaiblissant cette fonction d'insertion dans notre milieu matériel qu'est la perception ; il s'agit ensuite, ou simultanément, d'induire à partir de cette perception rendue « distraite », diffuse car déphasée par rapport aux intérêts biopsychiques, un nouveau processus de reconnaissance mobilisant (par d'imperceptibles chaînes de ressemblance et de contiguïté qui font l'habileté du magnétiseur comme l'art du clown et même du poète, cf. *infra*, p. 47) des souvenirs qui, sans rapport avec notre situation et notre action, viendront reconfigurer la perception et donner à voir un objet tout autre. C'est en ce sens que, dans l'hypnose comme dans le procédé comique, la suggestion revêt un caractère hallucinatoire. On notera cependant qu'un tel mouvement hallucinatoire de projection de souvenirs dans le champ perceptif caractérise peu ou prou *toute* perception, perception attentive à la vie non moins que sensations diffuses du rêve, comme l'expliquera Bergson dans la conférence sur « Le rêve », un an après *Le rire* : cf. « R », in *ES*, p. 97-100 ; et ci-dessous notes 112-113 du chap. III. La suggestion trouve ainsi sa condition dans le mécanisme naturel de la perception, et l'art comique consiste, techniquement, à manipuler artificiellement ce mécanisme naturel.

124. Nouvelle analogie avec le rêve : la phase d'endormissement produit naturellement ce que le comique et le magnétiseur parviennent à susciter artificiellement, une inattention croissante à la vie, c'est-à-dire une indistinction croissante dans la perception actuelle corrélative d'une détente de la mémoire dans la reconnaissance attentive : cf. « R », in *ES*, p. 85-99. Pour le mouvement inverse de reformation d'images oniriques à partir des sensations actuelles devenues confuses, cf. « R », in *ES*, p. 92-94 et 105.

Variantes p. 47 : ᵃ ... chose. Je n'en cueillerai qu'un... (A) (I).

125. Sur le rôle du rythme dans la suggestion, cf. *E*, p. 9-13, et exemplairement dans la suggestion sous hypnose, cf. *Cours*, t. I, *Leçons de psychologie..., op. cit.*, p. 277-278. Sur l'importance *a contrario* des différences rythmiques (diction, ponctuation) dans l'attention au seul sens de l'énoncé, cf. « AC », in *ES*, p. 46-47 ; et « PP », in *PM*, p. 94.

126. Jean-François Regnard, *Le Joueur* (1697), Acte III, scène 4. Regnard (1655-1709), poète dramatique français, souvent rapproché (et mis dans l'ombre) de Molière, est l'auteur notamment du *Distrait* (1697), auquel Bergson fera allusion plus loin (*infra*, p. 125), des *Folies amoureuses* (1704) et du *Légataire universel* (1708).

127. P. C. de Beaumarchais, *Le Barbier de Séville ou La précaution inutile*, Acte I, scène 4.

Variantes p. 48 : [a] ... sortir naturellement d'un... (A). [b] ... s'encadrer exactement dans... (A).

128. E. Labiche, *Le Voyage de Monsieur Perrichon*, Acte I, scène 2.

129. E. Labiche, *La Station Champbaudet*, Acte II, scène 4.

130. Cette remarque repose sur l'analyse psychologique de l'expansion des images suggestives selon des « directions » d'associations, d'analogies et d'« harmoniques », cf. *supra*, p. 28-29, 32, 42, et le paragraphe conclusif *infra*, p. 49.

131. Le critère distinctif introduit ici, nous éloignant de l'application, plus ou moins sophistiquée dans les comiques de mouvement et de geste, de recettes, annonce l'analyse sur le comique de situation, de mot et de caractère, dont Bergson pose ici, eu égard à la suggestivité, le problème technique propre, et partant un critère de réussite de l'art comique fondé dans l'analyse psychologique de cette section ; voir par exemple, pour le vaudeville, les remarques sur l'art de la « préparation », *infra*, p. 71 et note 56 du chap. II.

132. Sur cette image d'une « poussée » vitale qui ne s'actualise qu'en se divisant, où s'annonce celle de l'élan vital, ainsi que la réinterprétation bergsonienne du second principe de la thermodynamique (cf. *EC*, p. 243-248), cf. *EC*, 5, 18, 100, 103, 127, 271 ; « MRV », in *PM*, p. 8 ; « PP », in *PM*, 50 ; *DS*, p. 117, 119.

133. Cf. note 1 du chap. I.

Variantes p. 50 : [a] ... dans un chapitre suivant. Au-dessous... (A).

134. Cf. notes 3 et 48 du chap. I.

NOTES DU CHAPITRE II

Variantes p. 51 : [a] ... se prête le mieux à l'analyse... (A) (I).

1. Ce premier rapport entre le théâtre et la vie vient préciser la « zone des artifices » évoquée à la fin du chapitre précédent ; il confère surtout au théâtre une valeur heuristique pour l'étude des montages de dispositifs comiques *dans la vie* ; cf. *supra*, p. 17 ; notes 3 et 48 du chap. I ; et *infra*, p. 77-78. Notons enfin que, plutôt que le théâtre en général, cette fonction grossissante et simplificatrice concerne spécifiquement le vaudeville ; elle

introduit ainsi, discrètement, une différence entre deux sens ou deux tendances du théâtre comique qui prépare la thèse, que développera le chapitre III, selon laquelle « la comédie de caractère pousse dans la vie des
racines autrement profondes » (*infra*, p. 78) et s'avère dès lors, plus que tout
autre art comique, par sa place particulière dans la vie *et* par sa place particulière parmi les autres arts, offrir un point de vue privilégié pour interroger
le rapport de l'art à la vie.

2. Cette première référence à l'enfance, dont Bergson tirera le fil directeur de toute la première partie de ce chapitre (p. 51-67), redouble d'abord
le rapport qui vient d'être posé entre le théâtre et la vie, en change ensuite
le sens. 1° Il le redouble : les procédés vaudevillesques de fabrication
d'effet comique fournissent une schématisation grossissante des procédés
naturellement à l'œuvre dans les situations comiques de la vie quotidienne ;
mais ces procédés artificiels trouveront eux-mêmes une schématisation grossissante dans la vie infantile qui en invente naturellement « la première
ébauche ». 2° Il en change également le sens : le vaudeville n'est plus seulement employé comme un artifice méthodologique pour analyser les dispositifs comiques spontanément déclenchés dans la vie quotidienne ; procédés
artificiels et montages comiques naturels sont les uns et les autres rapportés
à leur source psychogénétique, dans l'enfance par laquelle sont naturellement passés le vaudevilliste comme le *quidam*. C'est l'ouverture d'une telle
approche psychogénétique qui retiendra l'attention de Freud dans *Le mot
d'esprit et ses rapports avec l'inconscient* : cf. « Lectures » du *Dossier*,
p. 336-338 ; pour la confrontation des analyses freudienne et bergsonienne,
cf. E. Jones, Recension du *Rire* de Bergson, in *Journal of Abnormal Psychology*, t. 10, n° 2, 1915-1916, p. 219-222 ; A. Koestler, *Insight and
Outlook*, London/New York, Macmillan, 1949, Appendice II ; F. Worms,
« Le rire et sa relation au mot d'esprit. Notes sur la lecture de Bergson et
Freud », *in* Szafran, A. Willy, Nysenholc, Adolphe, *Freud et le rire*, Paris,
Éditions Métailié, 1994, p. 195-223. Dans le contexte propre à Bergson, la
reprise, dans les lignes suivantes, des analyses de *Matière et mémoire* sur
le souvenir et son rapport avec les montages sensori-moteurs d'une part,
avec la sensation d'autre part, a pour enjeu de montrer que les dispositifs
comiques nous amusent à travers notre enfance, ou que ce que nous
rejouons spécifiquement dans cette enfance, quand nous rions, c'est déjà une
activité embryonnaire de dramaturge ou de metteur en scène de vaudeville,
et qu'ainsi, non seulement le vaudevilliste a quelque chose d'un grand
enfant, mais le spectateur amateur de vaudeville y prend plaisir dans la
mesure où il s'en sent un acteur ou metteur en scène virtuel (cf. *supra*,
p. 12, et *infra*, p. 59-60 ; notes 13 et 23 du chap. II). C'est cette profonde
continuité entre le plaisir du jeu chez l'enfant et chez l'homme fait qui justifie par là même l'adoption des jeux d'enfant comme fil directeur pour un

premier repérage, encore empirique (cf. *infra*, p. 67), des principaux procédés de la fabrication vaudevillesque d'effets comiques.

3. Pour la distinction *et* l'unification, dans nos émotions concrètes, de la composante sensible ou strictement perçue, et de la composante mnésique, cf. *MM*, p. 50-67, 150-151. Pour la thèse soutenant, « contrairement à l'opinion commune des psychologues », mais aussi dans une perspective différente de celle de *Matière et mémoire*, l'existence d'une « mémoire affective, c'est-à-dire un souvenir des émotions proprement dites, et non des seules conditions intellectuelles qui les ont causées et accompagnées » (Th. Ribot, *Essai sur l'imagination créatrice*, Paris, Félix Alcan, 1900, p. 177), cf. Th. Ribot, *Psychologie des sentiments*, *op. cit.*, p. 159-164. Ribot lui-même consacre une analyse aux jeux, dans lesquels il voit la source des sentiments esthétiques, cf. *Psychologie des sentiments*, *op. cit.*, p. 320-325.

4. Pour la question du vieillissement chez Bergson, dans une perspective biologique différente mais non sans rapport avec la belle définition qu'il en donne ici, cf. *EC*, p. 15-21, et la reprise de la notion d'« encroûtement » de Félix Le Dantec.

5. Reprenant la définition classique du théâtre comme « imitation faite par des personnages en action » (Aristote, *Poétique*, *op. cit.*, 1449 b 26-27), Bergson en infléchit le sens : la comédie vaudevillesque, dont il sera question dans ce chapitre, n'imite – en l'exagérant artificiellement – que ce qu'il y a d'imitable dans la vie et *qui n'est pas le tout de la vie*, mais seulement ce qui s'y trouve de répétable, partant de général et d'impersonnel – « une certaine raideur naturelle des choses », des événements, des actions et des langages (*infra*, p. 78). Il s'agit par là même de mettre à l'épreuve, à ce nouveau niveau des situations et « actions complexes », les procédés dégagés précédemment au niveau de l'imitation de mouvements et de gestes simples (*supra*, p. 25-28).

Variantes p. 53 : [a] ... loi que toutes nos précédentes... (A) (I).

6. Pour l'importance de ce procédé d'uniformisation rythmique, du point de vue du processus de suggestion, cf. *supra*, p. 44-47, note 125 du chap. I.

Variantes p. 54 : [a] ... vient du conflit... (A) (I).

7. Du diable à ressort au théâtre de Guignol, et de là à la comédie de caractère, on retrouve dans ce fil continu la thèse centrale mise en place dans la section V du chapitre I d'une force d'expansion du comique transportant « la même relation dans des sphères de plus en plus hautes, entre des termes de plus en plus immatériels » (*supra*, p. 37), ou comme le dira Bergson bientôt, « raffiné[e], spiritualisé[e], transporté[e] dans la sphère des sentiments et des idées » (*infra*, p. 55). L'expression de « ressort moral » n'est donc pas à entendre ici au sens d'une métaphore de la pensée réfléchie, mais au sens d'une image suggérée et néanmoins parfaitement nette pour une imagination sous influence ; cf. *infra*, p. 59.

8. Molière, *Le Mariage forcé*, Acte I, scène 4. Sur l'expression « machine à parler », cf. *supra*, p. 42.

9. Pour ce caractère progressif et graduel de l'insinuation d'une vision de plus en plus nette, cf. l'analyse du processus de suggestion *supra*, p. 46-47.

10. Molière, *Le Malade imaginaire*, Acte III, scène 5.

Variantes p. 55 : [a] ... scande tous les moments de cette petite scène. Serrons... (A) (I). [b] ... théâtre. Je cherche vainement... (A) (I). [c] ... isolé de tout ce qu'il... (A) (I). [d] ... loin, jamais la répétition d'un mot n'est risible par elle-même... (A) (I).

11. Sur les enjeux méthodologiques et critiques du caractère *suggestif* de l'image comique, qui empêche d'isoler un rapport causal mécanique entre l'image perçue et l'émotion comique, cf. *supra*, p. 31-32, 49.

12. Voir l'analyse des jeux de répétition par transposition dans des tonalités de langage hétérogènes, *infra*, p. 93-98. Pour lors, la répétition de mots relève des procédés du comique de situation, et non de langage.

13. Cette *double* symbolisation (répétition verbale/conflit moral – conflit moral/opposition de forces mécaniques) signale la complexité supérieure du statut de la répétition, à ce niveau de l'analyse, par rapport aux exemples rencontrés précédemment (cf. *supra*, p. 25-27, 44-45) : ce qui est risible, c'est moins la répétition elle-même à laquelle serait uniformément soumis un unique élément, que le jeu dynamique d'une relation de forces antagonistes qui la sous-tend et la génère, et plus précisément encore, dans cette relation asymétrique, la manière dont l'une des deux forces se joue de l'autre, joue à susciter, par une répétition maîtrisée et délibérée, la répétition automatique et involontaire de l'autre. C'est cette *dualité du mode de répétition*, l'asymétrie de la relation qu'elle exprime, que viendront illustrer les exemples moliéresques au paragraphe suivant, et qui livre le sens profond de la parenté avec le jeu enfantin du diable à ressort, en même temps que le plaisir qu'il ressuscite chez le spectateur adulte (cf. *infra*, p. 59-60) : ce plaisir ne vient pas de l'effet global de répétition, mais de la part active que le spectateur prend virtuellement à la scène, en s'éprouvant dans la position de la force qui délibérément comprime et re-comprime le ressort, déclenchant infailliblement le même résultat dans la force adverse ; pour une idée similaire, cf. *supra*, p. 12, et note 36 du chap. I.

Variantes p. 56 : [a] ... dans toute répétition comique... (A) (I). [b] ... il y a deux termes... (A). [c] ... automatiquement, tout un mécanisme... (A) (I).

14. Pour l'extension de ce procédé à une situation complexe quelconque comportant, non seulement des mots, mais en outre des personnages et des actions, et non plus un rapport à deux termes mais une multiplicité de relations, cf. *infra*, p. 68 et s.

15. Molière, *Le Tartuffe ou l'imposteur*, Acte I, scène 4.

16. Molière, *Les Fourberies de Scapin*, Acte II, scène 7.

17. Molière, *L'Avare*, Acte I, scène 5. Sur le sens, dans ces différents d'exemple, de l'amusement que prend un personnage à *volontairement* réamorcer et déclencher itérativement l'automatisme *involontairement* répétitif de l'autre, cf. ci-dessus note 13.

18. Notons que ces exemples pourraient nous orienter dès ici vers l'analyse du comique de caractère ; on percevra toutefois la différence en comparant le traitement de l'idée fixe ici avec celui qui en est fait p. 140-142.

Variantes p. 57 : [a] ... la comédie tout intérieure... (A) (I).

19. Molière, *Le Misanthrope*, Acte I, scène 2.

Variantes p. 58 : [a] ... paraîtra très sérieuse... (A) (I).

20. Sur le traitement spécial que doit subir le personnage du misanthrope pour devenir comique, et où se signale l'« arrière-pensée » sociale à l'œuvre dans le rire du spectateur, cf. *infra*, p. 105-106 ; et l'extrait de la *Lettre à M. d'Alembert* dans l'anthologie de « Lectures » du *Dossier*.

21. Sur une telle « organisation des états de conscience » où même les plus antinomiques se fondent et se transforment les uns les autres dans une multiplicité qualitative en développement, et sur l'irréductibilité qui en découle d'une telle organisation à une opposition intellectuelle entre deux idées ou deux motifs extérieurs l'un à l'autre, cf. *E*, p. 117-130 ; et *infra*, p. 108, sur la scène quasi-dramatique d'Harpagon tiraillé entre son avarice et son sentiment paternel. L'analyse de la délibération et de la décision dans le troisième chapitre de l'*Essai*, en même temps qu'elle prend ici une portée critique tournée contre les théories de Kraepelin et Dumont sur le contraste intellectuel ou le choc des jugements contradictoires (cf. *supra*, p. 6 et note 15 du chap. I), anticipe les analyses essentielles du chapitre III sur le triple rapport, de l'art à la vie identifiée à l'activité d'individuation temporelle de la conscience, de cette vie individuelle à la vie sociale, et de la vie sociale à l'art. On remarquera alors, corrélativement, comme les théories associationnistes et déterministes critiquées dans l'*Essai* prennent à présent, dans *Le rire* où elles échappent à la discussion critique, un intérêt nouveau : cf. *infra*, p. 59, 60, 107-109, et note suivante.

Variantes p. 59 : [a] ... par conséquent tout l'essentiel de la vie... (A) (I).

22. Échos ludiques avec l'*Essai* : quel que soit le sérieux qu'on lui prête, profondément comique en ce sens est la conception mécaniste du moi forgée par la théorie déterministe lorsque, distinguant les états de conscience comme « des choses bien définies » et « identiques à elles », elle se figure « ce moi hésitant entre deux sentiments contraires, allant de celui-ci à celui-là » comme tiré par deux forces extérieures, sans tenir compte de ce qu'« à tous les moments de la délibération, le moi se modifie et modifie aussi, par conséquent, les deux sentiments qui l'agitent » dans « une série dynamique d'états qui se pénètrent, se renforcent les uns les autres », *E*, p. 128-129 ; cf. aussi *EC*, p. 47-48 ; « IM », in *PM*, p. 190-191. Sur cette réification d'un

sentiment ou d'un état de conscience en général qui s'isole et tend à se soumettre toute la vie de la conscience, cf. *supra*, p. 11-12, et *infra*, p. 107-109, 140-142.

23. Ce dispositif est donc analogue au précédent ; s'il n'use plus de la composante répétitive, il en conserve l'essentiel : l'activité implicite de *manipulation* caractéristique des jeux enfantins évoqués dans cette section. Et comme l'expliquera la suite du paragraphe, c'est à nouveau cette manipulation qui, jouée par les acteurs, réactualise dans la disposition corporelle du spectateur qui la perçoit le souvenir enfantin du plaisir du jeu.

24. Molière, *Les Fourberies de Scapin* (c'est Bergson qui souligne), respectivement : Acte I, scène 5 (« Laissez-moi faire, la machine est trouvée. Je cherche seulement dans ma tête un homme qui nous soit affidé, pour jouer un personnage dont j'ai besoin ») ; Acte II, scène 4 (« Je veux tirer cet argent de vos pères. Pour ce qui est du vôtre, la machine est déjà toute trouvée ; et quant au vôtre. ») ; et Acte II, scène 6 (« Il semble que le ciel, l'un après l'autre, les amène dans mes filets »).

Variantes p. 60 : [a] ... dans tous les cas... (A) (I). [b] ... a toujours soin alors... (A) (I).

25. Cf. *supra*, p. 12, 54 ; et ci-dessus notes 13 et 23.

26. Cf. F. Rabelais, *Le Tiers Livre des faits et dicts héroïques du bon Pantagruel*.

27. Sur cette thèse cruciale, qui lie le sérieux de la vie à son caractère personnel, c'est-à-dire l'activité de conscience qui en contracte l'individualité temporelle et qui l'exprime, conformément aux analyses du troisième chapitre de l'*Essai* (*E*, p. 117-130), dans des actes plus ou moins libres selon l'amplitude et l'intensité variables avec lesquelles ils mobilisent la totalité de notre existence, cf. *infra*, p. 122-124 ; et note 30 du chap. I. Ce passage annonce ainsi le problème traité dans le chapitre III de la différence de nature entre la comédie et le drame et, à travers elle, celui du rapport entre la vie morale et la fonction sociale du comique.

28. Suggérant à nouveau la potentialité comique de ce qu'un sérieux spéculatif mal placé a décidé d'appeler le déterminisme, cet extrait est tiré d'un poème des *Épreuves* de Sully Prudhomme, « Le bonhomme », ou nommément... Spinoza ! : « C'était un homme doux, de chétive santé, / Qui, tout en polissant des verres de lunettes, / Mit l'essence divine en formules très nettes, / Si nettes que le monde en fut épouvanté. // Ce sage démontrait avec simplicité / Que le bien et le mal sont d'antiques sornettes / Et les libres mortels d'humbles marionnettes / Dont le fil est aux mains de la nécessité. » (S. Prudhomme, *Les Épreuves*, in *Poésies (1866-1872)*, Paris, Alphonse Lemerre, 1872, p. 31).

29. Cf. note 11 du chap. I.

30. Cf. *supra*, p. 51-52 ; notes 2 et 13 du chap. II.

31. Pour l'exposition déductive et systématique de cette formule abstraite ou schème de fabrication d'effets comiques, cf. *infra*, p. 67 et s.

Variantes p. 62 : [a] ... met toute la police... (A) (I). [b] ... il y a très souvent... (A) (I).

32. Cette nouvelle occurrence du phénomène, fondamental pour toute la théorie bergsonienne du comique, de la *suggestion*, vient préciser le statut de la « formule » évoquée précédemment : il ne s'agit pas d'un élément idéatif mais bien d'une vision, ou suivant la terminologie de *Matière et mémoire*, d'une « image » perceptive ; seulement, loin d'entrer dans un circuit de reconnaissance attentive à la vie par lequel elle s'enrichirait de déterminations qualitatives concrètes, c'est-à-dire significatives pour un individu vivant et agissant, cette image comprend uniquement un mode d'enchaînement mécanique ou involontaire de phénomènes quelconques (cf. note 68 du chap. I). C'est ce mode d'enchaînement ou de combinaison qui est perçu *pour lui-même*, et c'est en ce sens qu'il s'agit d'une vision *abstraite*. On notera alors, dans la série des quatre exemples suivants, le double apport de ce nouvel examen par rapport aux deux jeux d'enfant évoqués précédemment : d'une part, cette formule perceptive abstraite peut agencer dans un même procès des éléments les plus hétérogènes, choses, événements, actions, circonstances, et non plus seulement des personnes ; d'autre part, cette formule porte directement sur la dimension diachronique d'une situation, elle ne mécanise plus seulement des corps ou des personnes, mais un procès temporel : cf. *infra*, p. 63-64 sur la réversibilité ; et la *Lettre à E. Faguet* du 3 octobre 1904, in *Mélanges*, p. 634.

Variantes p. 63 : [a] ... dans la scène de l'hôtellerie... (A) (I). [b] ... et que tous les efforts... (A) (I).

33. J. Racine, *Les Plaideurs*, Acte I, scène 7.

34. Cf. M. de Cervantès, *L'Ingénieux hidalgo Don Quichotte de la Manche*, *op. cit.*, Première partie, chap. XVI.

35. Suggérons seulement une confrontation possible de cette analyse, et plus loin de celle de « l'interférence des séries » (*infra*, p. 76-77), avec la psychanalyse structurale (cf. J. Lacan, *Séminaire sur « La lettre volée »*, in *Écrits*, Paris, Seuil, 1966, p. 11-64).

36. Sur ce caractère réversible, qui marque l'irréductibilité de la vie au mécanique, cf. *infra*, p. 67-68. Il deviendra central dans la discussion bergsonienne de l'évolutionnisme, cf. *EC*, p. 6, 16-17, 29, 244-245.

Variantes p. 64 : [a] ... courir tous les autres... (A) (I). [b] ... côte à côte, tout le long... (A) (I).

37. Allusion au *Chapeau de paille d'Italie* de Labiche.

38. Allusion à *La Cagnotte* de Labiche.

Variantes p. 65 : [a] ... rien. Je reconnais que... (A) (I). [b] ... exemples nous présentent... (A) (I). [c] ... n'est jamais la source... (A) (I).

39. Allusion au vaudeville d'Alexandre Bisson, *Les Surprises du divorce* (1890).

40. H. Spencer, *Physiologie du rire*, *op. cit.*, p. 307-310.

41. E. Kant, *Critique de faculté de juger*, L. II : Analytique du sublime, § 54, trad. fr. A. Philonenko, Paris, Vrin, 1993, p. 238.

42. Sur la distinction reprise ici entre comique latent et comique manifeste, cf. *supra*, p. 30, note 86 du chap. I ; sur la critique sous-jacente de la thèse imputant la cause du rire à un contraste, sensible ou intellectuel, en l'occurrence la disproportion aperçue par la comparaison extrinsèque entre l'idée d'une cause physique et l'idée de son effet, cf. *supra*, p. 6 note 15.

Variantes p. 66 : [a] ..ê tre constamment attentifs... (A). [b] ... et si tous les hommes... (A) (I).

43. Sur les problèmes méthodologiques sous-jacents, cf. *supra*, p. 49.

44. Voici reformulée la thèse fondamentale de l'ouvrage qui, loin de l'imputer à un plaisir désintéressé, rapporte le rire à un *intérêt* vital auquel il répond en propre ; la suite du paragraphe en indiquera le corrélat : la vie sociale impose un certain niveau ou degré d'attention à la vie – niveau « moyen » pour une « humanité moyenne », dira Bergson plus loin (*infra*, p. 129).

45. C'est-à-dire que la vie coïnciderait absolument avec sa *durée*, avec l'acte qu'elle est de « création ininterrompue d'imprévisible nouveauté » ; cf. « PP », in *PM*, p. 31 ; et « PR », in *PM*, p. 100-102 ; cf. également « CV », in *ES*, p. 12-13 ; et *EC*, p. 1-7 et s. Sur les coïncidences, les rencontres, et leur potentialité comique, cf. *infra*, p. 69 et s. ; et pour l'idée d'une attention des événements eux-mêmes « à leur propre cours », cf. note 56 du chap. II.

Variantes p. 67 : [a] ... une manière toute empirique de... (A) (I). [a] ... de tous les procédés... (A) (I).

46. Sur la *spécificité* de cette distraction risible (toute distraction ne l'étant pas), cf. *supra*, p. 14-16. La distraction des hommes et celle des événements, en raison de la fonction correctrice du rire, prendront cependant par la suite un statut différent et une importance inégale : cf. *infra*, p. 67-78, en particulier les remarques conclusives p. 78.

47. Sur cette allure déductive, cf. *supra*, p. 28. On soulignera surtout le point de vue adopté ici sur la vie : si la double caractérisation qui suit, spatiale et temporelle, rejoint des analyses menées par ailleurs, celles de la durée dans l'*Essai*, celles du corps vivant dans *Matière et mémoire*, il ne s'agit toutefois pas d'en proposer à présent un nouvel examen interne, mais d'en décrire les modes essentiels de manifestation extérieure, dans un champ perceptif qui est toujours un champ intersubjectif et social ; voir sur ce point *supra*, p. 4-6, 13.

Variantes p. 68 : [a] ... le mécanisme. Mais nous ne... (A).

48. Une confrontation directe avec les sciences du vivant et les théories

évolutionnistes conduira Bergson à relativiser ce caractère clos du vivant conçu comme *tout* ou système organique : cf. *EC*, p. 12-23. Envisagée « en extériorité » dans un champ de perception, il s'agit surtout ici d'accuser un aspect monadique de l'individualité tel qu'un vivant ne peut vivre un événement compris dans la série d'événements vécus par un autre – ce qu'éclairera *a contrario* le procédé d'interférence partielle des séries indépendantes, *infra*, p. 75-77.

49. Cf. note 68 ci-dessous.

50. Cf. *supra*, p. 55-56.

Variantes p. 69 : [a] ... mais beaucoup plus extraordinaire... (A) (I).

51. Nouvelle indication sur la source des procédés comiques dans la vie, dont les raffinements et les complexifications définissent le domaine de l'*artifice* : cf. *supra*, p. 50, 51-52, et *infra*, p. 77-78.

52. Sur cette autonomisation du bloc de circonstances réitéré par rapport aux personnages comme voués à le « jouer », cf. *infra*, p. 70, 77-78, et note 56 ci-dessous.

53. Allusion au problème technique des « préparations », cf. *infra*, p. 71.

Variantes p. 70 : [a] ... et répéter un certain... (A) (I).

54. Sur la dimension proprement langagière de l'effet comique causé par ce procédé de transposition, cf. *infra*, p. 93 et s.

55. Cf. R. J. Benedix (1811-1873), *Der Eigensinn*, trad. fr. A. Catala, *L'Entêtement*, Paris, C. Delagrave, 1889.

Variantes p. 71 : [a] ... préparés à la recevoir... (A).

56. La différence établie ici entre comédie classique et vaudeville est importante pour cerner le champ propre du *comique de situation*, et pour comprendre pourquoi Bergson, au seuil de ce chapitre comme au terme de cette analyse (cf. *infra*, p. 77-78), y voit le registre où excelle spécifiquement le vaudeville. Dans la comédie classique, la répétition d'une situation n'est perçue qu'indirectement, à travers le caractère des personnages : c'est en ce sens que dans les lignes qui suivent, Bergson explique que nous avons la comédie correspondant à la mécanique de notre temps, et que la comédie du XVIIe siècle mérite d'être dite classique pour autant qu'il n'y a rien de plus dans la situation que ce qu'y mettent les personnages qui en causent les répétitions et évolutions. (Sur cette expression même, cf. *EC*, p. 93). Très différente est la répétition des situations vaudevillesques, qui résulte d'une logique objective autonome de ces situations mêmes, ou d'une « distraction des choses », une obstination des événements eux-mêmes, les personnages ne tendant qu'à en subir les effets, emportés par le fatal enchaînement des circonstances. C'est alors seulement que l'on a du comique de situation à l'état pur, c'est-à-dire que les situations deviennent comiques *par elles-mêmes*, au lieu que les personnages les rendent telles par leurs propres dispositions de caractère. Mais voilà aussi ce qui devrait rendre plus

invraisemblables les coïncidences qui frappent ces situations, si n'était l'habileté du vaudevilliste (cf. *supra*, p. 69). Plus particulièrement, Bergson fait allusion ici à l'art des « préparations », annonces apparemment anodines qui installent dans les premières scènes de la pièce les ressorts de l'intrigue, et qui permettent ainsi par la suite le déroulement des péripéties suivant une inexorable concaténation de rebondissements, retournements de situation, jeux démultipliés de ricochets et de carambolages. Constituant la nouveauté de certains vaudevilles de Scribe, se complexifiant notablement chez Labiche, atteignant un degré de sophistication extrême chez Feydeau, ces techniques de préparation s'affirment progressivement comme l'une des caractéristiques du genre. Agençant des intrigues au déploiement à la fois de plus en plus scrupuleux et de plus en plus complexe, elles permettent en outre d'allonger les pièces d'un à trois actes. Enfin, du point de vue du spectateur qu'évoque ici Bergson, elles sont une façon pour le dramaturge d'annoncer, même obscurément, jusqu'aux plus extraordinaires répétitions, quiproquos et retournements, et d'aménager ainsi la surprise tout en réduisant l'impression d'arbitraire qu'elle pourrait provoquer : « Chacun de ces détails entre sans que vous sachiez comment dans votre mémoire, s'y enfouit, et en remonte juste au moment précis où la situation exige que vous vous en souveniez : ça, c'est le don du vaudeville » (Francisque Sarcey, *Le Temps*, 10 déc. 1894). Le sentiment de vraisemblance vient alors simplement de la résolution de l'attente initialement suscitée (quelle que soit l'invraisemblance des péripéties qui concourent à cette résolution). Sur le rôle crucial que tient dans ce procédé la familiarité du public avec les codes du genre, ou ce que Sarcey appelle « le sentiment des conventions », cf. *infra*, p. 78 ; notes 62 et 79 ci-dessous ; et nos « Lectures » p. 298-299.

Variantes p. 72 : [a] ... de tout ce qui vient... (A) (I).

57. Cf. E. Labiche, *Le Voyage de Monsieur Perrichon*, Acte II, scènes 3 et 10.

58. Allusion à la fameuse *Farce de Maistre Pierre Pathelin*, œuvre anonyme de la fin du XVe siècle. Pour une étude de cette farce tenant compte de l'analyse bergsonienne, cf. Paul Fleuriot de Langle, *Les Sources du comique dans la « Farce de Maître Pathelin »*, Angers, Librairie du Roi René, 1926.

59. Allusion à une autre farce célèbre de la seconde moitié du XVe siècle, *Farce nouvelle très bonne et fort joyeuse du Cuvier*.

60. On comprend ici le lien avec le procédé de répétition examiné précédemment : il s'agit dans les deux cas de l'agencement d'une situation autonome par rapport aux personnages qui en subissent le déroulement mécanique ou involontaire. Mais le procédé d'inversion a ceci de spécifique que la situation, s'autonomisant, prenant l'allure d'une sorte de distraction

objective et impersonnelle, se retourne contre le personnage qui en a cependant bien été initialement la cause ou l'initiateur volontaire.

Variantes p. 73 : [a] ... est bien de cette espèce... (A) (I). [b] ... est bien difficile de... (A) (I).

61. Sur cette thèse psychosociologique, et sur le problème épistémologique qui en découle pour l'assignation d'une « cause » du comique, cf. *supra*, p. 28-29 et s., et la loi des harmoniques comiques p. 42.

62. L'efficacité suggestive d'une vision comique ne dépend plus seulement ici des procédés effectivement mis en œuvre ; y contribue la simple familiarité prise à certains effets comiques longuement répétés, concevable sur le modèle de la formation des habitudes corporelles (cf. note 68 du chap. I). Est ainsi soulignée *l'historicité* des images comiques, qui concourt à expliquer l'expansion, tendanciellement illimitée, du comique à des éléments infimes, extrêmement fugitifs ou très lointainement allusifs. Pour une illustration de ce phénomène, sur le cas de l'image du « voleur volé », cf. *infra*, p. 82.

63. Cf. *supra*, p. 42.

Variantes p. 74 : [a] ... phénomène beaucoup plus général... (A) (I).

64. Pour cet écart entre le savoir des spectateurs et celui des personnages, voir à nouveau les remarques sur la « préparation » des spectateurs, *supra*, p. 71 et note 56.

65. C'est ainsi en effet que l'interprète par exemple Dumont, en accord avec sa théorie de la contradiction intellectuelle, in *Des causes du rire*, *op. cit.*, p. 95-96 ; voir également la nuance que lui apporte Mélinand, à l'appui de sa thèse selon laquelle le comique vient, non de la contradiction elle-même, mais de ce que celle-ci, d'abord perçue comme aberrante, est aussitôt reconnue comme logique ou naturelle sous un nouveau point de vue : « Pourquoi rit-on ? », art. cit., p. 622-623.

66. Sur cette interprétation intellectualiste de la cause comique, comme contraste des idées, contrariété ou contradiction des jugements, cf. note 15 du chap. I.

Variantes p. 75 : [a] ... Dans tout quiproquo... (A) (I).

67. Pour cette substitution, à un rapport causal, d'un rapport sémiotique rendant risible la perception-signe qui manifeste un ressort comique latent, cf. *supra*, p. 30, note 86 du chap. I, et *infra*, p. 85 ; et sur la signification sociologique de cette sémiotique, cf. *supra*, p. 15, note 45 du chap. I, et *infra*, p. 105.

68. On retrouve ainsi, dans le procédé d'interférence partielle de séries indépendantes, la technique rencontrée dans les deux procédés précédents : la dynamique d'une situation complexe qui se développe selon sa propre logique autonome, amenant des rencontres ou coïncidences extraordinaires qui s'apparentent à une distraction ou une obstination, non des personnages

qui les vivent, mais *de cette situation elle-même* – ou suivant l'arrière-plan leibnizien sous-jacent, une distraction ludique de l'entendement divin censé distribuer les événements dans des séries monadiques indépendantes. Se confirme la thèse selon laquelle le rire est provoqué, non pas par la relation abstraite établie intellectuellement entre deux idées (contradiction) ou entre deux significations d'une même proposition (équivocité), mais par ce que cette relation suggère nettement dans la perception : un être vivant conduisant sa vie en situation – c'est-à-dire développant l'« individualité parfaite d'une série [d'actions et d'événements] enfermée en elle-même » (*supra*, p. 68) – paraît subitement vivre un segment de la vie d'un autre, insinuant dans la perception des séries d'existence l'image d'un mécanisme à « pièces interchangeables » (*infra*, p. 77).

Variantes p. 76 : [a] ... pourrait tout aussi bien... (A) (I). [b] ...à travers toute la pièce... (A) (I).

69. On pourra confronter ce procédé mettant en jeu une série passée et une série présente avec l'analyse, sur le plan du comique de caractère, du mécanisme du souvenir obsédant chez Don Quichotte : cf. *infra*, p. 140-141, qui apparente cet effet à une obstination objective, une idée fixe *de la situation elle-même*.

70. Cf. A. Daudet, *Tartarin sur les Alpes*, *op. cit.*, chap. XI (rectif. : Bonnivard).

71. Sur les transpositions héroï-comiques, d'un point de vue plus spécifiquement langagier, cf. *infra*, p. 95-96.

72. Nouvelle allusion au *Chapeau de paille d'Italie*.

Variantes p. 77 : [a] ... grande : à tout moment l'une... (A) (I). [b] ... puis tout s'arrange et... (A) (I). [c] ... faisait toujours attention... (A) (I).

73. Voir par exemple *La Cagnotte*.

74. Voir par exemple *L'Affaire de la rue de Lourcine*. Pour toute cette analyse de l'interférence des séries passée et actuelle, ou idéale et réelle, et pour cette dernière évocation d'« un passé qu'on voudrait cacher, et qui fait sans cesse irruption dans le présent », cf. note 35 du chap. II.

75. Ce paragraphe conclusif réaffirme la continuité entre la vie réelle et le vaudeville qui excelle à en reprendre, à en accentuer et en complexifier les ressorts comiques ; il précise par là même la « zone des artifices, mitoyenne entre la nature et l'art » (*supra*, p. 50), définie par l'exagération d'une « certaine raideur naturelle des choses », c'est-à-dire d'une tendance naturelle des événements, actions et situations prises dans leur dimension objective ou *matérielle* ; et par là encore, il prépare la définition de l'art comique qui, dans la comédie de caractère, remontera au contraire dans la raideur ou les formes de distraction *propres à l'esprit*. On retrouve ainsi dans le mouvement du *Rire* le dualisme de la matière et de la mémoire, comme bipolarité immanente à notre vie, mise en place en 1896.

76. Sur cette thèse fondamentale du bergsonisme, cf. *supra*, p. 66-67, et note 45 du chap. II.

Variantes p. 78 : [a] ... nous le prouverons plus loin... (A) (I). [b] ... n'était toujours un plaisir... (A) (I).

77. Cf. *infra*, p. 101-113 ; et *supra*, p. 8-13. L'expression de « distraction des choses » ou « des événements », tout en spécifiant une catégorie particulière de comique, signale aussi une nouvelle harmonique de la « note comique » fondamentale qu'est, au plus près de la source du rire (un certain raidissement contre la vie sociale), la *distraction du caractère* : *supra*, p. 101-102.

78. L'argument, tout en rappelant la source sociale du rire, semble y introduire une certaine ambivalence : le plaisir qu'invoque ici Bergson doit-il conduire à envisager *une dualité des sources* du rire, l'une dans les exigences de la vie sociale et dont la direction conduirait au comique de caractère, l'autre dans le développement psychogénétique suivant lequel on commence par imiter distraitement la vie avant de s'y engager par l'attention et l'action, et dont la direction conduirait du « plaisir du jeu » spontané chez l'enfant au comique de situation ? Quoi qu'il en soit, une telle dualité n'est pas de nature à faire dévier le fil directeur posé au seuil de l'ouvrage – la signification sociologique du comique, la fonction sociale du rire spécifiquement provoqué par le comique (*supra*, p. 6) –, si l'on tient compte de la naturalisation de la vie sociale opérée dès cet ouvrage, avant d'être radicalisée dans *L'évolution créatrice* puis dans *Les deux sources* (*EC*, p. 259 et s. ; « PP », in *PM*, p. 73-74 ; *DS*, p. 52-56, 121-124), qui permet de concevoir des exigences sociales déjà au travail dans les jeux innocents de l'enfant.

79. Bergson ne veut pas dire que la comédie de caractère peut se passer de convention, mais que son comique tient sa spécificité de pénétrer dans la vie subjective concrète, là où le vaudeville manipule essentiellement des situations objectives détachées des individualités vivantes censées en constituer les centres subjectifs. C'est pourquoi le caractère conventionnel pointé ici, s'il vaut pour tout jeu, et pour tout jeu théâtral, convient excellemment au vaudeville, comme l'a suggéré déjà la question de la vraisemblance des coïncidences et de la préparation du spectateur aux péripéties les plus extraordinaires ; cf. *supra*, p. 71 note 56. Le critique dramatique Francisque Sarcey, dès les années 1860-1870, attira l'attention sur l'importance de ce pacte tacite avec les spectateurs, admis dans leur horizon d'attente par la popularité du vaudeville qui les familiarisa rapidement avec ses codes et ses ficelles, et qui permit simultanément de raccourcir le temps des « préparations » tout en complexifiant les intrigues, jusqu'à distordre parfois à l'extrême les bornes de la vraisemblance. Cf. « Lectures » du *Dossier*.

Variantes p. 79 : [a] ... il doit tout ce qu'il est... (A) (I). [b] ... nous serons

très embarrassés, dans la plupart de ces cas... (A) (I). [c] ... comique.
J'incline à croire qu'un mot... (A) (I).

80. Cf. notamment *supra*, p. 5, 47, 55.

81. Cette distinction entre un langage qui exprime des personnages ou des situations comiques, et un langage qui produit, par lui-même, des effets *linguistiquement* comiques, est capitale à trois titres : elle cerne le domaine propre au comique de mots ; simultanément, elle inscrit ce dernier dans un groupe social donné, et le scelle ainsi à l'idiosyncrasie linguistique d'une communauté, comme l'illustreront exemplairement les analyses des jeux de transposition des tonalités langagières (cf. *infra*, p. 94-99) ; par là, elle ouvre enfin le problème, qui sera pris en charge au chapitre III, du rapport général du langage à la vie sociale et, partant, en raison de sa nature et de sa fonction fondamentalement sociales, de la potentialité comique que recèle le langage *en général* (et non plus en vertu de telle structure syntaxique ou sémantique particulière) ; cf. *infra*, p. 117-118.

82. C'est un premier trait de ressemblance du comique de mots avec le comique de situation : l'un comme l'autre valent indépendamment de la disposition subjective des personnes qui, en parole ou en acte, sont censées s'y exprimer : cf. notes 56 et 68 du chap. II). Cela rend compte de leur traitement commun dans ce second chapitre, c'est-à-dire de l'irréductibilité du comique de mots au comique de caractère.

83. Bien qu'incidente, cette sensation confuse n'est pas tout à fait anodine : elle vient rappeler lointainement la fonction correctrice du rire. L'essentiel, encore une fois, tient à ce que cette sensation ne puisse devenir plus nette sans que nous passions dans un nouveau registre, celui du comique de caractère. Il faut en conclure encore une fois que les différences profondes entre les formes de comiques n'annulent aucunement la gradation continue qui les relie entre elles, et qui prend sa source dans le rapport complexe qui se noue *dans le comique de caractère* entre l'art, la vie individuelle, et la vie sociale : voir le passage crucial à cet égard *infra*, p. 98-99.

Variantes p. 80 : [a] ... Peut-être faudrait-il... (A) (I). [b] ... Il me semble... (A) (I). [c] ... est nécessairement un peuple... (A) (I). [d] ... Dans tout homme d'esprit... (A) (I). [e] ... dans tout bon liseur... (A) (I).

84. Pour une telle distinction, dont Bergson s'apprête à relativiser l'importance dans les analyses qui suivent, cf. T. Lipps, *Komik und Humor*, *op. cit.*, p. 78-97, et P. Lacombe, « Du comique et du spirituel », in *Revue de métaphysique et de morale*, t. V, 1897, p. 582 et s., définissant le spirituel comme « du comique qu'une personne tire d'une autre et produit à ses dépens ». Sur la difficulté de définir le spirituel, compte tenu de ses innombrables variétés, cf. également A. Penjon, « Le rire et la liberté », *Revue philosophique de la France et de l'Étranger*, t. XXXVI, août 1883,

p. 128-129 ; et surtout les admirables analyses de Richter dans son *Cours préparatoire d'esthétique*, trad. fr. A.-M. Lang et J.-L. Nancy, Lausanne, L'Age d'Homme, 1979, IXe Programme, p. 169-202.

85. Sur le sens conceptuel de cette image, cf. *infra*, p. 84.

86. Pour la portée de cette intrication toute « spirituelle » du langage et du théâtre dans l'analyse du comique de mot, cf. *infra*, p. 81, 84, et ci-dessous notes 91-92. Sur la mise en scène de soi de l'homme d'esprit, cf. p. 81.

87. Cette première partie de l'analogie lecteur/comédien = hommes d'esprit/poète, nous informe tant sur la conception bergsonienne de la lecture que sur celle du jeu dramatique. La lecture y paraît un commencement de jeu, une ébauche de dramatisation, la seule interprétation ou compréhension du sens suffisant à susciter dans le corps des postures et actions naissantes où s'esquisse déjà un devenir scénique du texte (pour cette idée, cf. la conclusion des analyses du chap. II de *MM*, p. 146). – Mais une ébauche seulement, qu'empêche de se développer un rapport *intellectuel* d'extériorité entre la subjectivité du lecteur et les personnages, leurs situations, leurs pensées, actions et sentiments, dont il suffit au bon lecteur de comprendre les rapports dans une progression indivise sans avoir à y mêler les siens et à les actualiser dans son propre corps, comme le fait précisément le comédien dont l'excellence tient à disparaître tout à fait, corps et âme, derrière le personnage, à se fondre dans l'âme et le corps du personnage lui-même. Pour une conception sensiblement différente de la lecture, alors rapprochée de l'intuition plutôt que de l'intelligence, cf. aussi « PP », in *PM*, p. 93-95.

Variantes p. 81 : ^a ... transparaît toujours derrière... (A) (I).

88. Sur cet « oubli de soi » nécessaire à la création poétique, et que contrarie l'intelligence déterminée par les structures perceptives et linguistiques de notre rapport pratique au monde, cf. l'idée d'une distraction naturelle de l'artiste *infra*, p. 118.

89. C'est en ce sens que « lui-même, un peu, se met en scène aussi » dans son mot d'esprit, *supra*, p. 80.

90. Ce passage anticipe la théorie de l'art et le portrait de l'artiste qui lui correspond, exposés dans le chapitre III : cf. *infra*, p. 115-130, en particulier p. 118-120 et 127-129.

91. L'intérêt de ce sens restreint du « spirituel », non seulement pour la forme particulière du comique de mots, mais pour la théorie générale du rire provoqué par le comique, tient à mettre au jour la gradation continue qui relie le comique de situation et le comique de mots, avant que Bergson les replace l'un et l'autre à leur tour dans le mouvement d'intensification croissante conduisant au comique de caractère, cf. *infra*, p. 98-99. Comme l'annonçait Bergson, « de forme en forme, par gradations insensibles, [la fantaisie comique] accomplira sous nos yeux de bien singulières

métamorphoses » (*supra*, p. 1-2). Le mot spirituel est l'une d'elles : ébauchant une situation comique dans une esquisse de mot comique, pouvant se développer dans un sens ou dans l'autre, il relie ces deux formes sans en annuler la différence : cf. *infra*, p. 84.

92. Sur ce caractère allusif ou fuyant de l'image comique, cf. *supra*, p. 24, 27, 47. L'essentiel tient ici à ce qu'il devient, dans le spirituel, un *ressort positif et distinctif* : cf. *infra*, p. 83-84, 144. P. Lacombe l'avait déjà souligné : spirituelle est « une image, qui suggère l'idée de toute une scène [...]. Faire entendre une chose qu'on ne dit pas expressément par une autre qui devient comme le signe ou le substitut de la première [...], voilà le procédé. Et plus ce qu'on sous-entend, et que cependant on suggère, est ample, détaillé, nombreux, par comparaison avec l'expression abrégée, amincie, effilée, plus il y a de sous-entendu, et plus on paraît spirituel. Le langage usuel a ici une bonne métaphore. Ces façons de dire sont des "pointes" ou des "traits" d'esprit. Il semble en effet qu'on fait voir toute une chose en la montrant rien que par l'un de ses angles ou par une arrête aiguë » (P. Lacombe, « Du comique et du spirituel », art. cit., p. 582-583). On se rappellera aussi bien la caractérisation qu'en donnait déjà Hobbes, par la vivacité et la promptitude de l'imagination figurative, T. Hobbes, *Le Léviathan*, L. I, chap. VIII, trad. fr. F. Tricaud, Paris, Dalloz, 1999, p. 64-65. Cf. également la confrontation des analyses bergsonienne et freudienne du mot d'esprit dans son rapport au comique, *in* F. Worms, « Le rire et sa relation au mot d'esprit », art. cit., p. 198-205.

93. Reprise de la question soulevée *supra*, p. 79-80 (de qui fait rire le mot d'esprit ?), question dont ne dépend cependant plus le critère de distinction du comique et du spirituel.

Variantes p. 82 : [a] ... sont presque toujours des variations... (A) (I). [b] ... d'esprit. Tout mot d'esprit se prêtera... (A) (I). [c] ... vous en aurez... (A) (I).

94. Sur l'expression « que nous connaissons bien », cf. *supra*, p. 72-73, et note 62 ci-dessus : compte tenu du caractère particulièrement allusif et fugitif de la scène de comédie suggérée à l'état d'ébauche dans le mot d'esprit, l'efficacité comique de ce dernier suppose que cette scène soit passée dans le répertoire des « types » familiers ou « modèles » de comique.

95. Cette expression est empruntée à Auguste Penjon, qui applique au jeu de mots sa conception du comique comme signe d'une liberté première et absolue dont il nous arrive subitement de faire les frais ; cf. « Le rire et la liberté », art. cit., p. 124 : « Les naïvetés, qui nous font rire, sont comme autant de faux pas ; ce sont en effet des déformations ou des suites de déformations intellectuelles plus ou moins passagères [...] ; à l'idée qu'il se proposait d'exprimer, s'est substituée, à son insu et par une traîtrise des expressions – le plus souvent convenues et toutes faites, – dont il s'est

servi, une idée différente. Il est mystifié, comme le bossu ou le boiteux de naissance, ou plutôt il s'est laissé choir dans le piège que lui tendait les associations d'idées ou de mots ». Voir également P. Lacombe, « Du comique et du spirituel », art. cit., p. 583-584.

96. Cf. *infra*, p. 84.

97. On comparera cette définition *opératoire* avec l'artifice méthodologique évoqué *supra*, p. 13, et surtout avec le rapport entre vaudeville et vie réelle, *supra*, p. 51.

Variantes p. 83 : [a] ... père ? Nous comprenons bien maintenant pourquoi... (A) (I). [b] ... sans réussir jamais à... (A) (I).

98. Molière, *L'Amour médecin*, Acte III, scène 5.

99. Cf. *supra*, p. 59-61 et 27.

100. Sur cette conversion du sens affectif ou moral d'une relation en un rapport simplement physique, cf. *supra*, p. 28 et s. L'analyse de cet exemple, en démontant les opérations qui conduisent du mot d'esprit au comique apte à provoquer le rire, avère à nouveau la transition continue que le spirituel, suscitant une ébauche de l'un au moyen de l'autre, permet d'établir entre le comique de situation et le comique de mots : il emploie une distraction du langage au moins potentielle, pour suggérer fugacement dans l'imagination la vision d'une scène de comédie possible.

101. Cf. note 84 du chap. II.

Variantes p. 84 : [a] ... déjà bien assez... (A) (I). [b] ... l'autre. Et par là... (A) (I). [c] ..é voque toujours l'image confuse... (A) (I).

102. Cf. notes 91-92 du chap. II.

Variantes p. 85 : [a] ... ainsi toutes les formes possibles du comique de mots et toutes les variétés de l'esprit... (A) (I). [b] ... ne peut arriver... (A) (I).

103. A travers l'analyse du spirituel, et de son double rapport au comique de mots et au comique de situations, on retrouve par une voie inattendue une thèse centrale de la pensée bergsonienne du langage, reformulée ici au chapitre III, *infra*, p. 117-118 : les structures de celui-ci dépendent étroitement de notre rapport perceptif et pratique au monde. Vient la confirmer ici, à travers l'image empruntée à la géométrie projective, l'affirmation selon laquelle une situation et un énoncé deviennent comiques par les mêmes opérations.

104. Première application portant sur la donnée la plus générale établie au chapitre I, c'est-à-dire sur le comique en ce qu'il y a de plus impersonnel dans notre personne ou notre vie, cf. *supra*, p. 17-28.

105. Pour l'importance de ce point, cf. *infra*, p. 99, 117-118.

106. Le problème formulé ici découle de la condition *sine qua non* du comique de mots énoncée plus haut (analogue à celle du comique de situation) : il faut que l'énoncé soit « détaché » de son énonciateur pour prendre

« une force comique indépendante », à défaut de quoi le comique du langage perd sa spécificité et tend à se fondre dans le comique de caractère : cf. *supra*, p. 79 ; notes 81-83 du chap. II ; *infra*, p. 98-99.

Variantes p. 86 : [a] ... on obtiendra toujours un mot comique... (A) (I). [b] ... n'est pas du tout ici la source... (A) (I). [c] ... est toujours transposable... (A) (I).

107. Nouvelle reprise de la distinction entre comique latent et comique manifeste, cf. *supra*, p. 30, 74-75 ; sur sa portée critique corrélative contre la thèse imputant à l'absurdité ou à la contradiction une efficience causale, cf. note 86 du chap. I ; pour le réexamen bergsonien de l'absurdité spécifiquement comique, cf. *infra*, p. 138-139. A ce rapport causal, Bergson substitue un rapport sémiotique, lui-même articulé sur la bipolarité de la vie psychologique entre distraction et attention, habitude et reconnaissance attentive : l'absurdité n'est pas cause de l'effet comique mais un « signe » (*supra*, p. 85) qui, attirant brusquement notre attention sur le caractère automatique d'une expression stéréotypée, nous rend sensible une distraction *du langage lui-même* (et non de l'énonciateur), cause véritable de ce type de comique de mots bien qu'ordinairement mise en sommeil par nos habitudes langagières.

108. Est ainsi fondée la potentialité comique du langage *en général* ; Bergson en précisera plus avant l'origine en analysant le rapport du langage à la *généralité* dans la vie individuelle et sociale, cf. *infra*, p. 115-118. Sur le problème de la traduction de ce type de comique étroitement solidaire des habitudes linguistiques d'un groupe social donné, cf. *supra*, p. 79.

Variantes p. 87 : [a] ... Il me semble qu'on profite ici... (A) (I). [b] ... pour l'homme, de tuer... (A) (I). [c] ... Mais ces deux propositions... (A) (I).

109. E. Labiche, *Le Prix Martin*, Acte II, scène 10.

110. Cf. note 86 du chap. I.

111. Cf. *supra*, p. 38 et s.

112. Pour cette origine pragmatique de la sémantique, qui signale l'inscription du langage dans le rapport de notre corps à son milieu de perception et d'action, cf. *infra*, p. 117-118.

Variantes p. 88 : [a] ... comique toute les fois qu'on affecte... (A) (I). [b] ... que toute parenté implique... (A) (I). [c] ... encore, je crois, à M. Prudhomme... (A) (I). [d] ... d'un très prétentieux... (A) (I).

Variantes p. 89 : [a] ... je puisse... (II) : restitution de (A) et (I) : ... je ne puisse... [b] ... amusant toutes les fois qu'on... (A) (I). [c] ... affectera de... (A) (I).

113. Cf. note 95 ci-dessus.

114. Théodore Barrière, Ernest Capendu, *Les Faux Bonshommes*, Paris, Michel Lévy frères, 1856, rééd. INALF, coll. « Frantext », 1961, p. 69, Acte II, scène 7.

115. *Ibid.*, p. 59, Acte II, scène 4.

Variantes p. 90 : [a] ... médailles, alors qu'une... (A) (I). [b] ... raisonnement tout-a-fait semblable... (A) (I). [c] ... une à une toutes les lois... (A) (I). [d] ... est toujours comique... (A) (I).

116. E. Augier, *Les Effrontés*, Acte IV, scène 9, in *Théâtre complet*, t. IV, Paris, Calmann-Lévy Éditeurs, 1890, p. 418.

117. Cf. *supra*, p. 68-77.

118. Cf. *supra*, p. 67-68 et 77-78.

119. Pour une première occurrence de cette idée, voir l'image du conflit du geste et de la parole *supra*, p. 24-25. Pour la thèse sur le langage impliquée ici, cf. *infra*, p. 99, 117-118 ; *E*, p. 96-104 ; *MM*, p. 139. Dans ce nouveau contexte d'analyse, où il s'agit de montrer que le langage devient comique en subissant les mêmes opérations que celles à l'œuvre dans le comique de situation, la pensée, ses complexes de sens et d'idées, viennent tenir la place qu'occupaient précédemment les systèmes d'actions et de relations, c'est-à-dire l'apparence ou « l'illusion de la vie » : cf. *supra*, p. 53 et 77.

Variantes p. 91 : [a] ... systèmes d'idées indépendants... (A). [b] ... importance au point de vue de la théorie... (A) (I). [c] ... car j'ai remarqué que... (A) (I). [d] ... Mais je n'insiste pas sur ce genre... (A) (I).

120. E. Labiche, *Les Suites d'un premier lit*, scène 8.

Variantes p. 92 : [a] ... paraissent toujours manifester... (A) (I). [a] ... trahit donc toujours une... (A) (I).

121. Cf. *supra*, p. 67-68.

122. Sur le calembour, voir P. Lacombe, « Du comique et du spirituel », art. cit., p. 584 (« où cours-je ? », « avec quel as perds-je ? »...) ; et L. Dumont, *Théorie scientifique de la sensibilité, op. cit.*, p. 222. La dépréciation dont le calembour fait l'objet tient à ce que la superposition partielle de deux systèmes d'idées indépendants ne se réalise pas dans une même phrase, dont la polysémie nous donnerait le sentiment qu'une pensée s'est distraitement égarée dans le discours d'une autre, mais profite d'une coïncidence seulement phonétique qui ne laisse de maintenir l'indépendance des deux phrases – d'où le caractère quelque peu artificieux du procédé (« on affecte de confondre. »). Pour l'arrière-plan théorique de cette analyse, cf. l'analyse de l'attention au sens et de la reconnaissance auditive des mots dans le mécanisme de l'interprétation, in *MM*, 118 et s., 128-135.

123. Cf. *supra*, p. 87 et s.

124. On notera une fois encore le soin mis éviter une taxinomie statique des différentes formes ou figures analysées, en les replaçant dans les séries de gradation qui les relient, c'est-à-dire les lignes de variation intensive de l'attention à la vie dont elles marquent les degrés. Ici, de l'attention la plus superficielle aux simples coïncidences phonétiques du langage (calembour) à

l'attention aux accords profonds de la nature et du langage qui parvient parfois à en exprimer les rapports (hypotypose ou analogie instructive), le « jeu de mot » à proprement parler apparaît comme une forme transitionnelle, mixte, ou pour ainsi dire hésitante entre les deux : jouant du sens des mots et non de leur seule sonorité, il impose cependant les rapports internes du langage au réel au lieu d'exprimer celui-ci par ceux-là. Cette continuité du jeu de mot à la métaphore poétique et à « l'esprit analogique » est déjà suggérée par Lacombe dans son article important pour toute cette section, « Du comique et du spirituel », art. cit., p. 584-585.

125. Sur un tel « oubli » du caractère conventionnel d'une pratique humaine qui prétend réglementer la nature en se substituant à ses propres lois, cf. *supra*, p. 34-37.

126. Cf. *supra*, p. 79, et notes 81-83 du chap. II.

Variantes p. 93 : [a] ... mots. Beaucoup plus profond... (A) (I).

127. Cf. *supra*, p. 58 et s., et 68-71.

128. Cf. *supra*, p. 70.

129. Les procédés précédents jouaient d'une « distraction momentanée » et accidentelle du langage ; ce dernier, de loin le plus longuement développé, éclaire son comique le plus propre. Il implique une complexification de la notion de « plan du langage », qui comporte en réalité une pluralité de plans de tonalités distinctes. La distraction du langage lui devient bien alors interne, une même idée appartenant à un plan tonal et trouvant dans une attention proprement linguistique la condition de son actualisation dans le milieu stylistique adéquat, pouvant également être répétée sur un tout autre plan tonal et s'actualiser « distraitement » dans un style tout différent. On notera l'analogie de ce dispositif avec celui des plans de conscience dans *Matière et mémoire*, les tonalités s'apparentant aux sections du « cône » de la mémoire qui en « répètent » la totalité à des degrés de contraction différents, les idées, aux souvenirs qui s'y distribuent selon des degrés d'intensité distincts, l'expression stylistique concrète, à la pointe du cône où les idées s'actualisent dans le milieu présent de l'élocution matérielle : cf. *MM*, p. 187-190, et le cas particulier analysé p. 134-135 ; *Lettre à E. Faguet* du 3 octobre 1904, in *Mélanges*, p. 635 (cf. l'anthologie de « Lectures » p. 318).

130. Le terme d'instinct désigne ici le caractère irréfléchi ou spontané que confère à nos actes psychiques comme à nos conduites corporelles une habitude sociale, et n'a donc pas encore le sens spécifique qu'il prendra à partir de *L'évolution créatrice* ; cf. *EC*, p. 136-177 ; *DS*, p. 115-124. Sur les ellipses qu'une telle habitude rend possible, cf. *supra*, p. 72, et *infra*, p. 96.

Variantes p. 94 : [a] ... obtiendra toujours un effet... (A) (I).

131. Pour ces deux formes particulières, cf. *infra*, p. 96-98.

132. Sur les attendus d'une telle méthode, non seulement pour le langage mais pour l'ensemble de la théorie du comique, cf. *supra*, p. 28-29 et note 82 du chap. I.

133. Romancier, humoriste et essayiste allemand, Johann Paul Richter (1763-1825) est l'auteur notamment d'un *Éloge de la bêtise*, et surtout d'une *Poétique, ou Introduction à l'esthétique*, traduite en 1862 (Paris, A. Durand) par Léon Dumont qui, comme maints théoriciens des dernières décennies du XIXᵉ siècle mentionnés dans la bibliographie du *Rire*, s'y réfère souvent : « *Abécédaire du romantisme* », il y voit « peut-être l'étude la plus complète qui ait été faite sur la poésie moderne (*Des causes du rire, op. cit.*, p. 25, n. 1). Bergson lui-même y fait quelques rapides allusions dans son cours d'esthétique de Clermont-Ferrand : *Cours*, t. II, *Leçons d'esthétique...*, *op. cit.*, p. 37, 43.

Variantes p. 95 : [a] ... en a une multitude d'autres... (A) (I). [b] ... l'autre. Et l'on pourrait, ce me semble, en distinguer... (A) (I).

134. Le terme est fixé par Alexandre Bain (*the degradation of dignity*), mais se rattache à une longue tradition de conception du risible de dépréciation : cf. A. Bain, *Les émotions et la volonté* (1859), *op. cit.*, p. 250 pour la citation. Bergson se réfère ici à l'analyse du burlesque menée par Bain aux sections 38 et 39 du chapitre IX, et la citation est extraite d'un commentaire de la thèse prêtée à Aristote selon laquelle « la comédie doit peindre des caractères sans valeur, non pas vicieux, mais *mesquins* ou vils ». Bain y critique la thèse largement partagée selon laquelle le rire « est provoqué par l'*incongruité*, c'est-à-dire par la discordance entre les choses » : « Il y a beaucoup de ces oppositions qui sont loin de faire naître le rire.» Il discute également la position défendue par Hobbes, dont il restreint la portée (« L'*occasion* du rire, c'est la dégradation d'une personne ou d'un intérêt ayant de la dignité, dans des circonstances qui n'excitent pas quelque émotion plus forte », *ibid.*, p. 249), avant d'énoncer la sienne : le rire est provoqué par le sentiment brusque d'une détente, le relâchement d'un effort ou d'une contrainte subitement levée (cf. « Lectures » du *Dossier*).

135. On perçoit à nouveau ici l'efficacité de la méthode bergsonienne, permettant de distribuer des effets comiques hétérogènes à partir d'un dispositif simple d'engendrement, évitant la simple classification dans une taxinomie statique et abstraite : ici, un dispositif de transposition d'abord entre tonalités très éloignées, générant des effets de dégradation du solennel au trivial (*parodie*) ou d'exagération du trivial au solennel (*héroï-comique*), puis entre tonalités moins éloignées générant des effets de transposition du réel à l'idéal (*ironie*) ou de l'idéal au réel (*humour*), puis entre tonalités plus proches encore, de transposition de langages spécialisés, mondains, techniques ou professionnels.

Variantes p. 96 : [a] ... genre un peu usé, je le veux, mais... (A) (I).

[b] ... comique. J'emploie à dessein un mot anglais... (A) (I). [c] ... système de transposition couramment accepté... (A) (I). [d] ... l'immortalité. Je ne citerai que... (A) (I). [e] ... dans un roman de Gogol... (A) (I).

136. Allusion peut-être au drame romantique hugolien.

137. Voir emblématiquement William Makepeace Thakeray, *Vanity fair, a novel without a hero*, trad. fr. G. Guiffrey, *La foire aux vanités*, Paris, Hachette, 1884, 2 t. ; et surtout les *Snob Papers*, trad. fr. G. Guiffrey, *Le livre des snobs*, Paris, Hachette, 1860.

138. Sur ce caractère allusif ou fugitif de la suggestion, cf. *supra*, p. 47-48, 72, 93. Il permet ici d'indiquer une différence intensive entre l'exagération en grandeur (qui « est comique quand elle est prolongée et surtout systématique », *supra*, p. 95), et la transposition en valeur qui se rapproche, comme l'illustre la sentence du *Révizor* qui suit, du trait d'esprit – ce pour quoi Bergson la dit « plus raffinée ».

Variantes p. 97 : [a] ... l'humour a un air scientifique... (A) (I).

139. Cette distinction de l'ironie et de l'humour à partir de l'écart ou de l'antithèse entre le réel et l'idéal s'appuie sur la conception romantique de l'ironie, chez Solger, Friedrich Schlegel ou Richter, ou du moins sur sa réception ou sa reformulation critique, par exemple chez Hegel (*Principes de la philosophie du droit*, § 140) ou chez Kierkegaard (*Le Concept d'ironie*). Ces derniers rapportent l'ironie romantique à sa source socratique, à laquelle fait écho la remarque qui suit concernant le mouvement ascensionnel nous élevant « de plus en plus haut par l'idée du bien qui devrait être » ; – ils lient en outre le mouvement ironique à la « fameuse liberté poétique illimitée » du moi romantique maintenant sa conviction subjective face au triomphe manifeste de la nature ou du réel, liberté poétique à laquelle fait peut-être écho également ici la caractérisation « oratoire » de l'ironie comme une «é loquence sous pression ». Cf. également, plus proche de Bergson, la distinction entre « humour satirique » et « humour ironique » proposée par Th. Lipps, in *Komik und Humor*, op. cit., p. 252-264. Pour le souci tout physique et « scientifique » de l'humour pour le détail, cf. J. P. Richter, *Cours préparatoire d'esthétique*, op. cit., VII[e] Programme, § 35, p. 139-143, qui prend notamment pour exemples Rabelais, Shakespeare, Sévigné et Sterne.

Variantes p. 98 : [a] ... c'en est l'essence même... (A) (I). [b] ... l'humoriste est un moraliste... (A) (I). [c] ... où nous prenons ici le mot... (A) (I).

140. Pour le procédé comique général auquel s'apparente cette transposition des tonalités de langage, cf. *supra*, p. 38 et s., et 87-90.

141. Pour la signification proprement sociologique de ce procédé comique, cf. *infra*, p. 135-138.

142. Allusion à E. Labiche, *Doit-on le dire*, Acte III, scène 5.

143. Le comique professionnel tient ainsi une place symétrique de celle

du spirituel sur lequel s'était ouvert l'analyse du comique de mots : il signale la continuité intensive qui relie le comique de mots et le comique de caractère, de même que le spirituel marquait la continuité du comique de situation au comique de mots : cf. *supra*, p. 80-81, 84 ; notes 91 et 100 du chap. II. Mais sa signification sociologique conduira bien Bergson à y voir une « catégorie de comique » à part entière, et à lui consacrer une analyse spéciale dans le chapitre III : cf. *infra*, p. 134-138.

144. Allusion à Victorien Sardou, *La Famille Benoiton* (1866), Paris, Michel Lévy frères, 1866 ; et T. Barrière et E. Capendu, *Les Faux Bonshommes*, *op. cit.*, par exemple Acte I, scène 6.

Variantes p. 99 : [a] ... on a pu le voir... (A) (I). [b] ... assez profondément vivante... (A) (I).

145. On notera la construction doublement circulaire des analyses ainsi menées dans ce second chapitre. L'analyse du comique de mots, ouverte par une gradation faisant passer d'un langage *exprimant* des situations comiques et un langage par lui-même comique, se termine ici par la gradation inverse conduisant du langage comique à un langage exprimant simplement un caractère comique. Mais du même coup, c'est l'ensemble du second chapitre qui relie les conclusions du premier aux développements du troisième sur le comique de caractère, ce paragraphe marquant le tournant de l'analyse qui l'engage vers sa double résolution, concernant la source du comique d'une part, et le rapport de l'art et de la vie d'autre part. En effet, les formes de comique analysées dans ce chapitre ont révélé des procédés de manipulation de situations d'action et de langage détachées de tout « caractère », de toute conscience subjective susceptible de se rapporter à ces actions, à ces situations et ces mots comme aux mouvements de *sa* vie, c'est-à-dire de la durée par laquelle elle s'individue *en changeant*. C'est même à la condition d'un tel détachement que les « comique de situation » et « comique de langage » ont pu apparaître comme des catégories de comique, dotées d'une autonomie psychologique et esthétique ; mais c'est pourquoi aussi ces comiques sont encore accidentels, relèvent d'un artifice de l'« illusion de la vie ». La thèse que pose ici Bergson à propos du langage, et qui vaut aussi bien pour les actions et les situations, soutient que la tension dont jouent ces formes comiques entre l'automatisme mécanique et l'allure de la vie n'a de sens pour nous que parce que nous y sentons que l'automatisme, la raideur ou la distraction des situations et du langage trouvent leur source dans « notre vie », en sa détermination désormais la plus concrète, singulière, c'est-à-dire individuelle et temporelle. C'est donc dans la conscience ou dans la vie subjective de l'esprit, qui paraît pourtant s'y refuser par essence, que doit finalement être expliquée la tendance à l'automatisme et au mécanique, la tendance à former du « tout fait » dans ce qui est substantiellement du « se faisant », à générer des habitudes dans ce qui est essentiellement

« création de soi par soi », à former du général dans ce qui est acte continu d'individuation : tel sera précisément le principe du *comique de caractère*, et l'enjeu de la reprise dans le chapitre III du concept d'attention à la vie.

146. Sur l'unité organique ou simple de la vie, et son incompatibilité avec le comique, cf. *supra*, p. 67-68. Toutefois il s'agissait dans ces pages de la vie perçue « du dehors ». Réactivant les analyses des chapitres II et III de l'*Essai* sur l'organisation des états de conscience et sur le « moi profond », l'expression de vie « complète et parfaite » comprend ici l'essentielle simplicité, en deçà de l'opposition abstraite de l'un et du multiple, de la durée, ou de la vie comme totalité temporelle présente indivise en l'intégralité de ses états et mouvements, et qui ne peut par conséquent pas être analysée en éléments discrets sans que ce tout ne se transforme qualitativement, ne change de sens.

147. Pour cette image, en rapport avec l'introduction de la notion d'organisme dans la description des états de conscience et des idées, cf. *E*, p. 101 et 125 ; et ici note 46 du chap. I.

148. C'est donc bien dans un raidissement *de la vie elle-même* que se fonde la possibilité même des artifices comiques ; ou pour reprendre la conceptualité que développera *L'évolution créatrice* mais qui est introduite dès *Le rire*, c'est *dans* la vie que se trouve une tendance à l'inorganique qui fonde le comique, et qui explique que le comique, ainsi fondé, soit nécessairement une affaire d'« intelligence » et de « fabrication », c'est-à-dire de procédures adaptées à la matière inorganique. La tendance à « se scinder en organismes indépendants » définira en 1907 l'effet de la matière elle-même dans l'activité créatrice de la vie : cf. *EC*, p. 216, 257-259, 270-271 ; sur la détermination corrélative de l'intelligence fabricatrice, cf. *EC*, p. 93-94, 138-141 et s. Pour l'opposition, autour de laquelle tourne tout ce passage, du « tout fait » ou « tout donné », décomposable en états discrets, éléments ou moments eux-mêmes invariants et dès lors combinables intellectuellement et mécaniquement, et d'un tout ouvert ou « se faisant » et intégralement présent en tous ses états, c'est-à-dire qualitativement changeant et inanalysable en parties extérieures les unes aux autres, cf. *EC*, 38, 51, 238, 241, 269, 344. – Ce thème doit être rattaché, dans *Le rire*, au motif omniprésent de l'« isolement », cf. Index des notions ; et particulièrement *infra*, p. 107-111.

Variantes p. 100 : [a] ... comiques, et de déterminer... (A). [b] ... comédie de mœurs, mais... (A).

149. Cf. *supra*, p. 5-6.

150. Cf. *supra*, p. 14-16, 66-67, 78.

151. Sur ce triple enjeu du *Rire*, cf. *supra*, p. 6, 49-50 ; notes 3 et 48 du chap. I.

NOTES DU CHAPITRE III

Variantes p. 101 : [a] ... Convaincus... (A) (I). [b] ... portée spéciales, que...
(II) ; restitution de (A) et (I) : ... portée sociales, que...

1. Sur cette question méthodologique fondamentale, et le statut qui en découle des exemples dans l'argumentation, cf. *supra*, p. VI, 1-2 ; notes 1 et 51 du chap. I ; *infra*, p. 139, 155-157.

Variantes p. 102 : [a] ... est comique tout personnage... (A) (I).

2. Cf. *supra*, p. 4-6, 8 et s., 14-15.

3. Voici explicitement formulé le sens du mouvement de l'ensemble des trois chapitres : du comique de formes, de mouvements et de gestes, aux comiques de situations et de mots, enfin de ceux-ci au comique de caractère, il ne s'agit pas d'aller du simple au complexe, mais, inversant le mouvement d'expansion du comique jusqu'aux phénomènes les plus ténus et apparemment insignifiants, de remonter du plus lointain au plus proche de la source du comique ; sur la signification philosophique et méthodologique de l'image du métal pur et de ses mélanges, cf. *supra*, p. 16-17, et notes 50-51 du chap. I.

4. Cf. *supra*, p. 3-4.

5. Sur ces deux thèses fondamentales, l'une psychologique (la comédie commence où cesse la sympathie), l'autre sociologique (elle commence où s'ébauche une tendance à l'insociabilité), cf. *supra*, p. 3-6 et 14-15. On entrevoit d'ores et déjà ici la thèse qui découlera de leur articulation, et dont Bergson tirera *in fine* les conclusions amères : la vie sociale détermine profondément les liens sympathiques des individus *et surtout les limite*. Cf. *infra*, p. 147-153 ; et *DS*, p. 25-29.

Variantes p. 103 : [a] ... pour être très légère... (A) (I). [b] ... ne nous feraient jamais rire... (A) (I).

6. Sur cette parenté de la distraction et du rêve, cf. *supra*, p. 32 ; et surtout *infra*, p. 142-147.

7. Point capital de la théorie sociologique du rire : celui-ci est un moyen correctif de la société tourné contre des « tendances séparatrices » qui ne sont pas contingentes ou accidentelles, mais qui sont inévitables et structurellement liées à la vie sociale ; voir à cet égard l'exemple emblématique du « comique professionnel » lié à la division sociale du travail, *supra*, p. 98, et *infra*, p. 135-138 ; et la métaphore organique p. 133. La vie sociale est donc à la fois source du mal et du remède : le rire est un correctif interne, un mécanisme régulateur monté par la société en nous pour compenser les distractions qu'elle secrète en elle-même. Pour les développements ultérieurs de la question de la division sociale du travail, cf. *EC*, p. 100, 158 ; et *DS*,

p. 121-123. Surtout, cette idée d'un correctif qu'un groupe est instinctivement amené à former pour compenser les effets de sa propre clôture, n'est pas sans proximité avec la théorie de la « fabulation créatrice » développée plus tard dans Les deux sources : cf. DS, p. 109-114, 124 et s. Pour un réexamen de cette question de la formation de micro-sociétés, du point de vue d'une analyse de la genèse du « respect de soi » et de l'« amour-propre de groupe », cf. DS, p. 65-68.

8. Pour cette thèse fondamentale de l'ouvrage, cf. supra, p. 14-16 ; infra, 150-152.

Variantes p. 104 : [a] ... s'y mêle toujours une arrrière-pensée... (A) (I). [b] ... entre toujours l'intention... (A) (I). [c] ... est assez malaisée à... (A) (I).

9. L'équivocité du comique pointée ici est celle que révèle spécifiquement la comédie dramatique. D'un côté, la comédie trouve sa source dans la vie sociale, qui aménage déjà en elle-même des ébauches de situation scénique marquée par le regard extérieur du spectateur – et c'est le commencement d'une perception esthétique ou désintéressée dans la vie sociale (cf. supra, p. 4 et 15-16). Mais à l'inverse, la comédie théâtrale la plus raffinée avère la persistance de cette origine sociale dans le plaisir esthétique qu'elle suscite, la persistance d'un intérêt social inconscient dans le désintérêt consciemment éprouvé par le spectateur (cf. supra, p. 16 et note 48). Ainsi le comique n'appartient « ni tout à fait à l'art, ni tout à fait à la vie », dans l'exacte mesure où il témoigne d'une émergence d'une esthétique théâtrale dans la vie sociale, et d'une présence latente des exigences sociales dans le théâtre comique. La thèse a une portée critique : Courdaveaux, par exemple, pose au contraire une différence de nature entre le rire provoqué par le comique dans la vie et celui provoqué par l'art (V. Courdaveaux, Le rire dans la vie et dans l'art, op. cit., p. 33-41). Selon lui l'art étend le nombre des objets à rire bien au-delà de ce qui nous y porte dans la vie, et surtout, il transforme qualitativement notre rire : « En face de la réalité, le rire est le plus souvent étonné ou moqueur, quand il n'est pas à la fois l'un et l'autre, mais jamais il ne s'élève jusqu'à la sympathie [...]. Dans l'art, au contraire, le rire est noblement sympathique et approbateur : en même temps que l'on y rit des choses, on apprécie, on goûte, on savoure l'esprit ingénieux de l'auteur » (ibid., p. 40). Sur la position de Bergson, plus proche de Rousseau, concernant une telle sympathie, cf. infra, p. 106, 148-150.

10. Cf. supra, p. 51 et 78.

11. Cf. L. Dumont, Des causes du rire, op. cit., p. 14-17, et V. Courdaveaux, Le rire dans la vie et dans l'art, op. cit., p. 61-76, qui en trouvent l'origine dans le geleion d'Aristote (Poétique, chap. V), et le ridiculus de Quintilien et de Cicéron (De Oratore, L. II, 58).

12. Souvenir sans aucun doute de l'analyse rousseauiste du Misanthrope

dans la *Lettre à M. d'Alembert* : cf. note 15 ci-dessous ; et les « Lectures » du *Dossier*, p. 301-305.

13. La suite de l'analyse établira que le signe recherché ne se trouve pas dans le défaut lui-même dont on rit, puisque le plus léger sera risible pourvu qu'on entre avec lui dans un rapport d'indifférence ou d'apathie (cf. *infra*, p. 106, 111) ; c'est donc le facteur déclenchant ce rapport d'indifférence, à savoir une tendance à l'insociabilité, qui pourra fournir le signe recherché. Sur l'impossibilité cependant pour un tel signe d'être « précis », compte tenu du fait que la pensée sociale qui l'interprète (« l'arrière-pensée que la société a pour nous » quand nous rions) travaille essentiellement dans le *général*, « en gros », cf. *infra*, p. 150-151.

14. Sur cet écart entre conformité morale et conformité sociale, cf. *infra*, p. 147-152.

15. Cf. *supra*, p. 5. La valeur comique d'une raideur de caractère signalant toujours une tendance plus ou moins prononcée de ce dernier à l'insociabilité, on comprend ici que le misanthrope comme « type » n'est pas un caractère comique parmi d'autres, mais le trait qui sous-tend, à des degrés d'intensité variables, tout caractère comique. Mais on soulignera d'autant plus l'ambiguïté du Misanthrope de Molière lui-même, tendu entre l'insociabilité qu'il décide et qui engage la totalité de son existence (et qui n'a rien de risible), et l'insociabilité que les spectateurs interprètent dans la raideur avec laquelle il se conforme à cette décision même, et qui, l'isolant cette fois à son insu, devient pour eux source de comique. Sur cette ambiguïté, et sur le rôle des « préjugés d'une société » qui tournent au comique celui-là même qui veut s'en écarter, voir ici encore l'analyse de la *Lettre à M. d'Alembert* (cf. « Lectures »).

Variantes p. 107 : [a] ... la tirer tout à fait au clair... (A) (I).

16. Le caractère artificiel de cette sympathie du spectateur est, à nouveau, un souvenir de Rousseau : « Tout ce qu'on met en représentation au théâtre, on ne l'approche pas de nous, on l'en éloigne » (cf. en particulier la critique de la *katharsis*, *Lettre à M. d'Alembert*, *op. cit.*, p. 71-72 et s.). Une telle idée, que viendra cependant nuancer plus loin l'analyse de l'art dramatique (cf. *infra*, p. 121-123), peut contribuer à rendre compte du privilège accordé à l'expérience *romanesque*, et non théâtrale, à travers le personnage de Don Quichotte (« le comique même, puisé au plus près de sa source. »).

17. Sur ce premier procédé général, cf. l'analyse de la suggestion *supra*, p. 46-47.

18. Le poète comique doit ainsi faire avec son personnage ce qu'une personne ou un groupe réels font dans la vie sociale pour devenir naturellement risibles : cf. *supra*, 11-12. Sur l'image du parasite, cf. *E*, p. 125.

Variantes p. 108 : [a] ... il y a toujours une *raideur*... (A) (I). [b] ..à l'unisson avec elle-même... (A) (I).

19. Nouvelle reprise de l'examen de « l'organisation des états de conscience » en multiplicité qualitative (cf. *E*, p. 90 et s.), mis ici au service de l'analyse de la sympathie (ou sa modalité négative, « aversion ») : l'intersubjectivité s'organise à son tour en de telles multiplicités par « fusion » ou « imprégnation graduelle » transindividuelle des états de conscience dans un unique devenir de l'action scénique et des spectateurs – comme le dira Bergson plus tard, une « endosmose psychologique » nous introduisant dans « la conscience en général », cf. « FV », in *ES*, p. 78 ; « PP », in *PM*, p. 28.

20. Sur cette image musicale, cf. *supra*, p. 3-4.

21. Cf. notes 21-22 du chap. II.

22. Cf. Molière, *L'Avare*, respectivement Acte II, scène 2 ; et Acte III, scène 1.

Variantes p. 109 : [a] ... Telle est à ce qu'il me semble, la première... (A) (I). [b] ... une seconde, beaucoup plus apparente... (A) (I).

23. C'est ce que Bergson appelait plus haut la « puissance fécondante » d'un vice ou d'une vertu tragique, cf. *supra*, p. 11-12, et 58.

24. Sur l'idée d'action comme « mesure » d'un état d'âme, ou d'une action « exactement proportionnée au sentiment qui l'inspire » (*infra*, p. 110), voir la théorie de l'*Essai*, sous-jacente ici, de l'action comme « expression » d'intensité et d'amplitude variables de l'âme, cf. *E*, p. 122-129.

25. C'est la définition même de l'« acte libre » (cf. *E*, p. 129), qui scelle ainsi l'élément tragique et le fait de la liberté : cf. *supra*, p. 60 ; note 30 du chap. I.

Variantes p. 110 : [a] ... et non sur l'acte... (A) (I). [b] ... mais je suis convaincu qu'il parlerait de même si elle s'y était pas... (A) (I).

26. Sur cette technique psycho-esthétique d'attraction de notre attention sur la surface des choses ou sur l'aspect automatique ou involontaire des êtres, cf. *supra*, p. 29 et s., 38 et s.

27. Molière, *Le Tartuffe*, *op. cit.*, Acte III, scène 2.

28. Souvenir peut-être des réflexions de Diderot sur la place du mouvement et de l'action dans la comédie, le genre sérieux, et la tragédie, in *De la poésie dramatique*, in *Œuvres esthétiques*, Paris, Garnier, coll. « Classiques Garnier », 1988, p. 202. Sur le rapport entre les mouvements scéniques et l'évolution des personnages du point de vue du tout du drame, cf. également « AC », in *ES*, p. 42-43.

Variantes p. 111 : [a] ... il pourra toujours nous faire rire... (A) (I).

29. Tout en annonçant le thème de l'*individualité* du caractère tragique (cf. *infra*, p. 123-124), la sympathie nous faisant « glisser le long du fil qui va du sentiment à l'action » fait comprendre *a contrario* le rapport de *dérivation*, et non de simple analogie, entre les deux procédés de neutralisation

de toute relation de sympathie entre spectateur et personnage : isoler un sentiment au milieu de l'âme du personnage ; isoler un geste ou une attitude au milieu de l'unité vivante où se fondent le personnage, ses actions, et les situations dans lesquelles il est corps et âme engagé. Mais par là même, ce sont les analyses des formes comiques menées dans les deux chapitres précédents qui sont ainsi ressaisis *à partir du comique de caractère*, de sorte que toute l'analyse qui vient d'être menée apporte un nouvel éclairage sur le mouvement de l'ensemble du livre, en expliquant le traitement spécial que doivent subir les actions, les langages et les situations dans la comédie de caractère. Pour autant qu'il ne développait pas pour eux-mêmes les caractères de ses personnages, le vaudeville ne rencontrait pas de difficulté spéciale à produire des actions et situations par elles-mêmes comiques. La haute comédie, dans la mesure même où elle développe ses caractères, doit faire passer au second plan les situations et réduire les actions à des attitudes et des gestes isolés et réifiés, actions et situations qui sans cela, absorbées pour ainsi dire dans l'individualité vivante du caractère, viendraient épaissir le personnage et en approfondir le sérieux ou « l'élément tragique » des actes libres. Il y a donc là deux séries intensives croisées : plus notre attention sur le caractère est intensifiée, moins elle doit l'être sur les actions et situations (haute comédie) ; et inversement moins notre attention est attirée sur le caractère, plus les actions et situations peuvent se charger d'effets comiques propres (vaudeville).

30. Cf. *supra*, p. 104-106.

31. L'insociabilité n'entraînerait que sympathie ou aversion, mais nulle insensibilité, si le caractère qui en témoigne exprimait une obstination volontaire. L'automatisme forme donc bien une troisième condition « impliquée dans les deux autres », c'est-à-dire qui en rend compte en les rapportant au processus réel d'unification de la mémoire et du corps dans la subjectivité concrète, processus de volonté identifié, depuis *Matière et mémoire*, comme *attention à la vie*, dont l'automatisme signale extérieurement, c'est-à-dire à la perception sociale, le déséquilibre ou l'affaissement.

Variantes p. 112 : [a] ... en donne tout aussitôt... (A) (I).

32. Cf. *supra*, p. 10-11, et surtout l'analyse de la distraction de Don Quichotte à la lumière des analyses de *Matière et mémoire* consacrées à l'attention à la vie, *infra*, p. 140-142.

33. Sur l'importance de ce point pour la fonction sociale du rire, cf. *supra*, p. 13, note 38 du chap. I ; et *infra*, p. 130.

34. Cf. respectivement Molière, *Le Bourgeois gentilhomme*, Acte II, scène 3 ; *Les Femmes savantes*, Acte III, scène 3.

35. Sur la portée critique de cette remarque, cf. *supra*, p. 74-75, 86 ; note 86 du chap. I, et note 107 du chap. II.

Variantes p. 113 : [a] ...é mouvoir, tout le reste pourra... (A) (I).

b ... milieu de tous les autres... (A) (I). *c* ... répéter. Tout personnage comique... (A) (I). *d* ... Inversement, toute ressemblance... (A) (I). *e* ... de drame ou de roman... (A) (I).

36. Cette corrélation entre le « *tout fait* », le régime de conduites qui en résulte (répétition), et le régime de perception qui lui correspond (ressemblance), repose sur les analyses de la nature temporelle de l'individualité, celle de la conscience dans l'*Essai*, celle de la mémoire dans *Matière et mémoire* : un individu qui coïnciderait avec la durée qu'il est, ne serait jamais tout fait mais sans cesse « se faisant », ne se répèterait jamais mais évoluerait continûment dans une imprévisible « création de soi par soi » (« CV », in *ES*, p. 24), ne ressemblerait ni à un autre ni à lui-même. On notera cependant qu'ici, de même qu'à la fin de ce paragraphe, l'accent est mis sur les incidences *intersubjectives* de cette corrélation : la répétition prend sa potentialité comique la plus générale, non lorsqu'un individu se répète, mais lorsqu'il devient lui-même un type répétable par d'autres, un « cadre où d'autres s'inséreront couramment ». Sur la dimension proprement sociologique que prend ainsi la répétition, en vertu de cette dynamique de propagation, voir les travaux de Gabriel Tarde, que Bergson connaît bien, notamment *Les Lois de l'imitation*, Paris, Félix Alcan, 1890 ; sur ses implications pour la signification sociologique du comique de répétition et pour la fonction sociale du rire qui le sanctionne, cf. *infra*, p. 130.

37. Sur cet usage d'un nom propre en nom commun, comme indice sémiotique du comique, cf. *supra*, p. 11-12 et *infra*, p. 117 et 125.

Variantes p. 114 : *a* ... on a dit tout ce qu'elle est, et tout ce que le reste... (A) (I).

38. Voir par exemple le Troisième Entretien sur *Le Fils naturel* : « Le genre comique est des espèces, et le genre tragique est des individus. Je m'explique. Le héros d'une tragédie est tel ou tel homme : c'est ou Régulus, ou Brutus, ou Caton, et ce n'est point un autre. Le principal personnage d'une comédie doit au contraire représenter un grand nombre d'hommes. Si, par hasard, on lui donnait une physionomie si particulière, qu'il n'y eût dans la société qu'un seul individu qui lui ressemblât, la comédie retournerait à son enfance, et dégénérerait en satire » (D. Diderot, *Entretiens sur le Fils naturel*, in *Œuvres esthétiques*, *op. cit.*, p. 140 ; voir également p. 152-153 et s.). On notera, sur ce point, l'évolution de la position de Bergson par rapport aux leçons d'esthétique de 1887-1888 : « Les personnages de comédie et de tragédie expriment des types, c'est-à-dire que l'avare est représenté par exemple sous des traits qui sont ceux de l'avarice en général [...]. Dans les tragédies de Corneille et de Racine ce sont des caractères généraux qui sont exprimés [...] » (*Cours*, t. II, *op. cit.*, p. 40-41).

39. Annonce du point d'articulation des deux enjeux annoncés dès le début du chapitre I – expliquer la place singulière de la comédie parmi tous

les autres arts en raison de sa proximité singulière à la vie biopsychique et
sociale ; éclairer par là même le rapport général de l'art à la vie
humaine – : c'est la genèse de l'ordre de la généralité *dans la vie* qui
pourra rendre compte, et de l'appartenance de la comédie à la vie, et du fait
que l'art en ce qu'il a de plus propre dépasse, et nous fait dépasser dans
les expériences où il nous engage, les conditions humaines trop humaines de
notre vie.

40. S'ouvre ainsi ce qui est considéré souvent, et à juste titre, comme le
texte majeur de l'œuvre bergsonienne sur l'art ; cf. également *E*, p. 9-14 ;
EC, p. 178-179, 218 ; « PC », in *PM*, p. 149-153 ; « VOR », in *PM*,
p. 263-266, 277-280 ; *DS*, p. 35-42. Ces premières phrases en posent la
thèse fondamentale : l'objet de l'art, au double sens de sa matière et de
son but, et donc aussi son critère de réussite, ne sont ni d'« imiter » la réalité, ni d'ajouter quelque chose à la perception naturelle que nous en avons,
mais au contraire de déchirer les médiations que notre perception naturelle,
et pour tout dire toutes les conditions de notre vie, interposent entre
« nous » et la réalité – réalité tant en nous qu'hors de nous –, c'est-à-dire
de nous mettre en contact avec ce qu'à certains égards il nous est impossible de percevoir, nous rendre sensible ce que nous ne sommes constituti-
vement pas faits pour sentir. Sur la proximité de la théorie bergsonienne de
l'art avec certains courants esthétiques de son temps, en particulier le sym-
bolisme, cf. F. Azouvi, *La gloire de Bergson. Essai sur le magistère philosophique*, Paris, Gallimard, coll. « Nrf Essais », 2007, p. 62-76.

41. Sur cette image, cf. *E*, p. 75-78 et 83 ; « PC », in *PM*, p. 170.

42. Sur cette singularité de l'artiste, cf. *infra*, p. 118-121.

43. Le lien établi ici entre notre perception en son opération constitutive-
ment soustractive ou sélective, et notre corps comme système de montages
sensori-moteurs, reprend très rigoureusement les acquis du premier chapitre
de *Matière et mémoire* sur le corps vivant, la détermination matérielle de
ses « besoins » (système d'analyse des mouvements reçus et de sélection des
réactions motrices) et de sa place dans la genèse de la conscience ou subjectivité concrète : cf. *MM*, p. 16-67 ; « AC », in *ES*, p. 41-49 ; « FV », in
ES, p. 72-79 ; *EC*, p. 97-98.

44. On notera que le caractère partiel, étroitement sélectif, du rapport de
la conscience à elle-même, loin d'avoir une signification seulement priva-
tive, répond, *au même titre* que la sélection perceptive du monde extérieur,
à une nécessité de la vie. C'est un acquis de *Matière et mémoire* par rapport à l'*Essai* ; cf. également « PP », in *PM*, p. 41-42.

45. Reprise très fidèle de l'analyse de la formation des « idées générales », *MM*, p. 173-181 ; cf. aussi *EC*, p. 224-229 ; et « PP », in *PM*,
p. 53-64. On en retrouve ici la thèse cardinale selon laquelle, avant d'être
une opération de la pensée, avant de qualifier une idée, la généralité est un

acte du vivant, une donnée immédiate du *primum vivere* : « tout être vivant, peut-être même tout organe, tout tissu d'un être vivant généralise, je veux dire classifie, puisqu'il sait cueillir dans le milieu où il est, dans les substances ou les objets les plus divers, les parties ou éléments qui pourront satisfaire tel ou tel de ses besoins ; il néglige le reste. Donc il isole le caractère qui l'intéresse, il va droit à une propriété commune ; en d'autres termes il classe, et par conséquent abstrait et généralise » (*PM*, p. 55). Cette généralisation, et les opérations d'abstraction et de classification qu'elle implique, vécues avant d'être pensées, jouées dans des anticipations motrices avant d'être conscientes, effectuées par la perception même avant d'être réfléchies (« c'est cette classification que j'aperçois »), ont donc une signification vitale immédiate qui est une signification pratique pour le vivant. D'où la comparaison qui suit entre l'homme et un autre animal dont les aptitudes perceptives ne diffèrent que de degré quantitatif et non de nature, différence qui tient à la complexion de l'organisme humain et surtout, comme l'expliquera le paragraphe suivant, à la formation du langage et des symboles sociaux.

Variantes p. 117 : [a] … désignent tous des genres… (A) (I).

46. Non seulement la perception sélectionne les différences interindividuelles qui intéressent notre action et ignore les innombrables autres, mais elle schématise les différences individuelles elles-mêmes à quelques traits perceptifs utiles à notre action. Sur ce second aspect de la formation des idées générales, qui ne renvoie plus seulement immédiatement la perception à nos schèmes moteurs, mais qui ne retient des traits perceptifs que des *signes* « appelant » l'actualisation de certains souvenirs dans le « circuit de la reconnaissance » où ceux-ci prennent à leur tour une certaine généralité, cf. *MM*, p. 178-180.

47. Pour l'exception des noms propres, importante du point de vue de la sémiotique du genre dramatique, cf. *supra*, p. 12, et *infra*, p. 125 ; cf. également *MM*, 132-134. Après avoir noté la formation de la généralité dans la perception même, Bergson en note ici l'inscription dans les symboles linguistiques, ce qui confère à ce paragraphe un triple enjeu : il signale le rôle du langage dans la genèse des généralités perceptives qu'il concourt à fixer ; il comprend simultanément une thèse sur la genèse du langage lui-même à partir de nos « besoins », c'est-à-dire des schèmes de notre rapport pratique au monde et à nous-mêmes qui apparaissent bien ainsi comme la source commune de nos structures perceptives et linguistiques ; il fait entrevoir un troisième facteur déterminant la genèse des généralités, à savoir la dimension collective de la vie humaine, les exigences sociales de représentations communes. Sur la généralité constitutive du langage qui s'affirme à travers ces trois aspects, qui informe tant notre rapport au monde que notre rapport à nos propres états de conscience, de sorte que la conscience de soi

est ordinairement structurée de part en part par la généralité, cf. *E*, p. 96-104, 122-128 ; *EC*, p. 291 ; « MRV », in *PM*, p. 20-21 ; « PP », in *PM*, p. 51, 58, 73-75, et surtout 86-92.

48. Sur cette « distraction » de la nature produisant de loin en loin des êtres eux-mêmes singulièrement distraits, cf. « PC », in *PM*, p. 152-153 (« La nature a oublié d'attacher leur faculté de percevoir à leur faculté d'agir. »).

49. Cette thèse se comprend *a contrario* par le rôle, établi dans *Matière et mémoire*, du corps et de ses « besoins » ou structures pratiques dans la différenciation des canaux sensoriels : cf. *MM*, p. 47-52.

Variantes p. 119 : [a] ... Celui-ci s'attachera... (A) (I).

50. Sur cette finalité des arts plastiques, qui s'écarte tant d'une fidèle « imitation » de la nature que du loisir d'une « pure fantaisie », cf. « PC », in *PM*, p. 150.

51. Cf. *infra*, p. 125-128.

52. Sur le rôle des actions naissantes dans la sensation affective, cf. *E*, p. 24-29 ; et *MM*, p. 12.

53. Pour l'importance d'un tel « effort » dans l'expérience esthétique, pour l'établissement de critères de vérité et d'universalité en art, cf. *infra*, p. 124-125.

54. Sur cette dimension inévitablement *suggestive* du langage poétique au regard d'états d'âme inexprimables en raison de l'origine, de la structure et de la destination pratiques du langage, et sur l'importance du rythme à cet égard, cf. *E*, p. 11-13.

55. Pour cette image du sentiment musical, dans lequel nous sommes introduits plutôt qu'il n'est introduit en nous, cf. *DS*, p. 36. On se rappellera son usage inversé, *supra*, p. 4.

56. Pour la manière dont est ainsi tranché le débat entre réalisme et idéalisme en art, cf. « PC », in *PM*, p. 150-153. La thèse bergsonienne peut également être confrontée ici avec la théorie schopenhauerienne de l'art : *Le Monde comme volonté et comme représentation*, trad. fr. A. Burdeau, Paris, Félix Alcan, 1909, t. I, § 49 ; et t. III, Supplément au 3e livre, chap. 34, p. 216-220 : « Toute œuvre d'art tend donc, à vrai dire, à nous montrer la vie et les choses telles qu'elles sont dans leur réalité, mais telles aussi que chacun ne peut les saisir immédiatement à travers le voile des accidents objectifs et subjectifs. C'est ce voile que l'art déchire » (*ibid.*, p. 217). Pour Bergson cependant, le voile, c'est-à-dire les conditions même de notre vie, n'a rien d'accidentel.

57. Sur cette naturalisation de la règle sociale et de l'obéissance, qui découle de la nécessité de la société pour la vie humaine, voir les analyses ultérieures du « tout de l'obligation » in *DS*, p. 12-24, 52-56.

58. Il n'est pas aisé de cerner avec précision les auteurs ou courants

théâtraux que désigne, sous l'expression « drame contemporain », cette seconde orientation de la poésie dramatique. Peut-être vise-t-elle le réalisme moralisant d'un Émile Augier ou d'un Alexandre Dumas fils, et ses peintures ironiques du « demi-monde » du Second Empire. Mais il n'est pas exclu, compte tenu de la critique énoncée précédemment de l'opposition entre idéalisme et réalisme en art que le passage présent redéfinit plutôt comme deux pôles d'une même démarche créatrice ou deux manières pour l'art dramatique d'atteindre son but, d'y entendre une allusion aux expérimentations théâtrales du naturalisme, chez Henry Becque ou dans le Théâtre-Libre d'André Antoine, répondant à l'ambition zolienne de retourner les conventions scéniques contre elles-mêmes « de façon à les modifier et à les utiliser pour porter sur la scène une plus grande intensité de vie » (É. Zola, *Le naturalisme au théâtre*, 1881).

Variantes p. 123 : [a] ... partie très cachée de nous-mêmes... (A) (I). [b] ... que tous les autres... (A) (I).

59. Ces impressions « au sortir d'un beau drame » font écho aux thèses de *Matière et mémoire* : la conservation de l'intégralité des souvenirs dans la « mémoire pure » ou le « passé en soi » ; par suite l'inhibition de la plus grande partie d'entre eux par la conscience ; enfin « l'appel » de quelques uns d'entre eux par le présent, c'est-à-dire leur actualisation sélective en fonction des exigences pratiques de notre corps. Sous ce dernier aspect encore, en appelant à l'actualisation les souvenirs les plus profondément refoulés par l'attention de notre conscience au présent, l'art dramatique nous force à dépasser les conditions de notre vie, d'où naît l'impression d'« irréalité » ou de moindre réalité qui vient la fondre dans l'appréhension d'une réalité plus profonde ou plus vaste, et qui éclaire le nouveau rapport établi par Bergson entre réalisme et idéalisme en art (cf. *supra*, p. 120-121). Pour l'examen, sur des bases cliniques, d'un tel sentiment de « non-réalité », cf. *MM*, p. 194-195. Notons enfin l'étrangeté des « souvenirs ataviques » évoqués ici : faut-il y entendre l'écho des débats contemporains autour de l'hérédité ? Peut-on y voir le signe précurseur de l'hypothèse émise dans *L'évolution créatrice* de souvenirs de la vie intra-utérine (cf. *EC*, p. 5) ? Ou bien encore le caractère « infiniment ancien » de tels souvenirs procède-t-il d'un passage à la limite nous renvoyant à un passé et une mémoire transindividuels dépassant les limites empiriques de notre vie individuelle, à l'instar de ceux qu'invoque Darwin, à la suite de Piderit, pour expliquer la puissance émotionnelle de la musique ? « La musique a un pouvoir merveilleux pour faire renaître d'une manière vague et indéfinie ces émotions puissantes qui ont été ressenties dans le lointain des âges, par nos ancêtres, alors probablement qu'ils employaient les sons vocaux comme moyen de séduction d'un sexe à l'autre » (Ch. Darwin, *L'expression des émotions*, *op. cit.*, p. 236).

60. Sur les implications de cette thèse pour la question de la différence des « méthodes d'observation » du poète dramatique et du poète comique, cf. *infra*, p. 127-129.

61. Cf. *supra*, p. 111.

Variantes p. 124 : [a] ... plus du tout la même chose... (A) (I). [b] ... ce n'est sûrement pas par là... (A) (I). [c] ... pour tous les autres... (A) (I).

62. Le signe de reconnaissance de la réussite de l'œuvre, dans sa singularité même, se trouve donc, non dans le simple agrément suscité par le produit d'une libre fantaisie, mais dans l'effort lui-même singulier que l'œuvre nous force à faire pour dépasser les bornes de nos sens et de notre conscience, c'est-à-dire à devenir en quelque mesure créateur à notre tour. On notera la distance qui sépare cette reconnaissance du singulier procédant par relais d'actes intensifs, de la « reconnaissance pratique » évoquée *supra*, p. 117. Pour une inflexion ultérieure de cette conception de l'effort provoqué par l'œuvre d'art, cf. la théorie de « l'émotion créatrice », in *DS*, p. 34-35 et s.

Variantes p. 125 : [a] ... des types artificiels. Par là... (A). [b] ... sur tous les autres... (A) (I). [c] ... ne viendra jamais à... (A) (I).

63. Cf. *supra*, p. 11-12, 113 et 117.

64. Souvenir peut-être de la critique diderotienne des intrigues parallèles : « Ces intrigues de valets et de soubrettes, dont on coupe l'action principale, sont un moyen sûr d'anéantir l'intérêt » (D. Diderot, *Entretiens sur le fils naturel, op. cit.*, p. 84, cf. également p. 139 ; et *De la poésie dramatique, op. cit.*, p. 199-201).

Variantes p. 126 : [a] ... poète comique, dès qu'il a... (A) (I). [b] ... est toujours, comme nous l'avons... (A) (I).

65. Cf. *supra*, p. 111 et 122-123.

66. Bergson avait pris soin, dès le début du chapitre I, de distinguer les distractions sources de comique des accidents proprement pathologiques de la vie psychique qui touchent au contraire au plus profond « sérieux de l'existence » (*supra*, p. 14) ; il les replace ici dans un continuum de variation, c'est-à-dire dans une même tendance, établissant ainsi une proximité que viendra renforcer la section IV de ce dernier chapitre, à travers la confrontation de l'absurdité comique avec la logique du rêve qui nous feront l'une et l'autre côtoyer les bords de la folie (cf. *infra*, p. 142-147). Sur les ruptures d'équilibre mental, cf. *MM*, p. 194-196 ; « AC », in *ES*, p. 47-49. Le problème soulevé précédemment du critère du vice comique, ou du seuil à partir duquel un caractère individuel devient comique, paraît devoir se reposer ici : pas plus qu'une évaluation morale (cf. *supra*, p. 104-106), une évaluation clinique ne semble en mesure d'apporter une solution satisfaisante à cet égard. Les dernières pages du livre viendront confirmer les premières : seule la société, ou « l'arrière-pensée que la société a pour nous »

quand nous rions, peut fournir l'instance déterminant le seuil à partir duquel une distraction sort du sérieux de l'existence et entre dans la « zone neutre » du risible ; cf. *supra*, p. 14-15 ; et *infra*, p. 150-152.

67. Cf. note 36 du chap. III.

Variantes p. 127 : [a] ... d'observation radicalement différentes... (A) (I). [b] ... paraître, je ne crois pas que... (A) (I). [c] ... dont ils nous ont tracé... (A) (I). [d] ... ce spectacle, je ne sais s'il... (A) (I). [e] ... Nous n'apercevons jamais extérieurement... (A) (I). [f] ... les interprétons, toujours défectueusement d'ailleurs... (A) (I). [g] ... et vécu toute leur vie intérieure... (A) (I).

68. Sur cet accès seulement analogique à ce qu'éprouve autrui, au moyen de signes extérieurs qui ne rendent comparables les états d'âme qu'en les plaçant aussitôt dans un ordre de ressemblance et de généralité, cf. *E*, p. 139 et s., et 150-151 ; et *infra*, p. 129-130.

69. Allusion peut-être à D. Diderot, *De la poésie dramatique*, in *Œuvres esthétiques*, *op. cit.*, p. 252.

Variantes p. 128 : [a] ... qu'*on a* et toutes celles qu'*on*... (A) (I). [b] ... puissions jamais suivre... (A) (I). [c] ... en cela me paraît consister... (A) (I).

70. L'imagination poétique ne consiste pas à « fabriquer » des caractères au moyen d'un assemblable de traits prélevés sur l'observation externe, mais à remonter dans la vie de la conscience pour amener au jour quelques unes des innombrables vies qui s'y sont ébauchées, qui n'ont pu s'actualiser, mais qui persistent en elle à l'état virtuel. Un tel mouvement paraît pourtant contrevenir aux précautions qu'exigeait l'*Essai* (cf. *E*, p. 132-137) concernant une telle figuration rétrospective des choix à travers lesquels se décide la totalité de notre vie : « Si je parcours des yeux une route tracée sur la carte, rien ne m'empêche de rebrousser chemin et de chercher si elle bifurque par endroits. Mais le temps n'est pas une ligne sur laquelle on repasse » (*E*, p. 136 ; et du point de vue d'un examen critique de la catégorie modale de possible, cf. « PR », in *PM*, p. 110-113). En fait, la conception de l'imagination poétique proposée ici annonce plutôt la thèse de *L'évolution créatrice*, d'un « élan vital » s'actualisant par création de lignes de différenciation, chaque ligne d'actualisation enveloppant encore confusément, à l'état virtuel, les autres lignes : cf. *EC*, p. 99-102, en particulier la double analogie que propose Bergson de l'élan vital, avec la multiplicité virtuelle de personnalités enveloppées dans l'enfance, et avec la création du personnage romanesque, p. 100-101, qui conduirait à apparenter ici l'inspiration poétique avec l'acte intuitif remontant la pente de l'élan à sa source (cf. *EC*, p. 99, 142, 209, 246).

71. Sur l'importance, pour que l'œuvre soit acceptée, du caractère vivant de ce qu'elle présente à la sensibilité, cf. *supra*, p. 124 ; et « PC », in *PM*, p. 149. Sur l'impossibilité qui en découle de l'analyser en éléments discrets

sans en perdre l'essentiel, l'acte d'individuation temporelle qui fonde, par-delà l'opposition abstraite de l'un et du multiple, l'allure fondamentalement *simple* de la vie, accessible seulement par un effort d'intuition ou « du dedans », cf. *EC*, p. 90-91 et 178-179 ; « IM », in *PM*, p. 178-181, 190-197, 207-210 ; « VOR », in *PM*, p. 264-266. Voir également, posée à la lumière de la thèse des plans de conscience, la question de la vraisemblance des associations d'idées dans le roman d'analyse, in *MM*, p. 189.

Variantes p. 129 : [a] ... sommes jamais risibles que par... (A) (I).

72. Cf. *supra*, p. 13, 111-112 ; et *infra*, p. 131.

73. L'observation du poète comique ne peut être qu'extérieure, dans la mesure où elle ne s'intéresse qu'à ce qui, des personnes, s'extériorise en symboles, en gestes, paroles, conduites impersonnels ou communs, détachés de l'individualité réelle au point où elle cesse d'y exprimer son «âme entière » ou le tout ouvert de son existence et l'intégralité de son passé. Ce sont à nouveau les analyses de l'*Essai* sur l'acte de spatialisation par lequel la conscience s'objective, et sur la liberté, qui sont à l'arrière-plan de ce passage ; sur l'image topique de la « surface » de contact où le moi spatialise ou objective ses états dans des représentations communes, c'est-à-dire à la fois impersonnelles et communicables, voir en particulier *E*, p. 93-94 et 123-128.

74. Bergson veut dire qu'une cause purement superficielle, qui paraîtrait tout à fait détachée du caractère ou de la conscience, n'aurait aucun intérêt pour l'observation du poète comique (et aucun intérêt, comme le rappellera Bergson plus loin, pour la société) ; une cause profonde de la conduite, c'est-à-dire une représentation ou un sentiment auquel se mêleraient d'innombrables autres états d'âme de la personne et où s'exprimerait la totalité de son existence, n'aurait plus aucune potentialité comique mais se fondrait aussitôt dans « l'élément tragique » de l'existence personnelle. Cette *mediocritas*, juste milieu de l'humanité, n'est en fait rien d'autre que le degré intensité d'attention à la vie que la société ordinairement requiert, impose ou tolère.

Variantes p. 130 : [a] ... est toujours extérieure et le résultat toujours généralisable... (A) (I). [b] ... trancheront sur toutes les autres œuvres... (A) (I).

75. Cf. *supra*, p. 107 ; cf. *E*, p. 125.

76. Cette conclusion établit le rapport entre l'affinité de la comédie aux types généraux, et plus profondément la potentialité comique de la généralité en tant que telle, et la fonction sociale du rire. Le facteur déterminant du comique paraît bien ainsi sociologique en dernière instance : dans la généralité de l'objet de la comédie se signale l'extension que doit avoir la portée correctrice du rire, qui ne vise pas les distractions de caractère encore marquées d'originalité, mais celles qui, signes de tendances latentes à l'insociabilité, menacent de se reproduire. Tel est l'« instinct » social qui anime déjà

l'observation du poète comique ciblant inconsciemment les singularités communes, les déviances susceptibles de se propager : cf. note 36 du chap. III, *supra*, p. 113, et *infra*, p. 150-151.

Variantes p. 131 : [a] ... le comique est toujours inconscient... (A) (I).

Variantes p. 132 : [a] ... cependant elles ne guérissent guère. Les services... (A) (I). [b] ... qu'on ne pense... (A) (I).

77. Souvenir peut-être de La Rochefoucauld : « L'imagination ne saurait inventer tant de diverses contrariétés qu'il y en a naturellement dans le cœur de chaque personne » (*Réflexions ou sentences et maximes morales*, 478, in *Moralistes du XVIIe siècle, op. cit.*, p. 176).

78. Bergson retrouve ici un thème majeur de la tradition des moralistes du XVIIe et du XVIIIe siècles, placé en bonne place auprès de l'amour-propre (cf. *infra*, p. 133) avec lequel la vanité partage le privilège de n'être pas un vice parmi les autres mais une composante matricielle de tout trait de caractère en société, de sorte que « la vertu [même] n'irait pas si loin si la vanité ne lui tenait compagnie » (La Rochefoucauld, *Maximes*, 200, *op. cit.*, p. 152 ; cf. également les maximes 263, 388 et 443 ; et B. Pascal, *Pensées*, 534, *op. cit.*, p. 123). On retrouve d'ailleurs, dans les éléments énumérés au paragraphe précédent, « fondus » dans la vanité, un grand nombre des caractères de Théophraste traduits par La Bruyère : « de la dissimulation », « de la flatterie », « de l'impertinent ou du diseur de rien », « du complaisant », « de l'impudent ou de celui qui ne rougit de rien », « d'un homme incommode », « de la sotte vanité »... (*Les Caractères de Théophraste*, in *Moralistes du XVIIe siècle, op. cit.*, p. 669-692 ; et *Les Caractères*, XI, 8, *op. cit.*, p. 843-844).

79. Thème moraliste de la rancune ; cf. par exemple J. de La Bruyère, *Les Caractères*, XI, 78, *op. cit.*, p. 855-856.

80. Thème moraliste de la flatterie ; cf. par exemple La Rochefoucauld, *Maximes, op. cit.*, 158, 225.

81. Sur une telle domination de toute la vie de la conscience par un trait de caractère, et les analyses psychologiques de l'*Essai* qui en sont à l'arrière-plan, cf. *supra*, p. 11-12, et notes correspondantes.

82. Pour cette définition synthétique de la vanité, cf. J. de La Bruyère, *Les Caractères*, XI, 72-73, *op. cit.*, p. 854-855 ; et la définition hobbesienne de la fausse gloire, *Human Nature*, chap. IX, § 1, Oxford University Press, 1994, p. 50-51 ; et *Léviathan*, I, chap. VI, *op. cit.*, p. 53.

83. Souvenir peut-être de Hobbes, *Human Nature*, chap. IX, § 2-3, *op. cit.*, p. 51 ; cf. également Spinoza, *Éthique*, III, prop. 55 coroll. 1 sc. ; et Définition des affects, prop. 29. Sur la fausse modestie, voir La Bruyère, *Les Caractères*, XI, 66, *op. cit.*, p. 853.

Variantes p. 133 : [a] ... accomplir avec une régularité mathématique une de ses fonctions... (A) (I).

84. La différence entre l'égoïsme et la vanité s'éclaire ici : alors que le premier, suivant un thème empiriste que reprendront les *Deux sources* (*DS*, p. 65-66 et s.), trouve des correctifs naturels, la vanité ne peut se corriger que par une réflexion qui doit être provoquée pour ainsi dire *du dehors*, et qui implique donc une *attention au dehors*. On se rappellera à cet égard la belle analyse de la modestie comme « vertu du dehors » chez La Bruyère, *Les Caractères*, XI, 69, *op. cit.*, p. 854. L'enjeu du paragraphe suivant sera alors de montrer que le rire a précisément pour fonction propre de provoquer une telle reprise d'attention à soi-même à travers l'attention aux autres. Sur le primat de la vanité sur l'égoïsme, la première conférant toujours peu ou prou au second une dimension sociale, cf. *DS*, p. 91-92 : « L'égoïsme, en effet, pour l'homme vivant en société, comprend l'amour-propre, le besoin d'être loué, etc. [...] : tous sont saturés de vanité, et vanité signifie d'abord sociabilité. »

85. Sur la signification sociale de cette analogie, cf. *supra*, p. 103, et note 7 du chap. III. *Les deux sources* montreront comme la vie sociale engendre elle-même une distraction générale, un état somnambulique normal qui se confond d'ordinaire avec le fait de « l'obligation », et en feront même la base d'un « amour-propre de groupe » : cf. *DS*, p. 14-20, et p. 65-68.

86. Cf. *supra*, p. 28-49, en particulier p. 32 et 49.

Variantes p. 134 : [a] ... faire. Je pense qu'il faudrait rapporter... (A) (I).

87. Sur la thèse impliquée ici, majeure pour la psychologie de l'émotion comique, cf. *supra*, p. 32, 42, 49, 101-102.

88. Sur ce point critique, cf. *supra*, p. 6, 30, et notes 15 du chap. I et 107 du chap. II.

89. Cf. la loi de transposition de l'attention du moral au physique énoncée précédemment, *supra*, p. 38-39 et s.

Variantes p. 135 : [a] ... espèce de cadre social, où beaucoup... (A). [b] ... réprimer toute tendance séparatiste... (A) (I).

90. Cf. *supra*, p. 104-106.

91. Cf. *supra*, p. 113-114.

92. L'analyse du comique de mots nous avait laissé à ce point, où le comique du langage professionnel venait se fondre ou se transformer en comique de caractère, cf. *supra*, p. 98-99. Plus lointainement, le premier chapitre avait déjà abordé les jeux métonymiques de l'imagination percevant, dans les cérémoniels et solennités entourant telle fonction ou telle profession, autant de vêtements rigides engonçant le corps social (cf. *supra*, p. 34-37 et 40-41). Ce sont tous ces effets qu'il s'agit de comprendre à présent à partir de leur source sociologique, et à partir de la variété de dispositions vaniteuses du caractère générées par la vie sociale. La Bruyère, encore une fois, avait croqué le portrait de ces sociétés spécialisées, « autant

de petites républiques, qui ont leurs lois, leurs usages, leur jargon, et leurs mots pour rire.» (*Les Caractères, op. cit.*, VII, 4, p. 784-785).

93. Cf. *supra*, p. 103.

Variantes p. 136 : [a] ... d'arrondir partout les angles... (A) (I). [b] ... solennité. Presque tout le comique des... (A) (I). [c] ... vient de là... (A) (I).

94. Cf. Molière, *Le Bourgeois gentilhomme, op. cit.*, Acte I, scène 2 ; Acte II, scènes 2 et 3.

95. Cf. E. Labiche, *La Poudre aux yeux*, Acte II, scène 2.

96. Le comique venant sanctionner une inutilité sociale, on a là la source sociologique des montages, dans l'imagination, des procédés comiques analysés dans le premier chapitre relatifs au ridicule des solennités cérémonieuses et des inversions forme/fond, moyen/fin, règlement social/loi naturelle (cf. *supra*, p. 34-37 et 40-41).

Variantes p. 137 : [a] ... professionnelle. Je ne citerai que le Joueur... (A) (I).

97. J. Racine, *Les Plaideurs*, Acte III, scène 4.

98. Molière, *Le Tartuffe, op. cit.*, Acte I, scène 5.

99. Cf. *supra*, p. 98-99.

100. Cf. J.-F. Regnard, *Le Joueur*, Acte 3, scène 4.

Variantes p. 138 : [a] ... le comique me paraît consister, pour... (A) (I). [b] ... transposent des idées d'ordre... (A) (I). [c] ... s'expriment presque invariablement dans... (A) (I). [d] ... professionnelle, je veux dire certaines manières... (A) (I). [e] ... pour ce milieu... (A) (I). [f] ... remarquées. Je veux parler... (A) (I).

101. Cf. Molière, *Les Femmes savantes*, Acte III, scène 2. On retrouve ici les jeux de transposition entre tonalités stylistiques hétérogènes, analysés au chapitre II (*supra*, p. 98).

102. Cf. A. Penjon, « Le rire et la liberté », art. cit., p. 129-130.

Variantes p. 139 : [a] ... corrigée tout de suite après... (A) (I). [b] ... néglige, ce me semble, l'élément caractéristique... (A) (I). [c] ... risible, je veux dire... (A) (I). [d] ... s'en convaincre tout de suite ?... (A) (I). [e] ... formule : deux fois sur trois, l'effet obtenu n'aura rien de risible. L'absurdité... (A) (I). [f] ... absurdité bien déterminée... (A) (I).

103. Pour l'« absurdité visible », cf. note 15 du chap. I. L'absurdité d'abord admise, puis corrigée, fait peut-être allusion à la thèse soutenue par Richter (cf. *Cours préparatoire d'esthétique, op. cit.*, VIe programme, § 28, p. 115-118) et discutée par Courdaveaux in *Le rire dans la vie et dans l'art, op. cit.*, p. 75-76. La thèse selon laquelle l'absurdité comique serait celle qui, illogique sous un certain aspect, paraît d'un coup s'expliquer tout naturellement sous un autre, est développée par Mélinand dans « Pourquoi rit-on ? », art. cit., p. 619-626.

104. Il s'agit de la distraction, inattention à la vie dont Bergson réexpose le ressort principal (p. 140-141), ce qui lui permet ensuite de mettre au jour

l'absurdité spéciale de son effet (p. 141-142), avant d'analyser diverses modalités de cet effet lui-même en suivant pour fil directeur le rêve, dont la logique partage avec celle du comique la même cause (p. 142-147).

Variantes p. 140 : [a] ... ressemblance très lointaine... (A) (I).

105. Reprise fidèle de l'analyse de la « reconnaissance attentive » dans *Matière et mémoire*, cf. *MM*, p. 96-117.

106. Sur le sens actif de cet « oubli », comme inhibition et mobilisation sélective, qui ne contredit donc pas la thèse d'une conservation intégrale du passé « en soi », cf. *MM*, p. 198, et l'analyse de la notion d'inconscient p. 156-161.

107. Sur cette acception du « bon sens » défini comme mobilité de l'attention à la vie, cf. *MM*, p. 170 ; « R », in *ES*, p. 102-103 ; *EC*, p. 162 et 213-214 ; *DS*, p. 109-110 ; sur son opposition au « tout fait », à « l'esprit de routine et l'esprit de chimère », et son importance dans la vie pratique et sociale, cf. également « Le bon sens et les études classiques » (1895), in *Mélanges*, p. 362-363, 365-366, 369-371 (cf. « Lectures » du *Dossier*).

108. Il s'agit bien sûr du fameux et « beau succès qu'eut le valeureux don Quichotte dans l'épouvantable et inimaginable aventure des moulins à vent », *Don Quichotte, op. cit.*, chap. VIII. On notera qu'entre l'activité du bon sens décrite précédemment et l'empire pris ici par un souvenir prévalent, le fonctionnement psychologique est fondamentalement le même, c'est-à-dire « normalement » hallucinatoire (cf. « R », in *ES*, p. 98-99). « Presque aussitôt, l'image d'un moulin à vent vous revient à l'esprit : c'est un moulin à vent que vous avez devant vous » : déjà dans la perception attentive, l'actualisation des souvenirs mobilisés par notre présent vivant consiste en leur projection dans les schèmes perceptifs que découpe notre corps dans son milieu matériel. La différence entre l'attention normale et l'inattention donquichottesque consiste alors seulement, comme l'expliquera le paragraphe suivant, en une inversion du rapport *polarisé* qui ordinairement oriente le travail de la mémoire vers les exigences pratiques du présent.

Variantes p. 141 : [a] ... qui commande à tous les autres... (A) (I). [b] ... comique pèche toujours par... (A) (I).

109. Sur l'« appel » des souvenirs, cf. *MM*, p. 67, 96 et s., 107 et s. Sur l'usage de la notion d'« interprétation » dans ce contexte théorique, cf. *MM*, p. 129-135, et « R », in *ES*, p. 102-107 ; cf. également l'analyse de l'effort intellectuel, « EI », in *ES*, p. 167-174.

110. Cf. note 120 ci-dessous.

Variantes p. 142 : [a] ..à ce type très simple... (A) (I). [b] ... ne nous feront jamais rire... (A) (I).

111. Sur le problème de la différence entre la distraction à la source du comique et celle prenant valeur de symptôme psychopathologique, cf. *supra*, p. 11, 126 ; notes 27 du chap. I et 66 du chap. III. L'*idée fixe* est un

syndrome majeur de la psychiatrie depuis le XIXe siècle, qui se différencie dans plusieurs tableaux cliniques : le monoïdéisme du mélancolique dont toute la pensée est envahie par une idée, l'idée prévalente des délires systématisés qui forme un thème central envahissant toute la vie psychique du sujet aux dépens de toute réalité extérieure (cf. « FV », in *ES*, p. 76), ou encore l'idée obsessionnelle éprouvée comme parasite par le sujet qui cherche à la critiquer. Voir par exemple Th. Ribot, *Les maladies de la volonté*, Paris, Félix Alcan, 1888, p. 80 et s. ; et *Psychologie de l'attention*, Paris, Félix Alcan, 1889, p. 114-138, qui considère l'idée fixe comme un trouble morbide de l'attention. Par extension, il arrive à Bergson d'envisager un fonctionnement « normal » de l'idée fixe, par exemple, en 1902, un « monoïdéisme » propre à tout effort intellectuel (cf. « EI », in *ES*, p. 185-186). Du point de vue de l'analyse psychologique du rôle de la mémoire dans les associations d'idées, voir également les remarques sur les « souvenirs dominants » variables selon les « plans de conscience » (variabilité qui semble justement disparaître dans l'idée fixe proprement pathologique), *MM*, p. 190.

112. Ce qui était présenté précédemment comme une simple analogie entre logique de l'imagination comique et logique du rêve (cf. *supra*, p. 32), peut être compris à présent comme une identité de nature, en vertu de la cause psychologique commune de l'absurdité spécifique observable dans l'une comme dans l'autre : le relâchement de l'attention à la vie. Ce qui nous apprend qu'il y a bien une *logique* dans le rêve. La conférence de 1901 sur « Le rêve » soulignera la portée critique de cette thèse contre l'idée, dont Bergson se faisait lui-même l'écho dans ses cours de 1887-1888 à Clermont-Ferrand, suivant laquelle « les facultés les plus hautes de l'intelligence, les facultés de combinaison logique et de raisonnement suivi n'entrent pas en jeu » dans le rêve (*Cours*, t. I : *Leçons de psychologie et de métaphysique, op. cit.*, p. 272) : « Il y a des fragments de souvenirs brisés que la mémoire ramasse çà et là, et qu'elle présente à la conscience du dormeur sous une forme incohérente. Devant cet assemblage dépourvu de sens, l'intelligence (qui continue à raisonner, quoi qu'on en ait dit) cherche une signification. [...] Dans le rêve, nous devenons souvent *indifférents* à la logique, mais non pas *incapables* de logique. Je dirai presque, au risque de côtoyer le paradoxe, que le tort du rêveur est plutôt de raisonner trop. Il éviterait l'absurde s'il assistait en simple spectateur au défilé de ses visions. Mais quand il veut à toute force en donner une explication, sa logique, destinée à relier entre elles des images incohérentes, ne peut que parodier celle de la raison et frôler l'absurdité » (« R », in *ES*, p. 94 et 100-101). Sur le fonctionnement de l'intelligence, et même du raisonnement déductif dans le rêve, voir aussi « AC », in *ES*, p. 48. On notera enfin qu'en apparentant la logique du rêve à celle de l'idée fixe dans l'aliénation mentale (sur ce point,

cf. également *MM*, p. 194-195 ; « AC », in *ES*, p. 48 ; « FV », in *ES*, p. 76), puis l'absurdité comique au rêve, Bergson établit bien une gradation continue entre caractère comique et folie, comme en témoigneront les derniers exemples de cette section : cf. *infra*, p. 145-147 ; et les extraits de notre anthologie de « Lectures » p. 339-344.

Variantes p. 143 : [a] ... risible toutes les particularités... (A) (I). [b] ... rêve. Je signalerai en premier lieu... (A) (I).

113. Cette description du fonctionnement général de l'intelligence dans le rêve, dont *Matière et mémoire* a posé les bases (cf. notamment *MM*, p. 170-172), sera développée dans la conférence de 1901 : cf. « R », in *ES*, p. 85-100. L'enjeu principal en est double, critique et constructif. Elle récuse d'abord que la conscience en sommeil soit fermée aux données des sens externes, qui restent bien la matière des représentations des songes, marquée seulement par le relâchement du cadrage sensori-moteur que notre corps à l'état vigile impose ordinairement à notre perception : c'est donc une matière perceptive plus diffuse et confuse, innombrables « impressions "subjectives" qui passaient inaperçues pendant la veille, quand nous nous mouvions dans un monde extérieur commun à tous les hommes, et qui reparaissent dans le sommeil, parce que nous ne vivons plus alors que pour nous » (« R », in *ES*, p. 92). Dès lors, non seulement « l'esprit continue à fonctionner pendant le sommeil », mais la formation des représentations des songes peut être comprise selon le même mécanisme psychologique fondamental que la perception vigile du monde réel thématisé dans *Matière et mémoire* : « la puissance informatrice des matériaux transmis par les organes des sens, la puissance qui convertit en objets précis et déterminés les vagues impressions venues de l'œil, de l'oreille, de toute la surface et de tout l'intérieur du corps, c'est le souvenir » (*ibid.*, p. 94). La différence tient alors seulement à ce que ce « mécanisme ne travaille [...] pas, ici et là, de la même manière » (*ibid.*, p. 100) : la sélection des souvenirs n'étant plus conditionnée par la « tension simultanée de la sensation et de la mémoire » qui définit l'attention à la vie concrète d'une subjectivité incarnée et en situation, la conscience s'expose à leur libre actualisation, suivant des associations et des résonances lâches qui ne sont plus réglées par les exigences du présent (cf. *MM*, p. 186-187 ; et « R », in *ES*, p. 100-104). Les quatre « jeux d'idées » analysés dans la suite de cette section sont autant de variantes de l'effet produit par ce simple relâchement de l'attention à la vie, et de l'effort intellectuel qu'elle implique souvent.

114. Cf. *supra*, p. 28-29, 49, 73.

Variantes p. 144 : [a] ... raisonnements très abrégés... (A) (I). [b] ... son. Je me demande s'il ne faudrait pas... (A) (I).

115. Bergson introduit ici le thème de l'effort intellectuel qui tiendra une place importante dans la suite de l'analyse de l'affinité de la logique du

personnage comique avec celle du rêveur ; cf. aussi « R », in *ES*, p. 100-101, et son étude spéciale dans « EI », in *ES*, p. 153-190.

116. Sur ce caractère abrégé ou allusif du spirituel, ressaisi ici à partir de sa source dans la distraction de l'esprit, *supra*, p. 80-84.

117. On retrouve ici les procédés de comique de mots analysés au chapitre II (cf. *supra*, p. 90-92 et s.). Analysés à présent à partir de la distraction de l'esprit qui déleste la faculté de raisonnement de son orientation vers le réel, ils s'éclairent à la lumière des analyses de *Matière et mémoire* sur les rôles respectifs de la perception et de la mémoire dans l'intellection du sens d'un énoncé : cf. *MM*, p. 117-146 ; « R », in *ES*, p. 97-99 et 100-101. Ces analyses permettent en retour de comprendre les jeux de mots dans l'émotion comique à l'instar de leur formation onirique, c'est-à-dire par un relâchement de l'attention au sens des mots à la faveur d'une perception plus diffuse de la matière phonique susceptible de donner corps à des pensées moins rigoureusement liées.

118. Cf. J. Racine, *Les Plaideurs*, Acte III, scène 3.

Variantes p. 145 : [a] *... crescendo* tout particulier... (A) (I). [b] *...* sensation bien singulière... (A) (I).

119. Ici encore, les « obsessions » comiques et oniriques signalent avec une plus grande intensité la cause psychologique dont dérivaient déjà, mais très lointainement, les divers procédés de répétition, gestuelle, de situation ou de mots, analysés dans les deux chapitres précédents ; et comme pouvaient l'annoncer les procédés de répétition ou « transpositions » entre les plans du langage, c'est la théorie des « plans de conscience » qui est réinvestie ici, chaque « plan » ou niveau de contraction de la mémoire déterminant des associations, ressemblances et contiguïtés distinctes : cf. *MM*, p. 180-181, 188-190 ; et ici note 129 du chap. II.

120. Le procédé « boule de neige » analysé précédemment (cf. *supra*, p. 61 et s.) apparaît ainsi comme une résonance lointaine, sur le plan des actions et des situations matérielles, de cette dynamique de précipitation, dans le rêve, d'une pensée logique délestée de l'effort intellectuel qui en assure l'inscription vigile dans l'attention à la vie. Examinant un problème sensiblement différent, Bergson abordera pour elle-même, dans la conférence de 1901, la question de la *vitesse* de « déroulement » des pensées dans le rêve, cf. « R », in *ES*, p. 105-107. On pourra confronter enfin cette marche précipitée à l'absurde d'une intelligence fonctionnant sans frein dans la conscience du rêveur, à l'analyse bergsonienne de la démarche déductive et de ses limites dans l'aperception de la vie psychologique et morale, « Le bon sens », in *Mélanges*, p. 363-364, et *EC*, p. 213-214 : « D'une proposition vérifiée par les faits on ne peut tirer ici des conséquences vérifiables que jusqu'à un certain point, dans une certaine mesure. Bien vite il faut en appeler au bon sens, c'est-à-dire à l'expérience continue du réel, pour

infléchir les conséquences déduites et les recourber le long des sinuosités de la vie. La déduction ne réussit dans les choses morales que métaphoriquement, pour ainsi dire, et dans l'exacte mesure où le moral est transposable en physique, je veux dire traduisible en symboles spatiaux. La métaphore ne va jamais bien loin, pas plus que la courbe ne se laisse longtemps confondre avec sa tangente. » Les raisonnements rêveurs et comiques prennent directement la tangente.

Variantes p. 146 : [a] ... aurait pas fait l'expérience... (A) (I). [b] ... il sait qu'un autre... (A) (I). [c] ... dans beaucoup de scènes comiques... (A) (I). [d] ... Je laisse de côté Amphitryon... (A) (I).

121. Pour une première analyse de ce phénomène, cf. *E*, p. 101-102 ; cf. également la référence aux travaux de M. Dugas sur la « dépersonnalisation », in « FR », in *ES*, p. 110.

122. « Il s'entend parler, il se voit agir, mais il sent qu'un autre lui a emprunté son corps et lui a pris sa voix » : cette scission de la personnalité dans la conscience rêveuse, tout comme les trois autres phénomènes psychologiques qui viennent d'être mentionnés, n'« ajoute » littéralement rien à la vie psychologique « normale » mais au contraire profite du relâchement de l'attention à la vie pour exacerber une direction naturelle ou pour ainsi dire structurelle de la vie psychologique, direction que l'attention à la vie travaille ordinairement à limiter ou inhiber ; sur ce point, cf. déjà *MM*, p. 103, 172-173, 186-187, 194 ; et « EI », in *ES*, p. 184. *Le rire* rejoue ainsi sur un nouveau plan la thèse dualiste de *Matière et mémoire* et l'idée fondamentale qui lui donne sa portée selon laquelle l'unité de l'individualité humaine est toujours le fait d'un *acte d'unification*, d'un effort, ou comme le dira Bergson en 1901, d'un « vouloir » qui se confond avec la vie même (« R », in *ES*, p. 103-104).

Variantes p. 147 : [a] ... n'est pas du tout une absurdité quelconque... (A) (I). [b] ... parle. L'idée tient tout entière... (A) (I).

123. Il s'agit de la nouvelle de Mark Twain (Samuel Clemens), *An Encounter with an Interviewer*, 1874, rééd. in *Alonzo Fitz and other stories*, Ed. 1st World Library, 2006 (non paginé).

Variantes p. 148 : [a] ... que tous les effets... (A) (I).

124. Sur ce procédé de méthode, et la thèse psychologique fondamentale qui le sous-tend, cf. *supra*, p. 28-29, 49, 73.

125. Voir par exemple A. Bain, *Les émotions et la volonté, op. cit.*, p. 253-254, qui lie le rire au sentiment de détente ou au relâchement d'un effort ou d'une contrainte subitement levée. Spencer en reprend et en discute la thèse sur la base de ses propres descriptions physiologiques, réinterprétant la détente en terme de décharge brusque et sans but d'une grande quantité d'énergie nerveuse libérée par les voies musculaires les plus « faciles » :

Physiologie du rire, op. cit., p. 297 et s., 303-306. Cf. également A. Penjon, « Le rire et la liberté », art. cit., p. 137-138.

Variantes p. 149 : [a] ... nous donne donc tout d'abord l'impression... (A) (I). [b] ... ressemble toujours plus ou moins... (A) (I).

126. Cf. ci-dessus note 113.

127. Cf. *supra*, p. 140-141, et note 107 du chap. III.

128. Pour l'emploi des termes de travail et de fatigue dans un contexte théorique proche, cf. « R », in *ES*, p. 102-103.

129. Voilà cernée l'absurdité *spécifiquement* comique, en même temps que s'éclaire l'extension de la conséquence tirée au paragraphe précédent de l'activité de l'intelligence à l'activité de la vie : de « la fatigue de penser » à « la fatigue de vivre » (*infra*, p. 150), l'effort intellectuel est replacé au sein de l'attention à la vie dont il n'est qu'une dimension, et dont il ne peut être abstrait qu'artificiellement. Sur le sens de la notion de volonté dans ce contexte, non pas disposition ou faculté mais activité, acte intensif identique à la vie vigile même, cf. « R », in *ES*, p. 103-104.

Variantes p. 150 : [a] ... s'arrête tout aussitôt... (A) (I).

130. Sur cette distinction interne au rire, entre un « premier moment » d'élan sympathique accompagnant son déclenchement et un second marquant le point où la société pour ainsi dire prend le relais de la réaction spontanée de l'individu, en change instantanément le sens en lui assignant une fonction conforme à ses exigences, et en détermine aussitôt l'allure physique rendant le rire apte à remplir cette fonction, cf. P. Lacombe, « Du comique et du spirituel », art. cit., p. 576.

131. Sur l'aspect tout extérieur des défauts intéressant le rire, tout comme l'aspect extérieur de la fonction correctrice que ce dernier remplit, cf. *supra*, p. 13, 105. Bergson répond ici à la longue critique menée par Victor Courdaveaux du *Castigat ridendo mores*, en évitant l'alternative dans laquelle celle-ci s'inscrit : ou bien le rire aurait une visée de justice et d'édification morale, ou bien il serait, tout comme l'art comique qui le provoque, foncièrement désintéressé. Cf. V. Courdaveaux, *Le rire dans la vie et dans l'art, op. cit.*, p. 221-233 (« Lectures » du *Dossier*). Cf. également P. Lacombe, « Du comique et du spirituel », art. cit., p. 575-577.

Variantes p. 151 : [a] ... par voies naturelles... (A) (I). [b] ... Juste. Je répète... (A) (I).

132. Cette question de la justice sera reprise pour elle-même, in *DS*, p. 68-81 ; dans un contexte théorique plus proche de ce passage, cf. le discours de 1895 sur « Le bon sens », in *Mélanges*, p. 364-365.

133. Pour cette dernière expression, cf. *supra*, p. 12, 59-60. Pour le motif moraliste qui suit de l'égoïsme, cf. *supra*, p. 132-133. Bergson paraît ainsi reprendre à son compte la thèse hobbesienne, passée sous silence jusqu'à ce passage presque terminal de son analyse, selon laquelle le rire est provoqué

« quand on aperçoit chez autrui quelque disgrâce en comparaison de quoi on s'applaudit soudain soi-même » (*Léviathan*, Livre I, chap. VI, *op. cit.*, p. 54). Toutefois cette présomption ou cet orgueil intervient, non comme la cause générale du rire, mais, comme l'expliquera le paragraphe suivant, comme un « mal en vue du bien », l'égoïsme lui-même étant ici un moyen pour la société de réaliser sa régulation. Sur ces questions, voir Scott, J. W., « Ethical Pessimism in Bergson », in *International Journal of Ethics*, t. 24, n° 2, janvier 1914, p. 147-167. Peut-être y entendra-t-on aussi un écho baudelairien ? « J'ai dit qu'il y avait symptôme de faiblesse dans le rire ; et, en effet, quel signe plus marquant de débilité qu'une convulsion nerveuse, un spasme involontaire comparable à l'éternuement, et causé par la vue du malheur d'autrui ? [...] Cependant, le rire est parti, irrésistible et subit. Il est certain que si l'on veut creuser cette situation on trouvera au fond de la pensée du rieur un certain orgueil inconscient. C'est là le point de départ : *moi*, je ne tombe pas ; *moi*, je marche droit ; *moi*, mon pied est ferme et assuré. Ce n'est pas *moi* qui commettrais la sottise de ne pas voir un trottoir interrompu ou un pavé qui barre le chemin. » (Ch. Baudelaire, « De l'essence du rire », in *Curiosités esthétiques, L'Art romantique et autres Œuvres critiques*, Paris, Garnier/Bordas, coll. « Classiques Garnier », 1990, p. 248 ; et pour la figure du philosophe enfant *in fine*, *ibid.*, p. 251 et 253). On pourra enfin mettre ce passage du rire en regard de la leçon consacrée à Clermont-Ferrand au pessimisme : *Cours*, t. I : *Leçons de psychologie...*, *op. cit.*, 21ᵉ Leçon, p. 382-384.

134. Sur ce problème de méthode concernant la forme définitionnelle, cf. Préface, p. 1-2, 101, et note 1 du chap. I.

135. Sur la signification tant méthodologique que théorique de cette caractérisation du comique comme objet de « fabrication », voir nos notes 8 du chap. I et 148 du chap. II.

136. Ce problème est au cœur de la section proprement psychologique du chapitre I, p. 28-49 ; voir en particulier p. 28-29, 32, 42 et 49. Sur le traitement des exemples requis par l'objet même, cf. notes 1 et 51 du chap. I.

137. Sur cette double caractérisation de l'objet du rire – une atteinte légère qui n'affecte pas les conditions de base de la vie sociale, une atteinte qui affecte *spécifiquement* l'intensité de l'attention à autrui dans les rapports de sociabilité –, cf. *supra*, p. 14-16, 150-152.

Index

1. Index des noms propres

3. Index des exemples

Œuvres

Images, personnages, procédés comiques dans la vie, l'artifice et l'art

4. Index des images

Aimant : (attraction des brins de limaille de proche en proche) 64.

Anneau de Gygès : (– utilisé à rebours) 13.

Arlequin : (personnage cousu comme un habit d'–) 128.

Cadre : (–s ou formules tout faits) 11, 35, 48, 85, 114, 135, 137, 140, 135 ; v. Classe (Index des notions).

Condensateur : v. Électricité.

Contact : (– avec la vie, la réalité, soi, autrui) 2, 4, 15, 22, 66, 81, 103, 121, 149.

Contracture : (– de la volonté) 11 ; v. Pli.

Couleur : (coloration mutuelle des états d'âme) 4, 107.

Courant : (– de faits et d'idées) 9 ; (– des noms communs) 125.

Courbe : (– de la « roulette », de Pascal) 28.

Courbure : (– de l'âme) 11.

Cristallisation : 19, 42.

Danse : (entrer dans une –) 120.

Élasticité : (– du corps et de l'esprit) 14, 16 ; (in– des sens et de l'intelligence) 8.

Électricité : (charges d'– accumulées entre les deux plaques d'un condensateur) 121.

Énergie : 38, 39, 49.

Enfant cueillant l'écume : 152-153.

Épaississement : 17, 22, 82-83 ; v. Exagération (Index des notions).

Éruptions volcaniques : 122.

Escrimeur : 16.

Étang : 99.

Étiquette : 117 ; v. Cadre ; v. Classe (Index des notions).

Feuilles mortes : (– à la surface d'un étang) 99.

Fil : 16, 17, 49, 60, 66, 78, 84, 110.

Fuyant : (image, vision –e) 24, 27, 47.

Fluide : (continuité – d'images) 32.

Insertion : (– du mécanique et du vivant l'un dans l'autre) 29, 53.

Irradiation : (– d'une image comique) 73.

Labyrinthe : (– du comique) 66 ; v. Fil.

Magnétisé : (sujet –) 107 (v. Suggestion)

Mélodie : 8, 115, v. Musique.

Mer : (entrechoc des vagues à la surface de la –) 152.

Métal : (– pur et minerai) 102 ; (– en ébullition) 122.

Mousse : (– de l'écume) 152-153.

Table analytique du Rire

b / [3-4] Comment rit-on ? – L'apathie du rieur, « spectateur indifférent ».

c / [4-6] Qui rit ? – Le rire est toujours celui d'un
groupe.

Ces trois questions aboutissent à une quatrième – pourquoi
rit-on ? – qui donne lieu à une première formulation de « l'idée
directrice » de tout l'ouvrage : le rire a une signification et une
fonction sociales.

II. Principe et fonction du comique : automatisme et distraction [7-17]

A / [7-14] L'explicitation de cette thèse passe d'abord par la
reprise de la question « de quoi rit-on ? », dans un premier
moment qui livre une première identification du principe du
comique – une allure mécanique, un automatisme ou une distraction dans l'être perçu –, principe approché à travers une série
d'exemples dont la gradation conduit des automatismes du corps
vivant (habitudes) aux distractions de l'esprit (esprit de chimère,
idée fixe ou sentiment dominateur), suivant donc un mouvement
qui, partant de ce qu'il y a de plus objectif ou impersonnel dans
la personne (vie biologique, habitudes corporelles), approfondit la
source du comique dans la vie subjective de la conscience et de
la mémoire.

B / [14-16] Ce second moment apporte une précision cruciale au précédent, tout en établissant le lien entre les deux questions *de quoi* et *pourquoi rit-on ?* Tout automatisme ou toute distraction ne faisant pas rire, il appartient à la société de
différencier ceux qui peuvent devenir comiques et ceux qui ne le
peuvent pas ; et cette différenciation ajuste la première question à
la seconde, parce qu'elle est une différenciation *interne à la vie
sociale* entre les conditions fondamentales de la vie individuelle
et collective, et des relations plus mobiles et plastiques de sociabilité, dont le rire tend à sanctionner et corriger les réifications
et les déviances. Voici posées la fonction sociale du rire, et par

elle, la signification sociologique du comique « pur de tout mélange ».

[16-17] De là s'annoncent deux lignes problématiques : comment rendre compte des multiples figures du comique qui ne paraissent pas satisfaire si clairement cette signification et cette fonction (objet des analyses des chapitres I et II) ? comment comprendre la place du comique dans l'art, compte tenu de cette source et de cette signification sociales (objet du chapitre III) ?

III. *Comique des formes* [17-22]

Première forme de comique, dont l'examen comporte trois enjeux importants pour toute la suite de l'analyse. D'abord, récuser la définition du risible à partir des catégories esthétiques du laid et du beau, et, partant, au lieu d'un jugement de goût désintéressé, envisager à la base l'émotion comique une évaluation vitale du corps vivant (« plutôt raideur que laideur »). Ce point motive une brève analyse de l'*expression* qui prépare l'examen du principal mécanisme psychologique à l'œuvre dans la perception du risible qui se substituera justement à l'expression : la *suggestion*. Enfin, Bergson montre que cette évaluation vitale fait spontanément jouer, dans notre perception immédiate du corps, une sorte de « philosophie » de l'imagination.

    a / [18-20] Expressivité du corps humain et image comique.

    b / [20-21] Le comique de caricature.

    c / [21-22] Philosophie spontanée de l'imagination.

IV. *Comique des mouvements* et des gestes [22-28]

L'examen de cette seconde forme de comique confirme l'acquis de la précédente : l'importance de la suggestion d'une image à travers ou dans une autre. Surtout, abordant le mouvement, il met en place le motif de l'automatisme, qui fonde la potentialité comique des gestes et attitudes du corps dans la vie même de celui-ci, déterminée comme montage d'habitudes par et pour la répétition.

a / [23-24] Exemple de dessins comiques.

b / [24-25] Exemple de la course du geste et de la parole de l'orateur.

c / [25-27] Comique d'imitation et répétition mécanique.

V. *Force d'expansion du comique* [28-50]

Cette section a un statut tout à fait singulier dans le plan d'ensemble de l'ouvrage : section proprement psychologique du *Rire*, elle interrompt l'analyse des formes particulières de comique pour thématiser pour lui-même le travail psychique ou la logique immanente de l'imagination qui était déjà impliquée par les analyses antérieures. Elle éclaire par là, tant le mouvement de l'argumentation menée dans les deux sections précédentes que la démarche suivie dans l'examen ultérieur des autres formes principales de comique (on notera que les exemples invoqués dans cette section sont empruntés aux domaines les plus divers, y compris du vaudeville auquel le chapitre II sera pourtant spécifiquement consacré).

[28-29] Bref discours de la méthode, qui soulève le problème difficile des associations d'idées et d'images dans la suggestivité comique. Représentation topique de l'imagination, espace organisé autour d'« images primitives » ou « centrales » d'où rayonnent des lignes de dérivation associatives. S'ouvre ainsi l'examen de trois « direction[s] naturelle[s] du mouvement de l'imagination » à partir de l'une de ces images primitives : « du mécanique plaqué sur du vivant » :

A / [29-37] Première direction naturelle de l'imagination comique à partir de l'image du mécanique plaqué sur du vivant.

[29-31] L'examen de cette première chaîne de dérivations associatives commence par mettre en place deux éléments : un mouvement de généralisation de l'image du mécanique plaqué sur du

vivant vers l'idée d'une raideur en général ; un schème imaginatif métonymique (contenu/contenant ou enveloppé/enveloppant) qui fait immédiatement jouer cette idée de raideur dans la perception sociale des corps (exemple de la mode vestimentaire et du déguisement). Sur cette base s'ouvre le repérage d'un premier processus d'« expansion du comique », qui se déploie dans deux séries dérivatives principales :

a / [31-32] l'une passe de l'image littérale du vêtement à tout *état du corps*, forme ou qualité perçue spontanément comme un revêtement artificiel ;

b / [32-35] la seconde passe de l'image du corps humain à celle d'un vivant quelconque, à la nature en général et à la société considérées à leur tour comme des corps sujets à déguisement.

B / [38-43] Deuxième direction naturelle de l'imagination comique à partir de la même image centrale.

Seconde ligne de dérivation associative faisant jouer le schème du déguisement, non plus entre l'image d'un corps et celle d'un revêtement, mais entre le corps lui-même comme revêtement et l'« âme », principe de vie intellectuelle et morale comme objet d'une interprétation spontanée de l'imagination à l'œuvre immédiatement dans la perception du corps humain. D'où découle une nouvelle expansion analogique :

a / [38-40] Le corps prenant le pas sur l'âme.

b / [40-42] La forme prenant le pas sur le fond.

c / [42-43] Loi des harmoniques comiques.

C / [43-49] Troisième direction naturelle de l'imagination comique à partir de la même image.

Mise en œuvre d'un dernier circuit de généralisation et d'expansion : de l'idée de mécanique à l'idée de chose en général.

a / [44-46] Exemple du duo de clowns.

b / [46-49] Explicitant ce dernier exemple, la dernière partie de cette section développe en fait une conséquence qui concerne l'ensemble des analyses de l'imagination de la section V et, à travers elles, tout le livre : elle dégage pour lui-même le mécanisme fondamental (qu'il soit naturellement déclenché ou artificiellement provoqué) du travail psychique engendrant l'émotion comique : la suggestion.

– [49-50] Récapitulant l'idée directrice de cette dernière section, celle d'une force d'expansion du comique suivant des lignes de dérivation par ressemblances et analogies entre des termes de plus en plus généraux ou « de plus en plus immatériels », ce paragraphe conclusif en recentre l'enjeu méthodologique et critique pour l'analyse psychologique du comique, et, à travers elle, pour toute la psychologie de l'imagination.

CHAPITRE II
Le comique de situation et le comique de mots [51-100]

I. *Le comique de situation* et d'action [51-78]

A / [51-67] Les jeux de l'enfant.
Ouverture de l'analyse des procédés du comique de situation par une description de quelques jeux d'enfant, qui répond à un double objectif. 1° La thèse étant donnée d'une unité des ressorts comiques dans l'art et dans la vie, il est d'abord méthodologique : les procédés vaudevillesques prennent une valeur heuristique pour étudier les situations comiques dans la vie réelle parce qu'ils en grossissent et en schématisent les rouages ; mais les jeux d'enfants présenteront dans une plus grande simplicité encore ces ressorts théâtraux eux-mêmes, et en livreront ainsi la formule la plus épurée. 2° Cet artifice méthodologique suppose à son tour une continuité réelle, vécue et incorporée, entre l'enfance et l'expérience adulte, ce qui entrouvre une approche psychogénétique de l'émotion comique, dont Bergson montre dans cette première partie l'élément principal : ce que nous rejouons spécifiquement dans l'émotion comique adulte, c'est une

activité de mécanisation, une manipulation active de metteur en scène – fût-ce virtuellement comme simple spectateur –, ce que le chapitre I avait introduit au titre de l'intelligence.

a / [53-59] *Le diable à ressort.*
b / [59-61] *Le pantin à ficelles.*
c / [61-67] *La boule de neige.*

B / [67-78] Les procédés du comique de situation au théâtre.

Passage du repérage seulement empirique qu'a permis le fil conducteur des jeux d'enfant, à un examen déductif des procédés du comique de situation qui trouve son principe dans une description de l'allure extérieure de la vie, c'est-à-dire des caractères perceptifs qui confèrent l'apparence de la vie à des systèmes d'action et de situation. L'analyse de trois procédés principaux permet alors de dégager une logique *objective* des situations, c'est-à-dire une distraction des choses ou une obstination des événements qui fondent l'autonomie relative de procédés de fabrication de situations *par elles-mêmes* comiques, et non pas rendues telles par le caractère des personnages qui s'y engagent subjectivement.

a / [68-71] *La répétition.*
b / [71-73] *L'inversion.*
c / [73-77] *L'interférence des séries.*

II. *Le comique de mots* [78-100]

A / [79-84] Distinction et relation du spirituel et du comique.

Ouverture de l'examen du comique de mot par une analyse de l'« esprit » ; son développement en est présenté comme quelque peu digressif, mais sa conclusion [83-84] montrera qu'il n'en est rien. Double conclusion, en fait : 1° Elle statut d'abord sur la relation de l'esprit au comique en général, et permet de rendre compte simultanément de deux aspects : la complexité du spirituel souvent remarquée est bien réelle, mais ne vient pas tant du spirituel lui-même que de la diversité des formes de comique qu'il porte, pour ainsi dire, à l'état gazeux ; cela ne signifie toutefois pas qu'il ne puisse faire l'objet d'une définition précise, mais témoigne de l'insuffisance des définitions simples et statiques et la nécessité de recourir à une définition dynamique comprenant des opérations d'engendrement (exemple du mot d'esprit de Mme de Sévigné [82-83]). 2° Elle porte ensuite plus spécifiquement sur le mot d'esprit dans son double rapport au comique de situation et au comique de mots : affirmant l'absence de solution de continuité entre les comiques de situation et de langage, entre lesquels le mot d'esprit dessine une transition qui, à l'état volatile d'une simple d'ébauche, les fait jouer l'un dans l'autre, elle éclaire par là même l'intérêt méthodologique de cette analyse intercalaire du spirituel pour l'analyse du comique de mot : montrer que ce dernier applique au langage les mêmes procédés que ceux que le comique de situation applique aux actions et aux événements.

a / [80-82] Sens large et sens restreint du mot esprit : une intelligence *sub specie theatri.*

b / [82-84] Le mot d'esprit : langage et théâtralité.

B / [84-90] Le langage comme plan de projection des procédés comiques en général.

Bergson en donne une première confirmation en retrouvant sur le plan du langage deux procédés généraux dégagés au premier chapitre :

a / [85-87] L'automatisme dans le langage : la distraction des formules toutes faites.

b / [87-90] Le physique et le moral dans le langage : la distraction des liens métaphoriques.

C / [90-98] Projection des procédés du comique de situation sur le plan du langage.

Il en donne surtout une confirmation plus spécifique et systématique en retrouvant sur le plan du langage les trois principaux procédés du comique de situation précédemment déduits [67-78] de l'allure extérieure de la vie.

a / [91] Le procédé d'inversion sur le plan du langage.

b / [91-92] Le procédé d'interférence sur le plan du langage.

c / [93-98] Le procédé de transposition entre les plans du langage.

[94-95] Transposition du solennel et du familier (parodie).

[95-96] Transposition des rapports de grandeur (héroï-comique).

[96] Transposition des rapports de valeur.

[96-98] Transposition du réel et de l'idéal (satires ironique et humoristique).

[98] Transposition du langage courant et des langues spécialisées.

– [98-100] Concluant l'analyse des comiques de situation et de langage, ce paragraphe vient en souligner la continuité avec le comique de caractère où ils viennent se fondre : alors que tout ce chapitre a fait abstraction de la vie de la conscience subjective pour reconnaître une autonomie relative à des procédés manipulant des situations d'action et de langage par elles-mêmes comiques, s'annonce ici l'objet du dernier chapitre : l'examen d'une distraction propre à cette vie subjective de l'esprit où les automatismes objectifs de situation et de langage trouvent eux-mêmes leur source.

CHAPITRE III
Le comique de caractère [101-153]

I. *Le comique de caractère* [101-131]

Loin de leur juxtaposer simplement une nouvelle catégorie, ce dernier chapitre reconduit toutes les formes comiques précédentes à leur source : la tension interne à notre vie entre les normes générales de la société (qui nous sont bien immanentes) et l'individualité d'un caractère (dont le rire sanctionne les écarts, fussent-ils volontaires, par rapport à ces normes). Surtout, Bergson montre ici qu'au contact du caractère, c'est le rire lui-même qui est porté à sa double limite intensive, l'expérience de l'œuvre d'art et l'inquiétude morale, qui sont au cœur de ce chapitre.

A / [101-113] Les trois conditions de possibilité d'un caractère comique.

Les deux premières sections du chapitre I les avaient annoncées : insociabilité latente de la personne risible, rupture de sympathie ou insensibilité dans le spectateur, automatisme trahissant une inattention à la vie, à soi et à autrui. Les formes de comique antérieurement étudiées, ne nous mettant pas directement en rapport avec des personnes mais avec des gestes, des situations et des énoncés, pouvaient les supposer données sans avoir à les expliciter ; elles deviennent au contraire, lorsque nous entrons en relation avec une conscience subjective ou un caractère, frontalement problématiques, et doivent donc être abordées pour elles-mêmes. Tel est l'objet de ce premier moment, dont le développement s'articule à une double portée critique :

– [102-104] 1° Le devenir comique d'un caractère n'implique aucune évaluation morale à son sujet, mais seulement la perception en lui, défaut ou qualité, d'une tendance à l'insociabilité.

– [104-106] 2° Le devenir comique d'un vice de caractère n'implique aucune appréciation de son degré de légèreté ou de gravité, mais seulement l'insensibilité avec laquelle on l'observe.

– [107-111] Bergson en tire aussitôt une mise en question, chargée de corroborer la thèse d'une identité des éléments du caractère comique dans la vie et au théâtre, des procédés poétiques réalisant artificiellement l'insensibilisation du spectateur qui se déclenche spontanément dans les situations comiques de la vie réelle :

> a / [107-109] L'isolement d'un sentiment au sein de l'âme entière.
>
> b / [109-111] L'isolement d'un geste au sein de l'unité vivante personne-action-situation.

– [111-113] Troisième condition, impliquée par l'insociabilité de la personne et par la rupture de sympathie du spectateur : l'automatisme dans le caractère, signe d'une inattention à soi et à autrui.

B / [113-131] Relation de la comédie à la vie, place de la comédie parmi les autres arts, relation de l'art à la vie.

– [115-121] Bergson établit la divergence des directions de l'art et de la vie sur la base d'une triple genèse de l'ordre de la généralité dans la vie, c'est-à-dire d'une généralité immanente aux conditions de perception et d'action du corps vivant, au langage, et à la société. L'individualité qu'atteint au contraire l'art permet alors de dégager une double leçon. L'une, tranchant le débat entre réalisme et idéalisme en art, concerne la portée métaphysique de celui-ci : il n'abstrait rien, n'idéalise rien, mais nous fait au contraire accéder à une « vision plus directe de la réalité » telle qu'elle est en soi ; mais par là même il implique dans l'artiste, et par suite dans le spectateur, une rupture avec la réalité telle qu'elle est *pour nous*, c'est-à-dire qu'il nous force nous-mêmes à rompre, momentanément, avec les conditions corporelles, sensibles, symboliques et sociales de notre vie ; l'idéalisme n'est alors qu'un autre nom pour cet effort de détachement de notre attention naturelle à la vie, qui est lui-même la voie d'accès à un réalisme élargi au-delà des bornes que le simple fait de vivre impose au réel. La seconde leçon qui en découle porte sur le rapport plus particulier de l'art à la vie sociale, rapport d'antagonisme qui fait de l'art « une rupture avec la société » – ce qui prépare la formulation du chiasme propre à la comédie, seul *art social*.

    a / [115-117] Genèse et signification biologiques de la généralité dans la perception et dans l'action.

    b / [117-118] Genèse et signification sociales de la généralité dans le langage.

    c / [118-121] Singularité de l'artiste, individualité de l'objet esthétique, origine de la diversité des arts (« Mais de loin en loin.»).

– [121-124] Pertinence des analyses précédentes pour définir l'art dramatique. Spécification de l'art poétique dont il a été question p. 119-120, il s'agit d'abord de montrer qu'il satisfait pleinement la caractérisation qui en a été donnée, sous le double rapport d'un sens artiste spécial et d'un accès donné au spectateur sur une réalité plus profonde ou plus complète : l'art dramatique trouve ainsi sa place parmi les autres arts, et de ce premier point de vue, son objet (des états d'âme particulièrement intenses et violents) ne diffère qu'en degré de celui de la poésie. Sa spécificité tient cependant à ce qu'il traite directement des rapports intersubjectifs : rompant avec les symboles et généralités communes, l'art dramatique entame directement les conditions de la société elle-même, conditions immanentes à notre vie qui ordinairement inhibent « le feu intérieur des passions individuelles », c'est-à-dire refoulent sans pouvoir pourtant la faire disparaître une part profondément asociale de nous-mêmes. L'examen de l'art dramatique porte ainsi à sa plus grande acuité la tension entre les arts et la vie sociale, et prépare la distinction cardinale entre tragédie et comédie, seul art qui « accepte la vie sociale comme un milieu naturel » [131].

– [124-125] Sur cette base, Bergson reprend le problème soulevé par Kant dans la *Critique de la faculté de juger* de l'université du jugement esthétique : si une œuvre ne trouve sa valeur esthétique que dans l'individualité irréductible de ce qu'elle suggère à notre sensibilité, comment assigner à cette valeur un critère d'universalité, principe d'un accord intersubjectif sur la réussite de l'œuvre ? La solution qu'il lui apporte exprime ici la conception bergsonienne du génie, et de la vérité en art.

– [125-131] Partie résolutive de cette section, qui dégage deux différences de la comédie et du drame et, à travers elles, montre la singularité parmi tous les autres arts que la comédie tire de son appartenance à l'ordre de la généralité comme tendance immanente à notre vie : elle est bien le seul art à se conformer à la vie en ce qu'elle a de général dans la perception, le langage, et la société.

a / [125-126] Le point de vue de l'œuvre : individualité et type général dans l'objet théâtral.

b / [127-130] Le point de vue de l'imagination poétique : deux directions de l'observation.

c / [130-131] Récapitulation conclusive sur l'ambiguïté de la comédie, entre l'art et la vie.

II. Le caractère comique pur : la vanité [131-134]

Ayant établi que le comique est, à sa source sociale, comique *de caractère*, il s'agit de remonter dans le vaste domaine des dispositions morales au caractère comique pur, c'est-à-dire celui qui donne au rire son objet le plus immédiat et le plus propre, dont participent ou auquel se mêlent, à des degrés d'intensité très variables et jusqu'aux plus infimes, imperceptibles ou inconscients, tous les autres traits de caractère pour devenir comiques à leur tour.

III. Le comique professionnel [134-138]

L'analyse du potentiel comique des « caractères » profes-sionnels prolonge celle de la vanité en en exhibant l'inscription sociologique, ce qui permet de faire apparaître le rire comme un régulateur interne à la vie sociale qui secrète en elle-même, en l'occurrence en raison de la division du travail, des automatismes et des distractions intellectuelles, linguistiques et morales :

a / [136] La vanité professionnelle.

b / [136-137] L'endurcissement professionnel.

c / [137-138] Le langage professionnel.

d / [138] La logique professionnelle.

IV. La logique de l'absurde propre aux montages comiques [138-147]

A / [138-142] L'absurde propre au comique. Double enjeu : enjeu critique tourné contre les théories érigeant l'absurdité (contradiction intellectuelle ou contraste sensible) en cause géné-rale du comique ; enjeu positif visant à confirmer la thèse direc-trice du livre selon laquelle il appartient à une certaine distrac-tion de donner leur « coloration » comique aux comportements et aux raisonnements absurdes.

a / [138-139] Problème épistémologique : la place de la logique dans le comique.

b / [139-142] L'absurdité spécifiquement comique et sa cause : bon sens, inattention à la vie, idée fixe ; exempla-rité de Don Quichotte.

B / [142-147] Ayant montré dans l'inattention à la vie le res-sort psychologique de l'absurdité logique spécifiquement comique, Bergson adopte pour fil conducteur, pour guider un repérage plus différencié de celle-ci, l'allure de la pensée logique à l'œuvre dans une situation d'inattention à la vie analogue : le rêve.

Lectures

I. Sources et interlocuteurs

Lorsque paraît Le rire, *en 1900, l'objet n'en est pas tout à fait nouveau pour Bergson, qui avait prononcé une conférence en 1884 sur ce thème. Il n'est pas non plus insolite dans l'espace des savoirs de son temps, au point que Bergson dit devoir renoncer à discuter par le menu les nombreuses théories du rire de ses prédécesseurs. On trouvera ici quelques balises du territoire historique et théorique dans lequel prend place l'ouvrage.*

a) Premières incursions bergsoniennes dans le rire

M., P., « Le Rire : Conférence de M. Bergson » (18 février 1884), in *Moniteur du Puy-de-Dôme*, 21 février 1884 ; rééd. in *Mélanges*, p. 313-315.

/313 / Avant-hier soir, le palais des facultés était en fête. Le culte des belles-lettres n'est pas mort en Auvergne. Une nouvelle conférence avait été annoncée : un philosophe devait parler du rire. De quoi rit-on ? Pourquoi rit-on ? Bien des gens ne le savaient pas, quelques uns ne se l'étaient jamais demandé, qui ont pourtant mené bonne et joyeuse vie. On peut avoir ri pendant un demi-siècle sans savoir au juste de quoi ni pourquoi. Pourtant quand on a la barbe grise ou la barbe blanche, on aime à se rendre compte de ce qu'on a fait si bien pendant si longtemps. Aussi les curieux sont-ils accourus en rangs pressés, alléchés par l'originalité du sujet ; beaucoup n'ont pu dépasser le seuil et sont partis en maudissant leurs concitoyens plus heureux. Tous ceux qui ont trouvé place sur les gradins ou autour de l'orateur s'en sont retournés séduits et charmés. Ils avaient appris bien des choses sur le fond même du sujet. Et puis, comme chacun l'avait bien espéré à part soi, dans cette conférence sur le rire, il y avait bien des mots pour rire. Sous l'enveloppe du Français le plus grave il y a toujours un compatriote de Rabelais, un ami de la fine raillerie et du calembour.

/314 / M. Bergson a émaillé sa conférence d'anecdotes fort heureusement choisies. Il a pris comme collaborateurs ou cité comme témoins Molière et Cervantès, Augier et Labiche, fort étonnés sans doute de faire œuvre de philosophie et de se rencontrer face à face avec le colonel Ramollot. Qu'il s'agit du docteur Pancrace ou de monsieur Perrichon, M. Bergson analysait très finement les effets comiques. Jamais d'ailleurs la critique raffinée de l'orateur n'a fait évaporer le sel des auteurs cités. Le public riait deux fois : d'abord parce que les citations étaient amusantes, ensuite parce que, de l'avis de M. Bergson, on avait raison de rire. C'est une bien grande consolation que de se divertir selon les règles, comme de mourir sur avis conforme de la Faculté.

Les anecdotes, les mots piquants ont réjoui le public. Les connaisseurs ont apprécié plus encore l'ingénieuse théorie, la savante construction et la diction habile du jeune conférencier. C'est affaire aux philosophes de discuter le système. Les explications de l'orateur étaient séduisantes, et il fallait quelque courage pour résister au charme. Pourtant j'accorderais difficilement pour ma part que le rire résulte d'une brusque interruption dans le déploiement de notre activité ou soit un effet de la sympathie. Attribuer au rire la même origine qu'à la pitié ou aux larmes, voilà qui est vraiment hardi, et les philosophes ont seuls de ces audaces. Nous pensons que la plupart des exemples cités par M. Bergson s'expliqueraient également bien dans d'autres hypothèses. Pour certains philosophes, le rire est la conséquence de contrastes frappants, d'oppositions violentes. Quelques penseurs l'expliquent par un sentiment de supériorité sur le voisin dont on rit. Nous n'entrons pas dans la discussion. Aussi bien l'essentiel est que le rire joyeux et franc de nos ancêtres ne disparaissent pas du sol gaulois. Préférons donc la théorie de M. Bergson ; puisque la rire procède de bons sentiments comme la sympathie ou la pitié, on peut s'y abandonner sans scrupule. C'est bien l'affaire des rieurs et des médisants : et qui est donc sûr de ne pas médire une fois en sa vie ? Qui donc serait capable de retenir toujours un bon mot par bonté d'âme ?

La thèse admise, il faut bien reconnaître que M. Bergson l'a développée avec une remarquable habileté. Il part modestement d'une anecdote. Tandis que le public rit encore à belles dents, M. Bergson a déjà tiré de l'anecdote une observation, un fait ; et le voilà qui court avec une prestesse singulière vers sa conclusion. Il se garde bien de dire à l'avance où il va ; il nous cache le fil avec lequel il fait miroiter les anecdotes et tire à lui les conséquences ; les auditeurs ont cru tout bonnement se divertir, ils s'aperçoivent à la fin qu'ils ont fait avec M. Bergson œuvre de philosophie, presque de métaphysique. C'est ce que nous aimons d'ordinaire, en France du moins ; nous voulons faire de la philosophie et de la science, comme M. Jourdain faisait de la prose, sans le savoir. M. Bergson nous a démontré que le rire est produit par /315/ une interruption ou un changement brusque de notre activité, de notre sympathie active pour nos semblables ; nous lui en sommes reconnaissants. Mais il nous a charmés en faisant entrer dans le cadre de son système d'ingénieuses remarques sur les drôleries des comiques anciens et nouveaux ; nous lui en sommes plus reconnaissants encore. Aidé de Molière et de Labiche, escorté de Perrichon et de Ramollot, il a souvent bien amusé le public, et, s'il a pendant sa conférence scruté les physionomies rieuses de ses auditeurs, il a pu recueillir de nouveaux éléments de son étude, peut-être d'autres observations sur l'objet et la cause du rire.

H. Bergson, *Cours*, t. II : *Leçons d'esthétique. Leçons de morale, psychologie et métaphysique (1887-1888)*, Paris, PUF, 1992, 1ʳᵉ Leçon d'esthétique, p. 43-44.

/43/ [...] Enfin, la notion du ridicule doit être considérée comme inexpliquée, en dépit des tentatives de Kant, de J.-P. Richter, de Léon Dumont. Selon quelques-uns, le ridicule consisterait dans une inconvenance. Nous rions d'un capitaine de vaisseau qui a le mal de mer parce que, entre les deux termes, il paraît y avoir incompatibilité. Mais combien de choses nous font rire sans que cette condition soit réalisée, exemple un calembour. Selon d'autres, le comique a pour essence un manque de proportion entre la fin et les moyens. Nous rions d'un effort qui n'aboutit pas, d'un coureur qui tombe brusquement à terre, de la montagne qui accouche d'une souris. Mais pourquoi ne rions-nous pas alors d'un malheureux qui n'arrive pas à soulever un fardeau ? Enfin, d'après Richter et Léon Dumont, le comique se réaliserait et le rire se produirait toutes les fois qu'une contradiction nous est présentée. De telle manière que nous sommes presque obligés de l'accepter. Ainsi la caricature d'un ami nous fait rire, parce /44/ que c'est lui et que ce n'est pas lui tout à la fois. De même pour le souci de Molière, mais comment appliquer cette définition du comique à *L'Avare* de Molière, et au *Misanthrope* ?

H. Bergson, « Le bon sens et les études classiques », Discours prononcé à la distribution des prix du Concours général, 30 juillet 1895, in *Mélanges*, p. 361-367.

Ce texte ne traite pas du comique, ni du rire ; il formule en revanche de la façon la plus explicite, un an avant la parution de Matière et mémoire*, un concept d'« attention à la vie » qui sous-tend toute la compréhension du comique élaborée en 1900. On remarquera en outre dans les extraits reproduits ici la portée pratique et sociale de l'analyse.*

/361/ [...] Le rôle de nos sens, en général, est moins de nous faire connaître les objets matériels que de nous en signaler l'utilité. Nous goûtons des saveurs, nous respirons des odeurs, nous distinguons le chaud et le froid, l'ombre et la lumière. Mais la science nous apprend qu'aucune de ces qualités n'appartient aux objets sous la forme où nous les apercevons ; elles nous disent seulement dans leur pittoresque langage, l'inconvénient ou l'avantage que les choses ont pour nous, les services qu'elles pourront nous rendre, les dangers qu'elles nous feront courir. Nos sens nous servent donc, avant tout, à nous orienter dans l'espace ; ils ne sont pas tournés vers la science, mais vers la vie. Or, nous ne vivons pas seulement dans un milieu matériel, mais aussi dans un milieu social. Si tous nos mouvements se transmettent dans l'espace et ébranlent ainsi une partie de l'univers matériel, en revanche la plupart de nos actions ont leurs conséquences prochaines ou lointaines, bonnes ou mauvaises, d'abord pour nous, ensuite pour la société qui nous environne. Prévoir ces conséquences, ou plutôt les pressentir ; distinguer en matière de conduite, l'essentiel de l'accessoire ou de l'indifférent ; choisir parmi les divers partis possibles, celui qui donnera la plus grande somme de bien, non pas imaginable, mais réalisable : voilà, semble-t-il, l'office du bon sens. C'est donc bien un sens à sa manière ; mais tandis que les autres sens nous mettent en rapport avec des choses, le bon sens préside à nos relations avec des personnes. [...]

/362/ [...] S'il se rapproche de l'instinct par la rapidité de ses décisions et la spontanéité de sa nature, il s'y oppose profondément par la variété de ses moyens, la souplesse de sa forme, et la surveillance jalouse dont il nous entoure, pour nous préserver de l'automatisme intellectuel. S'il ressemble à la science par son souci du réel et son obstination à rester en contact avec les faits, il s'en distingue par le genre de vérité qu'il poursuit ; car il ne vise pas, comme elle, à la vérité universelle, mais à celle de l'heure présente, et ne tient pas tant à avoir raison une fois pour toutes, qu'à toujours recommencer d'avoir raison. D'autre part, la science ne néglige aucun fait d'expérience, aucune conséquence du raison- /363/ nement : elle calcule la part de toutes les influences et pousse jusqu'au bout la déduction de ses principes. Le bon sens choisit. Il tient certaines influences pour pratiquement négligeables, et s'arrête dans le développement d'un principe, au point précis où une logique trop brutale froisserait la délicatesse du réel. Entre les faits et les raisons qui luttent, se poussent et se pressent, il faut qu'une sélection s'opère. Enfin c'est plus que de l'instinct et moins que de la science ; il y faudrait plutôt voir un certain pli de l'esprit, une certaine pente de l'attention. On pourrait presque dire que le bon sens est l'attention même, orientée dans le sens de la vie.

Aussi n'a-t-il pas de plus grands ennemis, dans la cité, que l'esprit de routine et l'esprit de chimère. S'obstiner dans des habitudes qu'on érige en lois, répugner au changement, c'est laisser distraire ses yeux du mouvement qui est la condition de la vie. [...]

/365/ [...] Je vois donc dans le bon sens, l'énergie intérieure d'une intelligence qui se reconquiert à tout moment sur elle-même, éliminant les idées faites pour laisser la place libre aux idées qui se font, et se modelant sur le réel par l'effort continu d'une attention persévérante. Et je vois aussi en lui le rayonnement intellectuel d'un foyer moral intense, la justesse des idées se moulant sur le sentiment de la justice, enfin l'esprit redressé par le caractère. Notre philosophie, éprise des distinctions tranchées, trace une ligne de démarcation bien nette entre l'intelligence et la volonté, entre la moralité et la connaissance, entre la pensée et l'action. Et ce sont bien là, en effet, deux directions différentes où s'engage, en se développant, la nature humaine. Mais l'action et la pensée me paraissent avoir une source commune, qui n'est ni pure volonté, ni pure intelligence, et cette source est le bon sens. Le bon sens n'est-il pas, en effet, ce qui donne à l'action son caractère raisonnable, et à la pensée son caractère pratique. [...]

/366/ [...] Un des plus grands obstacles, disions-nous, à la liberté de l'esprit, ce sont les idées que le langage nous apporte toutes faites, et que nous respirons, pour ainsi dire, dans le milieu qui nous environne. Elles ne s'assimilent /367/ jamais à notre substance : incapables de participer à la vie de l'esprit, elles persévèrent, véritables idées mortes, dans leur raideur et leur immobilité. Pourquoi donc les préférons-nous si souvent à celles qui vivent et qui vibrent ? Pourquoi notre pensée, au lieu de travailler à se rendre maîtresse chez elle, aime-t-elle mieux s'exiler d'elle-même ? C'est d'abord par distraction, et parce qu'à force de nous amuser le long de la route, nous ne savons plus où nous voulions aller.

Peut-être avez-vous remarqué, devant nos monuments et dans nos musées, des étrangers qui tiennent à la main un livre ouvert, un livre où ils trouvent décrites, sans doute, les merveilles qui les environnent. Absorbés dans cette lecture, ne semblent-ils pas oublier pour elle, parfois, les belles choses qu'ils étaient venus voir ? C'est ainsi que beaucoup d'entre nous voyagent à travers l'existence, les yeux fixés sur des formules qu'ils lisent, dans une espèce de guide intérieur, négligeant de regarder la vie pour se régler simplement sur ce qu'on en dit, et pensant d'ordinaire à des mots plutôt qu'à des choses. Mais peut-être y a-t-il plus et mieux ici qu'une distraction accidentelle de l'esprit. Peut-être une loi naturelle et nécessaire veut-elle que notre esprit commence par accepter les idées toutes faites et vive dans une espèce de tutelle, en attendant l'acte de volonté, toujours ajourné chez quelques-uns, par lequel il se ressaisira lui-même. L'enfant n'aperçoit dans la nature extérieure que ces formes grossières et conventionnelles dont il jette le dessin sur le papier dès qu'il a un crayon en main : elles s'interposent, chez lui, entre l'œil et l'objet ; elles lui présentent une simplification commode, et chez beaucoup d'entre nous, elles continueront de s'interposer ainsi, jusqu'au jour où l'art viendra nous ouvrir les yeux sur la nature. [...]

b) Les principales théories du comique et du rire en 1900

Bien que Bergson se refuse à mener une discussion ouvertement critique avec les principaux théoriciens du rire de son temps, maints passages de son analyse témoignent de la connaissance certaine qu'il en a pris. Il ne peut être question dans ce dossier d'en restituer en détail les diverses variantes ; l'extrait de l'article de Camille Mélinand reproduit ici en livre une cartographie où, outre un style fréquent de critique dénonçant le caractère trop général des causes ordinairement invoquées, l'on trouvera résumées les principales positions auxquelles Bergson, allusivement, se réfère à son tour : l'insolite ou contraste sensible, la contradiction ou contraste intellectuel, la dégradation ou contraste de valeur. Les extraits suivants de Bain et Dumont portent sur certaines d'entre elles.

C. Mélinand, « Pourquoi rit-on ? Essai sur la cause psychologique du rire », in *Revue des Deux Mondes*, t. CXXVII, janvier-février 1895, p. 613-619.

/613/ Quelles sont, d'abord, les principales solutions qui ont été proposées ? – Il est à peine besoin d'indiquer l'opinion vulgaire, d'après laquelle le rire serait causé par la joie. Cette opinion n'a que le mérite de la simplicité. Il est trop évident que la joie ne fait pas toujours rire : il y a des joies graves. Il est également évident qu'on rit parfois sans être joyeux : il y a des rencontres qui arrachent le rire, même à la tristesse. Sans doute, la joie dispose au rire, elle ne le produit pas.

Voici une des opinions les plus communes : ce qui fait rire, ce serait le baroque, l'insolite, ce qui est en désaccord avec nos habitudes d'esprit ; plus exactement, ce qui leur est contraire ; ce qui viole les usages traditionnels ; ce qui rompt le cours familier des choses. Que faut-il penser de cette solution[1] ?

Reconnaissons d'abord que le baroque est souvent risible. Dans un costume démodé ou sentant sa province, ce qui fait rire, c'est la bizarrerie des couleurs ou des formes. Une caricature fait rire par des disproportions qui sont contraires à toutes les lois naturelles. Un homme qui parle tout seul à haute voix est risible : c'est qu'il y a là un oubli anormal de toutes les contraintes sociales. La promenade paisible d'un chien dans une église, pendant la messe, ou mieux, pendant le sermon, fait rire pour la même raison : cette visite est contraire à toutes les habitudes de recueillement, à la majesté traditionnelle du lieu. [...]

/614/ Nous pouvons même accorder que, dans tout ce qui fait rire, il y a du baroque. Il n'y a sans doute pas un mot, un acte, une situation, une attitude, qui soient vraiment risibles sans présenter quelque étrangeté. – Un mot plaisant est un mot baroque, qui, sans doute, semble naturel dès qu'on pense à la situation ou au caractère de celui qui parle, ou à l'objet désigné, mais qui, avant tout, est baroque. [...]

Mais ce que nous contestons, c'est que le baroque fasse toujours rire. Il y a des événements contraires à l'ordre normal et qui n'ont rien de risible. Si je vois un fardeaux écrasant sur les épaules d'une pauvre petite vieille, voilà de l'insolite et du baroque : pourtant je ne ris pas. [...]

/615/ [...] M. Penjon[1] a récemment proposé une théorie qui, au fond, diffère assez peu de la précédente. D'après lui, ce qui fait rire, c'est ce qui nous apparaît comme libre, comme échappant à toute loi, comme produit par une activité qui se joue. Les manifestations capricieuses du libre arbitre, voilà la cause du rire : par exemple, les boutades, les jeux de mots, les déguisements, les niches d'écolier, les difformités, « niches faites par la nature ». [...]

Il ne nous échappe pas que cette théorie, à quelques nuances près, est tout simplement la théorie du baroque. La parenté, l'identité est visible. Comment se révèle la liberté ? C'est précisément par l'imprévu de ses effets, par la bizarrerie de ses jeux. Quand un acte nous donnera-t-il le sentiment d'une liberté ? C'est quand il nous paraîtra insolite, quand il sera contraire à toutes les lois, à toutes les habitudes, à toutes les conventions, quand il *détruira les prévisions*, selon le mot de Penjon lui-même. – Ainsi, dire que le risible c'est ce qui est libre, ou dire que le risible est l'insolite, c'est tout un. Si l'un est vrai, l'autre est vrai ; si l'un est faux, l'autre est faux.

Nous accorderons donc sans peine qu'il y a, dans la théorie de M. Penjon, une large part de vérité. Oui, sans doute, on pourrait trouver, – en forçant seulement un peu les termes, – dans tout objet risible, quelque apparence de liberté. Oui, si l'on veut, /616/ un calembour nous révèle une liberté qui joue capricieusement avec les mots. Oui, si l'on y tient, une situation de vaudeville nous révèle une liberté (celle de l'auteur, sans doute), qui jongle avec les hommes et avec les vraisemblances. Oui, une grimace drôle révèle une liberté qui s'ébat aux dépens de l'esthétique. – Rien n'empêche d'exprimer ainsi les choses. Ce sont des mots qui en valent d'autres. – Mais il est non moins évident que souvent une liberté se manifeste à nous sans que nous ayons envie de rire : les extravagances d'un homme ne sont pas toujours risibles ; pourtant elles trahissent une liberté insouciante des règles. Les caprices d'une volonté, même quand on n'a pas à en souffrir, sont loin de faire toujours rire : ils surprennent sans égayer. Le mauvais goût d'un écrivain, les métaphores bizarres font parfois rire, mais pas toujours : ce sont pourtant les jeux d'une liberté sans lest. Pour que les extravagances, pour que les caprices, pour que les métaphores bizarres fassent rire, il faut qu'il s'y ajoute un certain caractère que nous aurons à déterminer : la liberté qui s'y montre ne suffit pas. – Mieux encore, une action hautement morale, un sacrifice héroïque, sont les manifestations par excellence de la liberté : y a-t-il rien de plus grave, de plus loin du rire ? – Règle générale, dans toute œuvre dramatique, nous assistons au déploiement d'une liberté : pourtant toute œuvre dramatique n'est pas comique. Un coup de théâtre est presque toujours l'acte imprévu d'une volonté libre : il y a des coups de théâtre qui ne font pas rire. [...]

Une autre théorie très répandue est la théorie du contraste. Ce qui fait rire, ce serait la perception brusque d'un contraste, entre l'attente et l'événement[1], entre l'apparence et la réalité, entre le masque et la figure,

entre le ton et les paroles, entre la forme et le fond. « Le rire, dit
Hegel, est un signe qui annonce que nous sommes si sages que nous
comprenons le contraste et nous en rendons compte[2]. » L. Dumont[3] a
exposé cette même solution sous une forme plus précise. D'après lui,
le rire est produit par la rencontre, en notre esprit de deux pensées
contradictoires. Deux idées ou deux images qui s'excluent mutuellement
se présentent ensemble à nous : de là un choc, de là le rire. /617/ « La
connaissance d'un objet donne d'abord à notre entendement une certaine impulsion et stimule son activité dans une certaine direction mais
immédiatement une impression contraire lui vient d'une autre qualité de
ce même objet et imprime à cette activité, avec une assez forte
secousse, la direction contraire. » On le voit, ce n'est, avec plus de précision seulement, que la théorie commune du contraste. C'est toujours
le contraste entre deux objets ou deux idées qui fait rire ; seulement,
pour Dumont, le contraste n'est pas quelconque : c'est une contradiction
logique.

Il est incontestable que beaucoup de contrastes sont risibles. Dans
une parodie, l'effet comique est produit par le contraste entre la gravité
de l'œuvre originale et l'irrévérence du travestissement. Dans une naïveté d'enfant, ce qui nous fait rire, c'est le contraste entre la portée du
mot et la candeur de celui qui le dit. Certaines transpositions font rire
pour une raison analogue : une tragédie traduite en style trivial, une
aventure cornélienne caricaturée en scène bourgeoise, les sentiments
sublimes exprimés en argot parisien, l'héroïsme sur le ton pot-au-feu
[…].

Mais il y beaucoup de contrastes qui n'ont rien de risible. Le *couac*
d'un chanteur, dans la plupart des cas, est tout simplement pénible :
c'est pourtant un effet de contraste. La vue d'un corps difforme, *surtout*
auprès d'autres corps sains et biens faits, n'égaie pas. […]

/618/ […] Enfin une explication très intéressante a été proposée par
Bain[1]. D'après lui, ce qui cause le rire, c'est ce qu'il appelle une *dégradation*. Il veut dire par là que nous rions lorsque, dans une personne ou
dans un objet respectés, nous apercevons brusquement quelque chose de
dégradant, une mesquinerie, une faiblesse, une petitesse ; lorsque, dans
un personnage imposant, les infirmités de la nature humaine se trahissent ; lorsque, dans une circonstance solennelle, quelque vulgarité nous
ramène sur la terre ; lorsque le petit côté des grandes choses, l'envers
des grands hommes nous est soudain révélé. […]

Que cette solution soit d'accord avec beaucoup de faits, voilà ce
qu'il est impossible de nier.

Très souvent, le plus souvent peut-être, nous rions de quelque
dégradation. Les mots risibles sont très souvent des mots qui font

ressortir tout d'un coup le travers ou même le vice d'un personnage. Il suffit de relire *l'Avare*, *le Misanthrope*, *Tartuffe*, pour en trouver d'admirables exemples. – Dans une parodie la dégradation est l'essence même. – Nous rions du lapsus d'un orateur, parce qu'en plein essor sublime, l'homme, avec ses faiblesses, reparaît tout à coup : dégradation. [...]

Pourtant ce n'est pas encore la cause véritable. Parfois nous avons le spectacle d'une « dégradation » sans avoir envie de rire. /619/ Chez une personne vénérée, nous apercevons une petitesse : nous en sommes tout simplement attristés. Quand on nous révèle les travers d'autrui, on ne nous fait pas toujours rire : ce qui nous fait rire, c'est une *certaine façon de nous les révéler*. Il y a une médisance plaisante, mais il y en a une qui est froide et morne ; pourtant elle est *dégradante* par définition. [...]

1. (P. 613) Cette théorie est celle qu'adopte Darwin. D'après lui, la cause du rire est « une chose incongrue ou bizarre, produisant la surprise et un sentiment plus ou moins marqué de supériorité. »

1. (P. 615) *Revue philosophique* [« Le rire et la liberté », 1893, cf. Bibliographie].

1. (P. 616) Cette théorie est celle que semble adopter Kant. Les mots dont il se sert dans la *Critique du Jugement* sont : « Notre attente se trouve tout à coup anéantie... La résolution d'une attente en rien. »

2. (P. 616) Hegel, *Esthétique*, trad. Bénard, IV, p. 157-158.

3. (P. 616) L. Dumont, *Les Causes du rire*. – Voir aussi *Théorie scientifique de la sensibilité*.

1. (P. 618) Bain, *Émotions et volonté*, p. 249 et suiv.

A. Bain, *Les émotions et la volonté*, 1859, trad. fr. P.-L. Le Monnier, Paris, Félix Alcan, 1885, p. 249-254.

/249/ [...] 38. – *Du risible*. – Les causes du rire sont d'abord *physiques* ; ce sont le froid, quelques souffrances aiguës, le chatouillement, l'hystérie. Les causes sont ensuite *mentales* ; l'hilarité en est l'expression parmi les autres modes de manifestations joyeuses ; le rire des dieux décrit par Homère était l'exubérance de leur joie céleste après le banquet de chaque jour. La liberté après un temps de contrainte est pour une jeune et fraîche nature une occasion de se livrer à une franche gaieté. Le sourire accompagne l'émotion agréable que donne l'amour, et c'est une manière d'exprimer cet état. La satisfaction de soi-même se manifeste souvent de la même manière. Nous avons vu aussi que le sentiment de la puissance éveillé par la production de grands et remarquables effets, stimule l'expression du rire, surtout dans la jeunesse.

On dit souvent que le rire est provoqué par l'*incongruité*, c'est-à-dire par la discordance entre les choses, « qu'il implique toujours la concurrence d'au moins *deux* choses ou qualités qui sont plus ou moins opposées de nature entre elles ». Mais alors quelles sont les incongruités ou oppositions qui sont des causes inévitables de rire ? Il y a beaucoup de ces oppositions qui sont loin de faire naître le rire. Un homme décrépit, courbé sous un pesant fardeau ; cinq pains et deux poissons pour nourrir une foule, et tout ce qui est disproportion frappante ; un instrument désaccordé, une mouche dans un onguent, de la neige en mai, Archimède faisant de la géométrie pendant un siège, tout ce qui produit le désordre, tout ce qui est contre nature, le catalogue entier des vanités donné par Salomon, tout cela est incongru, mais produit la souffrance, la colère, la tristesse et non pas la gaieté.

39. – L'occasion du rire, c'est la dégradation d'une personne ou d'un intérêt ayant de la dignité, dans des circonstances qui n'excitent pas quelque émotion plus forte. Dans /250/ toutes les théories du rire, on a plus ou moins signalé ce fait important. Suivant Aristote, la comédie doit peindre des caractères sans valeur, non pas vicieux, mais *mesquins* ou vils ; le risible est donc le déformé ou le vil, mais non poussés au point où ils seraient pénibles et nuisibles (ils provoqueraient alors la pitié, la crainte, la colère ou quelque autre sentiment très fort). Aristote aurait plus approché de la vérité s'il avait dit que le risible naît lorsque quelque chose qu'on respectait avant, est présenté comme médiocre ou vil ; car dépeindre comme mesquine une chose que l'on considère déjà comme telle ne causerait aucun rire, ce serait seulement un moyen de réfléchir notre propre dignité par comparaison. Quelques-unes des expressions de Quintilien sont plus heureuses : « Une parole qui provoque le rire est généralement appuyée sur un raisonnement faux (jeux de mots) ; elle renferme presque toujours quelque chose de bas ; elle dégénère souvent en bouffonnerie ; elle *n'est jamais honorable pour ce qui en fait le sujet.* » – « Les comparaisons sont souvent de grandes occasions de plaisanteries, surtout lorsqu'elles sont faites avec un *objet moindre ou moins respecté.* » Campbell *(Philosophie de la rhétorique)* répondant à Hobbes, soutient que le rire est associé à la perception de la bizarrerie, et non nécessairement au mépris, à la dégradation. Il donne des exemples du risible et défie d'y trouver quelque chose de méprisable. « Bien des personnes, dit-il, ont ri à cette comparaison singulière :

> *Car la rime est pour les vers un gouvernail*
> *Qui, comme pour les vaisseaux, dirige leur cours.*

et non jamais pensé qu'il y eut là dedans une personne ou un parti, une action ou une opinion, qui fut persiflé. Pour moi, au contraire, il y a là une véritable dégradation de l'art poétique ; au lieu de travailler sous l'inspiration mystérieuse de la muse, le poète cherche à composer au moyen de vulgaires procédés mécaniques.

La théorie de Hobbes est bien connue et bien souvent attaquée. « Le rire, dit-il, est un orgueil soudain naissant de la perception soudaine d'une supériorité de notre être, comparée aux infirmités des autres ou à notre faiblesse antérieure. » En d'autres termes, c'est l'expression du sentiment agréable d'une puissance supérieure. Nous trouverons /251/ beaucoup de cas où cette théorie est applicable, le rire de la victoire est bien connu ; il éclate souvent en face des personnes que nous avons nous-mêmes humiliées, que nous méprisons, que nous tournons en dérision. Mais nous pouvons aussi rire par sympathie, lorsque par exemple la dégradation fait naître le sentiment d'orgueil chez une autre personne, lorsque nous jouissons de la littérature comique en général, et que nous rions d'une humiliation que nous n'avons pas causée. De plus, le rire peut être excité par des classes, des partis, des systèmes, des opinions, des institutions, des choses inanimées même, que la personnification a revêtues d'une certaine dignité ; on a de ces dernières un exemple suffisant dans le couplet d'Hudibras sur le lever du soleil. – Enfin la définition de Hobbes n'est guère applicable à l'humour que l'on regarde comme quelque chose de naturel *(genial)*, d'innocemment gai, bien opposé à cet orgueil de soi-même qu'on éprouve à la défaite des autres. Ce n'est pas cependant qu'il n'y ait pas dans l'humour le plus *genial* (suivant le mot anglais si expressif) un élément de dégradation ; seulement il est déguisé, adouci, mitigé comme il ne l'est jamais dans la joie sans mélange de la supériorité triomphante.

En revenant à notre dire que le rire est lié à la manifestation du sentiment de la puissance ou supériorité, et aussi à un soudain soulagement après la contrainte, nous trouverons que deux faits reviennent et dominent au milieu des nombreux exemples de dégradation risible. Les observations suivantes s'appliquent à la réflexion d'un pouvoir supérieur actuel et idéal, et peuvent être étendues considérablement. Une fréquente occasion de rire, c'est d'effrayer ou de voir effrayer quelqu'un. Après l'effroi, vient le plaisir de mettre quelqu'un en colère ; si cette colère n'est pas dangereuse, elle satisfera le sentiment de pouvoir de l'agent.

40. – Considérons maintenant la dégradation risible comme une délivrance de contrainte. Sous ce point de vue, le comique est la réaction du sérieux. Les attributs dignes, solennels, stables des choses exigent de nous une certaine /252/ rigidité, une certaine contrainte ; si nous sommes brusquement délivrés de cette contrainte, la réaction, l'hilarité s'ensuit ;

c'est le cas des enfants à leur sortie de l'école. Si nous nous sentons pour ces choses du respect, si nous sommes convaincus de leur importance, et si nous les acceptons comme telles avec pleine bonne volonté, il n'y a pas de contrainte imposée, pas de désir d'être délivré d'une attitude et de formalités respectueuses. Au contraire, nous ressentons alors vivement tout ce qui peut manquer à ce respect. Le croyant fervent est choqué à l'église de tout incident profane, tandis que l'irrévérent éclate de rire. Il en est de même pour le sentiment de l'importance personnelle. L'esprit qui caresse ce sentiment est profondément offensé du contact d'une chose basse ou vulgaire, d'autant plus qu'alors il y aura des gens pour rire à ses dépens. C'est sous sa forme forcée que le sérieux, le solennel qui accompagne une position officielle produit, au contact de la trivialité ou de la vulgarité, une réaction, une jouissance la plus franchement gaie qu'il puisse y avoir. Nous sommes souvent obligés de nous montrer d'une dignité qui ne s'accorde peut-être pas avec la réalité, par exemple lorsque nous grondons des inférieurs ; plus souvent encore nous prenons une attitude respectueuse devant des gens pour lesquels nous n'avons, intérieurement, aucun respect. L'une et l'autre situation sont une tension fatigante du système et nous bénissons tout ce qui nous permet d'y échapper. Un élément du véritable comique, c'est la moquerie de ces dignités qui, à cause d'une circonstance ou d'une autre, ne commandent pas sérieusement le respect. Les déités fausses ou passées de mode ; la splendeur, la montre, ne répondant pas à des réalités, les dignitaires sans valeur, les prétentions, l'affectation, l'importance, la vanité, la fatuité, toutes les hypocrisies qui tendent à se faire paraître plus qu'on n'est, les efforts pénibles faits pour atteindre des positions brillantes, tout cela rapproché d'infériorités basses et dégradantes, peut arriver à provoquer le rire. Il est vrai que parfois, entraînés par le plaisir de rire, nous tournons en dérision les sentiments les plus respectables, la conduite qui indique la vraie dignité ; mais c'est agir alors contre le meilleur de notre nature, et nous sommes toujours aises de voir les choses tourner autrement.

/253/ Le sentiment de délivrance après la contrainte est souvent si vif lorsqu'elle est brusque, que la majorité des personnes consent à garder un moment une attitude sérieuse afin de jouir de la délivrance. Le tempérament comique est probablement déterminé par une sorte d'inaptitude à rester dans le sérieux et le solennel, qui fait qu'on a beaucoup de peine à conserver une attitude respectueuse, et un grand soulagement à en être débarrassé. Que cela soit ou non, la meilleure manière de donner ce soulagement désiré, c'est de mettre l'objet vénéré en face de quelque chose dégradant, de les faire agir conjointement ; l'esprit libéré aussitôt laisse ses émotions suivre leur cours naturel. Le sérieux et le risible sont en contraste perpétuel dans la vie humaine, dans les caractères humains, dans les circonstances et incidents de notre expérience de chaque jour. Le joyeux répond à l'aisance, à la liberté, à l'*abandon*, à l'insouciance [...]. Le /254/ sérieux, c'est le travail, la difficulté, l'obstacle à vaincre, les nécessités de notre position, qui donnent lieu aux institutions sévères, gouvernement, lois, moralité, éducation, etc. Il est toujours agréable de passer du côté sévère des affaires au côté facile, et la jonction comique de ces deux côtés est une forme de la transition.

L. Dumont, *Théorie scientifique de la sensibilité. Le plaisir et la peine*, 1875, 2ᵉ éd., Paris, Librairie Germer Baillère et Cⁱᵉ, 1877, p. 204-205.

/204/ [...] Kant avait défini le sentiment du risible, « La résolution d'une attente en rien » ; nous nous attendons, selon lui, à trouver certaine qualité dans l'objet, à en ressentir certaine perception, et nous découvrons tout à coup que cette qualité ne lui appartient pas. Mais il faut encore, selon nous, quelque chose de plus pour nous faire rire ; si la condition indiquée par Kant suffisait, nous ririons toutes les fois que nous aurions partagé une illusion et qu'elle viendrait à être détruite, toutes les fois qu'une de nos espérances serait déçue, chaque fois, en un mot, que nous ne trouverions pas dans une personne ou dans une chose ce que nous nous attendions à y rencontrer. Il n'est pas besoin de rappeler que de pareilles déceptions, loin de nous être agréables et de nous faire rire, nous font éprouver le plus souvent un sentiment d'autant plus pénible que nous comptions davantage sur l'existence de qualités illusoires.

A quelles conditions une attente trompée devient-elle la cause du rire ? C'est ce que nous avons à examiner.

/205/ Nous rions toutes les fois que notre intelligence se trouve en présence de faits qui sont de nature à nous faire penser d'une même chose qu'elle est et qu'elle n'est pas ; en d'autres termes quand nous sommes forcés d'affirmer et de nier la même chose, quand enfin notre entendement est déterminé à concevoir simultanément deux rapports contradictoires. Il est certain qu'on ne peut arriver à réunir deux éléments contradictoires dans une seule conception, pas plus qu'on ne peut faire entrer deux corps dans un même lieu. Mais il peut se faire que deux forces distinctes tendent à pousser deux corps dans un même lieu de manière à produire un choc ou une succession de chocs : de même des circonstances diverses peuvent déterminer l'entendement à essayer de faire entrer deux idées contradictoires dans l'unité d'une même conception ; il en résulte une sorte de rencontre intellectuelle dont le rire est la traduction.

Nous sommes, par exemple, habitués à associer l'idée de telle qualité à l'idée de tel signe extérieur ; si ce signe s'offre à nous, l'idée de qualité qui lui est associée sera immédiatement suggérée à l'esprit ; Mais si, dans le même moment, nous découvrons par d'autres signes que l'objet n'a pas du tout cette qualité, qu'il possède même la qualité contraire, il se produit dans l'intelligence une rencontre particulière, un choc dont le contre-coup se fait sentir dans le diaphragme et se traduit par un rire ; car il faut que tout choc se traduise par quelque chose. Les deux conceptions contradic-toires ne se réalisent pas dans l'esprit, c'est au contraire parce qu'elles se repoussent mutuellement et qu'aucune ne peut se réaliser, qu'il y a choc. Voici une femme coquette, agaçante, qui se présente, se tient, agit, parle comme le fait d'ordinaire une jolie femme ; j'ai donc lieu de juger, par une simple association d'idées, qu'elle est effectivement jolie ; cependant dans le même moment je vois qu'elle est laide et je ris, parce que les deux idées de beauté et de laideur se présentant simultanément à l'esprit, se repoussent, et que je ne puis, pendant quelques instants, penser ni l'une ni l'autre. Quand, à la suite de raisonnements, j'arrive à me fixer sur l'une d'elles, le rire a cessé.

c) Un problème fondamental de méthode

P. Lacombe, « Du comique et du spirituel », in *Revue de métaphysique et de morale*, t. V, 1897, p. 585-588.

L'extrait présenté ici conclut la seconde partie de l'analyse de Paul Lacombe consacrée au spirituel dont il distingue quatre prin-cipales figures, « quatre façons d'avoir de l'esprit » : « 1° feindre un caractère comique et parler en conséquence ; 2° relever dans autrui avec gaieté ou malice une inconvenance *; 3° donner la teinte plaisante à quelque chose au moyen d'une analogie plus ou moins poussée ; 4° produire de la surprise en jouant avec les mots » (p. 589). Cet examen lui donne l'occasion de poser le problème de l'unité du comique à travers la multiplicité de ses formes, et d'esquisser l'idée d'une continuité de variations inten-sives des images comiques, idée dont Bergson à son tour, réacti-vant la critique menée dans l'*Essai contre une conception* *mécaniste de la causalité psychique, tirera dans* Le rire *les implications pour les opérations ou la « logique de l'imagination » à l'œuvre dans la formation des émotions comiques.*

/585/ [...] J'ai hâte de faire une remarque que peut-être il aurait fallu placer /586/ déjà depuis longtemps. Cette remarque très nécessaire, la voici : les divers genres d'esprit que nous avons tenté de discerner se mêlent, se combinent presque toujours à quelque degré. Un même propos, une même plaisanterie assez courte peut renfermer tous les genres, être formée de leur accord. Complexité curieuse de l'esprit ; phénomène intéressant, mais aussi quelque peu intimidant. Nous percevons combien la psychologie mentale en général, et en particulier celle de l'esprit (au sens spécial), est un sujet difficile, épineux, si du moins on prétend le traiter avec quelque rigueur, approchant, si peu que ce soit, de la rigueur scientifique. On n'y mettra jamais trop d'attention analytique, je dirai volontiers de sensibilité discriminative. Vous voyez qu'en somme un exemple, appartenant le plus souvent à tous les genres d'esprit, ne peut être classé que par le genre d'esprit qui y paraît non pas exclusif, mais dominant. Et c'est là finalement une appréciation délicate, sujette à contestation, toujours un peu personnelle.

Il n'empêche ; je demande la permission d'essayer un peu la classification que je viens d'ébaucher. Quelques exemples ne feront point mal ; ils égayeront peut-être la matière.

On faisait devant Augier l'éloge d'un prédicateur. « Il avait admirablement parlé sur la charité, dit des choses neuves. – A-t-il dit qu'il ne fallait pas la faire ? » répond Augier. Comme vivement Augier nous jette sous les yeux la banalité certaine, inévitable du sermon vanté, le rabattu du sujet, la lignée des grands prédicateurs, la multitude des petits qui l'ont piétiné, etc. ! et tout cela montré au moyen d'un bout, d'une extrémité, j'allais dire par la corne ? Est-ce que cela n'appartient pas au genre pointe, ou saillie, dans la bonne acception du mot ? [...]

/587/ [...] Écoutez un peu ce que A, un juge, dit de l'un de ses collègues : « X ne se porte pas bien. Il a depuis quelque temps à l'audience des insomnies qui nous inquiètent. » A fait certainement après « audience » une petite pause ; l'auditeur s'attend à « des sommeils » : n'est-il point convenu que les juges dorment souvent sur leurs sièges ? Mais point : au lieu de « sommeils », c'est le mot « insomnies » qui arrive. Nous voilà surpris, et pas désagréablement. A ajoute « qui nous inquiètent ». Si ce pauvre X inquiète ses amis, parce qu'il ne dort plus « depuis quelque temps », il dormait donc auparavant, et serré. Et l'image du juge endormi se présente à nous avec un relief comique. Et enfin nous sentons toute la gaieté malicieuse de A, et la contagion nous gagne.

Il y a dans ce court propos des causes de rire dont j'ai déjà assez parlé. Je n'y relèverai que l'imprévu du mot « insomnies ». Il est juste ce qu'il faut pour nous surprendre. Pourquoi ? C'est qu'il y a dans notre esprit une liaison, une association, non pas absolument fixe sans doute, mais assez ferme entre audience et sommeil. Cette association est brusquement détruite, remplacée par une contraire.

Je viens de citer une liaison assez habituelle entre deux termes, dont l'un apparaissant suggère sourdement l'autre. Nous avons la mémoire pleine de liaisons comme cela, plus ou moins solides, que notre expérience ou celle des autres nous a ingérées. De ces associations qu'il sait très bien être dans notre tête, un homme spirituel tire parti précisément en nous les bouleversant plus ou moins. Souvenez-vous du mot de Voltaire : « Hors de l'Église, point de salut ». Ce dicton nous était connu, familier. Voltaire ne le disloque pas, ne le démolit pas, il le prend tout entier ; mais il le déplace et singulièrement, le fourrant juste à un endroit où il se moque de l'Église. Nous avons le plaisir de retrouver ce que nous connaissons bien, mais terriblement déplacé. En style de rhétorique, c'est la figure dite application.

/588/ Les rhétoriques ne reconnaissent pas cette figure toutes les fois qu'il y aurait lieu. Voici par exemple qui à mon sens est une manière d'application. Un ami de Macaulay disait : « Avant de partir pour Calcutta, Macaulay parlait presque trop. Il a bien changé, il a maintenant des éclairs de silence qui rendent sa conversation délicieuse ». Nous avons tous dans notre mémoire cette connexion « des éclairs d'éloquence », de même que des « éclairs de raison », et encore sans doute d'autres éclairs ; mais des éclairs de silence ! Voilà la jolie surprise. Elle est obtenue par le rappel d'une locution familière à laquelle on plaque une variante bien inattendue. – Évidemment ce n'est pas par là uniquement que le propos nous égaye. Nous nous disons par exemple qu'un éclair de silence ce n'est pas long, et que Macaulay n'est pas revenu si changé de Calcutta, etc. ; mais nous sommes maintenant habitués à cette multiplicité de principes risibles qui trouvent moyen de s'entasser dans une toute petite phrase.

Une princesse, un peu biberonne, et qui a gagné une petite trogne à ce jeu-là, se regarde au miroir et, se croyant seule, dit tout haut : « Mais où ai-je pris ce nez-là ? – Au buffet », répond derrière elle la voix tranquille d'un arrivant que la princesse n'a pas vu. Nous sourions parce que la réponse s'emboîte avec une simplicité, une justesse parfaite dans la demande, mais avouons que le mot « buffet » y est pour quelque chose, ce qui amène une observation assez importante. Le mot joue souvent dans la production du rire le rôle capital ; – d'abord sans doute par l'image de l'objet qu'il suscite, objet réputé vulgaire, trivial ou ridicule à la place où on l'amène, – mais aussi par sa sonorité même. Il y a des mots dont le son amuse, probablement par des liaisons sourdes avec d'autres mots consonants qui sont bas ou ridicules. Cela me semble ici vrai du mot buffet : sa première syllabe *buff*, rappelant *bouff*, me paraît agir par une sonorité ridicule en elle-même. Je donne ceci comme exemple d'un effet qui se produit, je crois, dans une foule d'occasions. Mais voyez comme l'esprit humain est un milieu étonnant : un mot venu du dehors y éveille en un clin d'œil vingt échos différents, y touche vingt cordes dont les vibrations se prolongent obscurément, et la durée d'un éclair suffit pour qu'en réponse vingt impressions surgissant du profond viennent se combiner à la surface, je veux dire dans la conscience, et se résoudre en un sentiment unique.

d) Le vaudeville

On trouvera ici des extraits de trois articles de Francisque Sarcey (1827-1899), critique dramatique très fameux des dernières décennies du XIXᵉ siècle qui contribua notamment à apprécier la nouveauté et le « génie propre » de ce genre souvent dévalué qu'est le vaudeville. Les échos de ses remarques avec les analyses du second chapitre du Rire *consacré au comique de situation y seront nettement audibles.*

F. Sarcey, « Une chaîne (I) » (6 juillet 1868), rééd. in *Quarante Ans de théâtre (Feuilletons dramatiques)*, 8 vol., Paris, Bibliothèque des Annales Politiques et Littéraires, 1900-1901, vol. IV, p. 131-132.

/131/ [...] C'est bientôt fait de dire que Scribe n'a que du métier. Mais encore faudrait-il s'entendre sur ce mot, qui n'a pas un sens aussi net et aussi précis que l'on croit.

Il y a dans la vie trois forces qui la dirigent : le caractère, les passions, les événements. De même aussi au théâtre. Une situation étant donnée, on peut la développer de trois façons, soit en peignant les hommes qui l'exploitent ou la subissent : ce sont les comédies de caractères ; soit en mettant en jeu des passions, qui enflamment le cœur comme de rapides éclairs, et le poussent, dans le court instant de leur durée, à des résolutions violentes. Presque tous les drames relèvent de ce second mode d'envisager l'art.

Il est enfin permis de chercher, en dehors de ces grands mobiles des actions humaines, les caractères et les passions, la part d'influence qu'ont les événements qui naissent d'une situation et qui la compliquent. Nous sommes ici en plein vaudeville.

/132/ Je n'ai pas besoin de dire que ces trois formes de théâtre ne sont point séparées, dans la réalité des choses, d'une façon aussi absolue qu'on le voit dans cette analyse. Alceste n'est pas simplement un misanthrope ; il est amoureux, et il perd son procès. Hermione n'est pas seulement amoureuse ; c'est une femme fière, emportée, nerveuse, et, comme auraient dit les Latins, *sui impotens*.

Il suffit que, dans une comédie, un de ces trois caractères l'emporte sur les deux autres, pour savoir où la classer. De ces trois formes, Scribe a choisi la dernière. J'avouerai que ce n'est pas la plus haute : qu'il y a plus de mérite à observer les hommes et à créer des personnages comme Shakespeare et Molière ; à prendre une passion, comme Corneille, Racine et Marivaux, à en marquer les moments, à en suivre les évolutions, à en donner une sorte de monographie animée et vivante.

Mais enfin, cette forme, pour ne venir qu'après les deux autres, pour exiger de celui qui la pratique un moindre génie, n'en est pas moins légitime ; elle demande, pour être mise en œuvre, des aptitudes toutes particulières ; et si elle arrive à son point de perfection, elle n'en donne pas moins des chefs-d'œuvre, dignes de toute notre admiration.

Il est certain que toute situation, quelle qu'elle soit, est modifiée et compliquée par toutes sortes d'événements, dont les uns la produisent, les autres sont engendrés par elle, tandis que d'autres encore se jettent à la traverse et la font dévier. Que ces événements ne puissent, dans la vie ordinaire, se détacher des caractères et des passions auxquels ils sont liés, la chose est évidente. Mais l'art, il ne vit que d'abstractions, a le droit de les considérer en eux-mêmes, de les examiner, de mesurer leur force d'action, de les présenter isolés, et pour ainsi dire tout nus sur la scène.

F. Sarcey, « Une chaîne (II) » (5 octobre 1874), rééd. in *Quarante Ans de théâtre*, vol. IV, *op. cit.*, p. 141-142.

/141/ [...] Comme il n'y a pas d'art sans abstraction, il est très permis à un écrivain dramatique de prendre à part un événement, d'étudier quelle serait, dans un milieu factice où le caractère, la passion, les mœurs seraient supprimés ou n'auraient que peu d'influence, sa puissance d'action particulière, quelle série de faits il pourrait soulever sur son chemin, et de le suivre ainsi jusqu'à ce que fût épuisé le mouvement initial qui l'a lancé.

Les neuf-dixièmes des vaudevilles sont fondés sur ce principe.

L'écrivain choisir un incident de la vie ordinaire qui lui semble curieux. Le fait une fois mis en branle va se heurter à des obstacles, disposés avec art, contre lesquels il rejaillit, jusqu'à ce qu'enfin il s'arrête, à la suite d'un certain nombre de carambolages ou de coups de théâtre, sa force d'action étant épuisée. En ce genre de pièces, l'auteur tient fort peu de compte des caractères, des sentiments et des mœurs, et souvent même il n'en tient aucun. C'est /142/ un joueur de billard, qui amuse d'autant mieux la galerie, que ses carambolages sont plus nombreux, plus imprévus et plus brillants.

C'est un genre, moins noble sans doute, mais fort difficile encore et très amusant, quand il est traité par une main habile.

Ce genre a ses lois, je veux dire qu'il a des conditions nécessaires d'existence qui résultent de son institution même.

La première de toutes, c'est de se renfermer dans des limites étroites de développement, c'est d'aller rarement jusqu'à trois actes et de ne les dépasser jamais. Quand vous mettez en jeu au théâtre des forces permanentes d'action, comme est un caractère ou une passion, et que vous en poussez à bout les conséquences, il est tout naturel que vous puissiez, sans ennuyer le spectateur, prendre plus d'espace ; si même vous vous resserriez dans des bornes trop exiguës, on vous accuserait d'étrangler votre sujet, qui comporte des observations plus sérieuses, qui donne lieu à des incidents plus variés, plus nombreux et surtout plus probants.

Un événement ne peut jamais vous mener bien loin. Vous arrivez assez vite au bout des complications qu'il provoque naturellement, et quelle que soit votre ingéniosité à les renouveler, à les multiplier, le moment ne tarde pas à venir où il faut conclure. Il le faut et pour vous, auteur, qui êtes à sec, et pour le public, chez qui cette succession d'incidents éveille plus de curiosité vaine que d'intérêt véritable ; qu'elle ne prend point par le cœur, qu'elle n'émeut ni ne transporte.

F. Sarcey, « Le plus heureux des trois » (17 janvier 1870), rééd. in *Quarante Ans de théâtre*, vol. IV, *op. cit.*, p. 401-402.

/401/ [...] Il eût fallu jadis aux vieux vaudevillistes des préparations sans fin pour amener ces revirements. Ici, ils se font d'une minute à l'autre, sur un mot imprévu ; cela est aussi rapide que le *passez muscade* des escamoteurs. Ce n'est pas seulement que nos vaudevillistes soient devenus plus habiles que leurs devanciers, c'est que le public lui-même connaît mieux le métier et ses plus secrets /402/ ressorts. Avez-vous quelquefois vu jouer aux échecs ou aux dames deux forts joueurs ? Ils sont tellement habitués l'un à l'autre aux commencements de parties, qu'ils poussent leurs pièces et se les prennent sans réflexions ; un débutant n'y voit que du feu. Il a, lui, l'habitude de méditer profondément si, à l'entrée de la partie, il poussera le pion du roi ou celui de la dame. C'est qu'il ne sait pas le jeu, et qu'il a affaire, le plus souvent, à un partenaire qui ne le sait pas davantage. Mais ces deux habitués du café Procope ou du café Minerve s'entendent à merveille ; ils ont déjà vu cent fois les coups par où l'on commençait ; ils ne se mettent sérieusement à la partie que lorsque le terrain est déblayé et prête aux combinaisons nouvelles.

Eh bien ! il y a de même aujourd'hui entre les vaudevillistes et le public une stratégie convenue de mouvements et d'effets. Quand le vaudevilliste pousse un pion, d'une certaine façon, et en de certaines positions, il n'est pas un spectateur qui ne comprenne ce que cela veut dire, et qui n'attende la suite ; Nous devinons tous à demi-mot ; car nous savons le jeu.

Je vois qu'on fait souvent cette erreur en jugeant les auteurs comiques du temps passé. On leur reproche les lenteurs de l'action et ces préparations nombreuses dont ils font toujours précéder la situation principale. Cette longueur des préliminaires agace notre impatience. Mais ce n'est pas la faute de leur talent ; c'est celle de leur public. Ils avaient affaire à des esprits, je ne dis pas moins agiles, mais moins familiers avec les détours de la comédie.

e) *Caractères et société : les ambiguïtés du rire, ou pourquoi nous rions d'Alceste*

Jean de La Bruyère, *Les Caractères*, in *Moralistes du XVIIe siècle*, Paris, R. Laffont, coll. « Bouquins », p. 853-856.

Molière, Regnard, Pascal, La Bruyère, autant d'auteurs du XVIIe siècle auxquels, plus ou moins explicitement, font référence les analyses bergsoniennes du comique de caractère, qui témoignent ainsi d'une présence diffuse mais prégnante de la tradition des moralistes, culminant dans l'identification de la disposition comique pure dans la vanité. Nous présentons ici quelques extraits de La Bruyère particulièrement significatifs, du point de *vue du* Rire, *où l'on sentira poindre, tout comme dans l'extrait de Rousseau qui suit, l'amertume qu'évoque le philosophe à la fin de son ouvrage.*

[XI. De l'homme]

[66] Un homme vain trouve son compte à dire du bien ou du mal de soi : un homme modeste ne parle point de soi.

On ne voit point mieux le ridicule de la vanité, et combien elle est un vice honteux, qu'en ce qu'elle n'ose se montrer, et qu'elle se cache souvent sous les apparences de son contraire.

La fausse modestie est le dernier raffinement de la vanité ; elle fait que l'homme vain ne paraît point tel, et se fait valoir au contraire par la vertu opposée au vice qui fait son caractère : c'est un mensonge. La fausse gloire est l'écueil de la vanité ; elle nous conduit à vouloir être estimés par des choses qui à la vérité se trouvent en nous, mais qui sont frivoles et indignes qu'on les relève : c'est une erreur.

[...]

[69] La modestie n'est point, ou est confondue avec une chose toute différente de soi, si on la prend pour un sentiment intérieur qui avilit l'homme à ses propres yeux, et qui est une vertu surnaturelle qu'on appelle humilité. L'homme, de sa nature, pense hautement et superbement de lui-même, et ne pense ainsi que de lui-même : la modestie ne tend qu'à faire que personne n'en souffre ; elle est une vertu du dehors, qui règle ses yeux, sa démarche, ses paroles, son ton de voix, et qui le fait agir extérieurement avec les autres comme s'il n'était pas vrai qu'il les compte pour rien.

[...]

[72] Notre vanité et la trop grande estime que nous avons de nous-mêmes nous fait soupçonner dans les autres une fierté à notre égard qui y est quelquefois, et qui souvent n'y est pas : une personne modeste n'a point cette délicatesse.

[73] Comme il faut se défendre de cette vanité qui nous fait penser que les autres nous regardent avec curiosité et avec estime, et ne parlent ensemble que pour s'entretenir de notre mérite et faire notre éloge, aussi devons-nous avoir une certaine confiance qui nous empêche de croire qu'on ne se parle à l'oreille que pour dire du mal de nous, ou que l'on ne rit que pour s'en moquer.

[...]

[77] Il semble que l'on ne puisse rire que des choses ridicules : l'on voit néanmoins de certaines gens qui rient également des choses ridicules et de celles qui ne le sont pas. Si vous êtes sot et inconsidéré,

et qu'il vous échappe devant eux quelque impertinence, ils rient de vous ; si vous êtes sages, et que vous ne disiez que des choses raisonnables, et du ton qu'il faut les dire, ils rient de même.

[78] Ceux qui nous ravissent les biens par la violence ou par l'injustice, et qui nous ôtent l'honneur par la calomnie, nous marquent assez leur haine pour nous ; mais ils ne nous prouvent pas également qu'ils aient perdu à notre égard toute sorte d'estime : aussi ne sommes-nous pas incapables de quelque retour pour eux, et de leur rendre un jour notre amitié. La moquerie au contraire est de toutes les injures celle qui se pardonne le moins ; elle est le langage du mépris, et l'une des manières dont il se fait le mieux entendre ; elle attaque l'homme dans son dernier retranchement, qui est l'opinion qu'il a de soi-même ; elle veut le rendre ridicule à ses propres yeux ; et ainsi elle le convainc de la plus mauvaise disposition où l'on puisse être pour lui, et le rend irréconciliable.

C'est une chose monstrueuse que le goût et la facilité qui est en nous de railler, d'improuver et de mépriser les autres ; et tout ensemble la colère que nous ressentons contre ceux qui nous raillent, nous improuvent et nous méprisent.

Jean-Jacques Rousseau, *Lettre à M. d'Alembert sur son article Genève* (1758), Paris, Flammarion, coll. « GF », p. 97-105.

*Le personnage d'Alceste n'a cessé d'être un objet de méditation pour les théoriciens de la comédie, et du comique en général, dont il exhibe les ambiguïtés, de Bossuet, Rousseau et Diderot (*De la poésie dramatique *(1758), XIII « Des caractères », Paris, Garnier, coll. « Classiques Garnier », p. 237), à Musset, Courdaveaux (cf. infra), Lacombe (art. cit., p. 576-578), et Bergson lui-même, chez qui il porte à sa plus grande intensité la tension entre la généralité du caractère requis par une intention comique toujours peu ou prou soutenue par les préjugés du temps, et l'individualité d'une conscience subjective engagée corps et âme dans le tragique de l'existence (voir la* Présentation *de F. Worms).*

Qu'est-ce donc que le Misanthrope de Molière ? Un homme de bien qui déteste les mœurs de son siècle et la méchanceté de ses contemporains : qui, précisément, parce qu'il aime ses semblables, hait en eux les maux qu'ils se font réciproquement et les vices dont ces maux sont l'ouvrage. S'il était moins touché des erreurs de l'humanité, moins indigné des iniquités qu'il voit, serait-il plus humain lui-même ? Autant vaudrait soutenir qu'un tendre père aime mieux les enfants d'autrui que les siens, parce qu'il s'irrite des fautes de ceux-ci, et ne dit jamais rien aux autres.

Ces sentiments du Misanthrope sont parfaitement développés dans son rôle. Il dit, je l'avoue, qu'il a conçu une haine effroyable contre le genre humain ; mais en quelle occasion le dit-il ? Quand, outré d'avoir vu son ami trahir lâchement son sentiment et tromper l'homme qui le lui demande, il s'en voit encore plaisanter lui-même au plus fort de sa colère, il est naturel que cette colère dégénère en emportement et lui fasse dire alors plus qu'il ne pense de sang-froid. D'ailleurs, la raison qu'il rend de cette haine universelle en justifie pleinement la cause :

> *Les uns, parce qu'ils sont méchants*
> *Les autres, pour être aux méchants complaisants.*

Ce n'est donc pas des hommes qu'il est ennemi, mais de la méchanceté des uns et du support que cette méchanceté trouve dans les autres. S'il n'y avait ni fripons, ni flatteurs, il aimerait tout le monde. Il n'y a pas un homme de bien qui ne soit misanthrope en ce sens ; ou plutôt, les vrais misanthropes sont ceux qui ne pensent pas ainsi : car au fond, je ne connais point de plus grand ennemi des hommes que l'ami de tout le monde, qui, toujours charmé de tout, encourage incessamment les méchants, et flatte par sa coupable complaisance les vices d'où naissent tous les désordres de la société.

Une preuve bien sûre qu'Alceste n'est point misanthrope à la lettre, c'est qu'avec ses brusqueries et ses incartades, il ne laisse pas d'intéresser et de plaire. Les spectateurs ne voudraient pas, à la vérité, lui ressembler : parce que tant de droiture est fort incommode ; mais aucun d'eux ne serait fâché d'avoir à faire à quelqu'un qui lui ressemblât, ce qui n'arriverait pas s'il était l'ennemi déclaré des hommes. Dans toutes les autres pièces de Molière, le personnage ridicule est toujours haïssable ou méprisable ; dans celle-là, quoique Alceste ait des défauts réels dont on n'a pas tort de rire, on sent pourtant au fond du cœur un respect pour lui dont on ne peut se défendre. En cette occasion, la force de la vertu l'emporte sur l'art de l'auteur et fait honneur à son caractère. Quoique Molière fît des pièces répréhensibles, il était personnellement honnête homme, et jamais le pinceau d'un honnête homme ne sut couvrir de couleurs odieuses les traits de la droiture et de la probité. Il y a plus : Molière a mis dans la bouche d'Alceste un si grand nombre de ses propres maximes que plusieurs ont cru qu'il s'était voulu peindre lui-même. Cela paru dans le dépit qu'eut le parterre à la première représentation, de n'avoir pas été, sur le sonnet, de l'avis du Misanthrope : car on vit bien que c'était celui de l'auteur.

Cependant ce caractère si vertueux est présenté comme ridicule ; il l'est, en effet, à certains égards, et ce qui démontre que l'intention du poète est bien de le rendre tel, c'est celui de l'ami Philinte qu'il met en opposition avec le sien. Ce Philinte est le sage de la pièce ; un de ces honnêtes gens du grand monde, dont les maximes ressemblent beaucoup à celles des fripons ; de ces gens si doux, si modérés, qui trouvent toujours que tout va bien, parce qu'ils ont intérêt que rien n'aille mieux ; qui sont toujours contents de tout le monde, parce qu'ils ne se soucient de personne ; qui, autour d'une bonne table, soutiennent qu'il n'est pas vrai que le peuple ait faim ; qui, le gousset bien garni, trouvent fort mauvais qu'on déclame en faveur des pauvres ; qui, de leur maison bien fermée, verraient voler, piller, égorger, massacrer tout le genre humain sans se plaindre : attendu que Dieu les a doués d'une douceur très méritoire à supporter les malheurs d'autrui.

On voit bien que le flegme raisonneur de celui-ci est très propre à redoubler et faire sortir d'une manière comique les emportements de l'autre ; et le tort de Molière n'est pas d'avoir fait du Misanthrope un homme colère et bilieux, mais de lui avoir donné des fureurs puérils sur des sujets qui ne devaient pas l'émouvoir. Le caractère du Misanthrope n'est pas à la disposition du poète ; il est déterminé par la nature de sa passion dominante. Cette passion est une violente haine du vice, née d'un amour ardent pour la vertu, et aigrie par le spectacle continuel de la méchanceté des hommes. Il n'y a donc qu'une âme grande et noble qui en soit susceptible. L'horreur et le mépris qu'y nourrit cette même passion pour tous les vices qui l'ont irritée sert encore à les écarter du cœur qu'elle agite. De plus, cette contemplation continuelle des désordres de la société, le détache de lui-même pour fixer toute son attention sur le genre humain. Cette habitude élève, agrandit ses idées, détruit en lui les inclinations basses qui nourrissent et concentrent l'amour-propre ; et de ce concours naît une certaine force de courage, une fierté de caractère qui ne laisse prise au fond de son âme qu'à des sentiments dignes de l'occuper.

Ce n'est pas que l'homme ne soit toujours homme ; que la passion ne le rende souvent faible, injuste, déraisonnable ; qu'il n'épie peut-être les motifs cachés des actions des autres, avec un secret plaisir d'y voir la corruption de leurs cœurs ; qu'un petit mal ne lui donne souvent une grande colère, et qu'en l'irritant à dessein, un méchant adroit ne pût parvenir à le faire passer pour méchant lui-même ; mais il n'en est pas moins vrai que tous les moyens ne sont pas bons à produire ces effets, et qu'ils doivent être assortis à son caractère pour le mettre en jeu :

sans quoi, c'est substituer un autre homme au Misanthrope et nous le peindre avec des traits qui ne sont pas les siens.

Voilà donc de quel côté le caractère du Misanthrope doit porter ses défauts, et voilà aussi de quoi Molière fait un usage admirable dans toutes les scènes d'Alceste avec son ami, où les froides maximes et les railleries de celui-ci, démontant l'autre à chaque instant, lui font dire mille impertinences très bien placées ; mais ce caractère âpre et dur, qui lui donne tant de fiel et d'aigreur dans l'occasion, l'éloigne en même temps de tout chagrin puéril qui n'a nul fondement raisonnable, et de tout intérêt personnel trop vif, dont il ne doit nullement être susceptible. Qu'il s'emporte sur tous les désordres dont il n'est que le témoin, ce sont toujours de nouveaux traits au tableau ; mais qu'il soit froid sur celui qui s'adresse directement à lui. Car ayant déclaré la guerre aux méchants, il s'attend bien qu'ils la lui feront à leur tour. S'il n'avait pas prévu le mal que lui fera sa franchise, elle serait une étourderie et non pas une vertu. Qu'une femme fausse le trahisse, que d'indignes amis le déshonorent, que de faibles amis l'abandonnent : il doit le souffrir sans en murmurer. Il connaît les hommes.

Si ces distinctions sont justes, Molière a mal saisi le Misanthrope. Pense-t-on que ce soit par erreur ? Non, sans doute. Mais voilà par où le désir de faire rire aux dépens du personnage l'a forcé à le dégrader, contre la vérité du caractère.

Après l'aventure du sonnet, comment Alceste ne s'attend-il point aux mauvais procédés d'Oronte ? Peut-il en être étonné quand on l'en instruit, comme si c'était la première fois de sa vie qu'il eût été sincère, ou la première fois que sa sincérité lui eût fait un ennemi ? Ne doit-il pas se préparer tranquillement à la perte de son procès, loin d'en marquer d'avance un dépit d'enfant ?

> *Ce sont vingt mille francs qu'il m'en pourra coûter ;*
> *Mais pour vingt mille francs j'aurai droit de pester.*

Un misanthrope n'a que faire d'acheter si cher le droit de pester, il n'a qu'à ouvrir les yeux ; et il n'estime pas assez l'argent pour croire avoir acquis sur ce point un nouveau droit par la perte d'un procès : mais il fallait faire rire le parterre.

Dans la scène avec Dubois, plus Alceste a de sujet de s'impatienter, plus il doit rester flegmatique et froid : parce que l'étourderie du valet n'est pas un vice. Le misanthrope et l'homme emporté sont deux caractères très différents : c'était là l'occasion de les distinguer. Molière ne l'ignorait pas ; mais il fallait faire rire le parterre.

Au risque de faire rire aussi le lecteur à mes dépens, j'ose accuser cet auteur d'avoir manqué de très grandes convenances, une très grande vérité, et peut-être de nouvelles beautés de situation. C'était de faire un tel changement à son plan que Philinte entrât comme acteur nécessaire dans le nœud de sa pièce, en sorte qu'on pût mettre les actions de Philinte et d'Alceste dans une apparente opposition avec leurs principes, et dans une conformité parfaite avec leurs caractères. Je veux dire qu'il fallait que le Misanthrope fût toujours furieux contre les vices publics, et toujours tranquille sur les méchancetés personnelles dont il était la victime. Au contraire, le philosophe Philinte devait voir tous les désordres de la société avec un flegme stoïque, et se mettre en fureur au moindre mal qui s'adressait directement à lui. En effet, j'observe que ces gens, si paisibles sur les injustices publiques, sont toujours ceux qui font le plus de bruit au moindre tort qu'on leur fait, et qu'ils ne gardent leur philosophie aussi longtemps qu'ils n'en ont pas besoin pour eux-mêmes. Ils ressemblent à cet Irlandais qui ne voulait pas sortir de son lit, quoique le feu fût à sa maison. La maison brûle, lui criait-on. Que m'importe ? répondait-il, je n'en suis que le locataire. A la fin le feu pénétra jusqu'à lui. Aussitôt il s'élance, il court, il crie, il s'agite ; il commence à comprendre qu'il faut quelque fois prendre intérêt à la maison qu'on habite, quoiqu'elle ne nous appartienne pas.

Il me semble qu'en traitant les caractères en question sur cette idée, chacun des deux eût été plus vrai, plus théâtral, et que celui d'Alceste eût fait incomparablement plus d'effet : mais le parterre alors n'aurait pu rire qu'aux dépens de l'homme du monde, et l'intention de l'auteur était qu'on rît aux dépens du Misanthrope.

V. Courdaveaux, *Le rire dans la vie et dans l'art*, Paris, Didier et Cie, 1875, p. 221-233, et p. 284-296.

Dans le neuvième et dernier chapitre de son ouvrage, qui tire les « Conclusions morales et esthétiques » de ses analyses, Courdaveaux discute frontalement la thèse selon laquelle le rire est un moyen de correction, sinon un « châtiment » (thèse que Bergson reprendra à son compte mais pour étayer, à rebours de l'acception morale du Castigat ridendo mores, *une raison d'être sociologique du rire). C'est dans ce contexte que Courdaveaux entreprend à son tour une relecture du* Misanthrope, *d'abord dans le courant de son analyse, puis dans un texte ajouté en Appendice. Ce sont les deux passages de ce livre admirable, mais difficilement accessible, que l'on trouvera reproduits ici.*

/221/ [...] *Castigat ridendo mores*,

a dit un jour du théâtre d'Arlequin un homme d'esprit, qui n'avait peut-être pas mesuré la portée de son mot. L'idée n'était pas neuve, et elle avait servi plus d'une fois auparavant ; mais Santeuil lui avait donné ainsi une forme précise, et, sous cette enveloppe heureuse, elle acquit bientôt dans le public l'autorité d'un axiome. Le mot n'a-t-il pas bon air en effet ? Ne semble-t-il pas défendre tout à la fois les droits de la morale et ceux de l'art sérieux ? Comment lui demander ses titres alors ? Et critiques et public s'en allèrent répétant à l'envi, que « *la Comédie ne doit rire des gens que pour les corriger, eux ou les autres* » /222/ (on n'a jamais su lequel), « *en montrant que l'homme finit toujours par être la dupe de ses défauts.* » Le plus curieux est que les poëtes eux-mêmes se sont efforcés d'y croire, et qu'ils ont émaillé leurs préfaces, ou agrémenté leurs pièces mêmes de déclarations en ce sens, quand ils n'ont pas été jusqu'à se faire de leur art un sacerdoce, et jusqu'à transformer la scène en une chaire, du haut de laquelle ils avaient pour mission de catéchiser l'humanité.

Quel est le défaut pourtant que la Comédie a jamais corrigé ? Qui de nous connaît un vicieux qu'une comédie ait guéri de son vice, parce qu'elle lui en avait fait comprendre le ridicule ? Qui donc en effet se reconnaît au théâtre dans l'individu raillé qu'il a devant les yeux, alors même que tous ses voisins appellent cet individu de son nom à lui ? Est-ce que tout avare ne se croit pas simplement économe ?[1] Est-ce qu'un passionné /223/ quelconque, quand sa passion est entrée dans son sang, quand elle est tournée chez lui en habitude, ne croit pas à cette passion les raisons les plus légitimes et les proportions les plus convenables ? Est-ce que, pour la déraciner de son cœur, il ne faut pas une bien autre force que la légère impulsion du rire ?

On se rabat sur des travers sociaux, que la comédie aurait corrigés. Quelle restriction déjà à sa puissance, si la portée ne s'en étend pas plus loin que des engouements de passage ! Mais quel est celui de ces travers qu'une comédie a corrigé alors qu'il était dans son plein ? Tout au plus le rire du poëte a-t-il achevé d'en précipiter quelques-uns, alors qu'ils étaient sur leur déclin, et que la faveur publique s'était déjà retirée d'eux. Quelle influence *Les femmes savantes* elles-mêmes auraient-elles eue dix ans plus tôt sur le goût du public, en supposant qu'on les y eût supportées ? [...]

/225/ [...] Si on n'a le droit de rire que pour corriger, et si un grand poëte ne rit jamais que pour cela, il n'y a que nos défauts et leurs suites qui puissent être employés par lui comme moyens comiques ; mais alors que de scènes il nous faudra biffer, chez ceux-là mêmes dont aujourd'hui on invoque le plus l'exemple à l'appui de l'aphorisme ! Quand Aristophane s'amuse de Mnésiloque houspillé et roussi, de Bacchus contraint à ramer, de Xanthyas obligé par trois et quatre fois à changer malgré lui d'habits et de rôle avec son maître, de Jupiter enfin réduit à la portion congrue par la construction de la ville des *Oiseaux*, qui prétendait-il corriger par eux ? Il riait de tous ces gens-là pour le plaisir d'en rire, comme faisait il y a trente ans Gavarni avec ses *Enfants terribles*, et comme Cham fait aujour- /226/ d'hui encore avec la moitié au moins de ses *Revues de semaine*. Et le rire de tous trois, quoiqu'il n'ait d'autre but que lui-même, n'en est pas moins dans son droit, comme leur œuvre n'en est pas moins artistique. Si l'on avait besoin d'autres exemples, on n'aurait qu'à joindre à ceux-ci toutes les scènes de brouille et de raccommodement des amoureux de Molière, avec leurs contreparties par les valets.

Pour amender la théorie, y substituera-t-on *punir* à *corriger*, et, définissant avec quelques philosophes[1] le *risible* par *ce dont on rit*, le *comique* par *ce qui mérite qu'on en rie*, déclare-t-on que le véritable artiste doit dédaigner le premier, et s'en tenir au second seul ? Ce ne sera plus seulement l'histoire alors qui réclamera contre le principe ainsi formulé : ce sera aussi la justice. Ce qui chez moi *mérite* qu'on en rie, ce sont mes fautes volontairement commises ; mais ce qui /227/ n'est pas de ma faute, ce qui est en moi sans que je l'y aie mis, mon manque de jugement, par exemple, ou ce qui tient à mes qualités mêmes, ma trop grande confiance, dûe à mon honnêteté qui me fait juger des autres par moi-même, en quoi cela mérite-t-il qu'on en rie ? Quand Molière fait rire de Tartufe, Tartufe le mérite ; et le rire dont il est l'objet peut être considéré sans trop de peine comme une juste punition que le poëte lui inflige, en attendant qu'une plus sérieuse lui arrive. Mais, quand Molière fait rire d'Orgon, de quoi donc Orgon est-il coupable ? d'aveuglement, de bonne foi, de candeur. Or, en quoi cela mérite-t-il un châtiment ? Ce sont des défaillances de jugement, dues en grande partie aux vertus mêmes de l'homme. Si Orgon était moins pieux, moins sincère, moins honnête, il ne se serait pas laissé tromper ainsi. En stricte justice, ce sont là des malheurs à plaindre, et non pas des fautes à punir, si légère que la punition en doive être. Et cependant Molière en rit, et nous en rions tous avec lui, mais ce n'est pas parce que nous /228/ voyons là un juste châtiment à infliger ; c'est parce que nous ne pouvons pas faire autrement. [...]

Le rire peut se rencontrer avec la justice, mais dans son essence il n'a rien à voir avec elle. Nous rions des choses dans la vie, non parce qu'elles nous semblent mériter un châtiment, mais parce qu'il est dans notre nature d'en rire ; et, dans le détail de leurs pièces, les grands /229/ maîtres de tous les temps ne se sont pas bornés à ce genre de comique qui se compose de nos fautes et des conséquences de nos fautes. Bien loin de là, les accidents immérités, les erreurs et les défaillances dont nous ne sommes pas responsables, leur ont paru à tous également bons pour amuser et pour faire rire[1].

Et ce n'est pas seulement pour le détail des pièces que la théorie est en défaut : c'est pour leur ensemble aussi, ou, si on l'aime mieux, pour leur but. Que les grands poëtes comiques se soient plus d'une fois proposé pour but de leurs œuvres une leçon utile, comment le nier ? Mais qu'ils fussent obligés à le faire, ou qu'ils l'aient fait toujours, comment le soutenir ? La noble idée que l'on se fait là d'abord de l'éléva- /230/ tion morale de la grande comédie ! La belle entreprise, que de construire péniblement des machines, pour prouver par des exemples fictifs que l'homme est toujours le dupe de ses vices ! La grande chose, que de prêcher ainsi la morale au nom de l'intérêt ! Et, si c'est à ce trait que l'humanité reconnaît le grand art comique, comme elle a placé haut son idéal ! Mais non : ce n'est pas à ce trait qu'elle le reconnaît ; elle en a une idée bien autre ; et ce n'est pas là non plus le but que dans l'ensemble d'une œuvre poursuivent partout les grands poëtes comiques ! Quand, à la fin du *Misanthrope*, cet homme de cœur qui s'appelle Alceste se retire, l'âme déchirée du dernier refus de Célimène, croit-on que le poëte, pour le plus grand profit de son public, ait entendu mesurer le châtiment à la faute, et punir son héros... d'avoir valu mieux que les autres ? Singulière leçon, en effet, que celle qui sortirait de ce chef-d'œuvre, si on le prenait pour une leçon ! apprendre aux hommes que dans leur intérêt ils doivent être sages avec /231/ sobriété ; que, pour se tirer d'affaire dans ce monde, il vaut mieux être vaniteux, égoïste, menteur, que d'être sincère, droit, généreux ! Et c'est pourtant là qu'il en faudrait arriver, si le *Misanthrope* était une leçon, puisque le lot final d'Oronte et des marquis faut mieux que celui d'Alceste, sans parler du *traître*, son adversaire, qui a gagné contre lui son procès !

Molière pensait à bien autre chose dans cette admirable pièce, si mal comprise d'ordinaire[1] ; et on peut croire que, quand dans d'autres œuvres il nous montre effectivement les torts punis par leurs conséquences, il songeait là aussi souvent à tout autre chose qu'à une leçon morale[2]. S'il /232/ attache si communément dans ses comédies la souffrance à la faute, c'est qu'il en est ainsi dans la réalité, et qu'il y a là en même temps une des sources les plus abondantes de comique, parce que, en face des mésaventures des gens dans cette situation, notre sentiment de justice satisfait contrebat en nous la pitié qui pourrait nous empêcher de rire. Mais comme il a soin de tempérer ces conséquences, de les maintenir constamment dans certaines limites, afin de rester dans les conditions du genre ! Que faudrait-il, par exemple, pour transformer l'*Avare* en un drame ? que *Mariane* fût une aventurière, ou *Valère* un véritable valet ? Et, leçon pour leçon, croit-on que celle qui sortirait de cette combinaison, ne produirait pas une impression autrement forte ? Le poëte ne l'a pas voulu pourtant, parce que ce qu'il se proposait, ce n'était pas de donner une leçon, mais de rire et de faire rire. Libre à vous, si vous le voulez, de trouver dans son œuvre un enseignement pour vous, et surtout pour les autres ! N'est-il pas tout simple qu'une /233/ idée juste donne matière à des réflexions utiles ? Mais ce n'est pas pour donner cette leçon que l'auteur a fait son œuvre. S'il y est un moraliste, c'est parce qu'il peint la nature humaine, et non parce qu'il lui adresse des sermons déguisés.

1. (Note p. 222) J'assistais un jour à une représentation de *Mercadet le faiseur*, dans une loge où se trouvaient trois ou quatre faiseurs comme lui. Il n'y en eut pas un qui, à quelque moment de la pièce, ne me montrât du coin de l'œil tel ou tel de ses voisins, si bien que tous y passèrent. Il est inutile de dire que pas un ne se reconnut lui-même et surtout ne se corrigea.

1. (Note p. 226) Lévêque, article sur *Le rire*. Garnier, *Traité des facultés de l'âme*.

1. (Note p. 229) On a basé la distinction du *comique* et du *risible* sur une autre définition, appelant *comique* ce qui tient aux éléments durables de notre nature, *risible* ce qui n'est qu'un accident. Cette définition est plus soutenable que l'autre ; mais, si l'on voulait légitimer par elle aussi l'emploi exclusif du *comique*, aux détriments du *risible*, on viendrait se heurter, non plus cette fois contre la justice, mais contre la nature, en même temps que contre l'histoire.

1. (Note p. 231) Voir aux appendices.

2. (Note p. 231) Il est certain qu'en fait Molière a dans bon nombre de ses pièces annoncé l'intention de donner une leçon ; mais, en même temps qu'il cédait là aux idées communes sur les devoirs de la comédie, il se faisait bien souvent illusion à lui-même, en se posant en sermonaire là où il ne faisait que déchargé son cœur gonflé, ou soulager sa raison froissée et blessée. Nul poëte comique, à aucune époque, n'a eu des œuvres qui fussent plus lui, plus le cri de son âme. Là où Molière a l'air de prêcher, où lui-même croyait peut-être le faire, il ne fait en réalité que protester ou se plaindre.

/284/ *Appendice à la question du Misanthrope* (Page 231)

Peu d'œuvres prouvent plus nettement que le *Misanthrope* combien on s'expose à faire fausse route, quand on cherche l'idée première de toute /285/ grande comédie dans l'intention de donner une leçon.

Si la pièce en effet est une leçon donnée à Alceste, ou à ceux qui lui ressemblent, il faut absolument que le personnage idéal du poëte y soit ce Philinte, qui, sans être un méchant homme, et en ayant même les qualités d'un bon ami,

> *N'est pas plus offensé,*
> *De voir un homme fourbe, injuste, intéressé,*
> *Que de voir des vautours affamés de carnage,*
> *Des singes malfaisants, ou des loups plein de rage ;*

Et qui hautement, hardiment, sans vergogne aucune, ment en face d'Oronte à sa pensée intime. Franchement est-ce là un idéal ? et était-ce la peine d'être un grand homme, et de faire une grande pièce, pour proposer un pareil personnage à l'admiration et à l'imitation de tous ? Si rude de formes que soit Alceste, on ne peut nier aujourd'hui que l'avenir ne lui ait donné raison sur la plupart des points, où il est en contradiction avec cet individu si accommodant et si souple. Les grandes embrassades ne sont plus de mode ; les visite à ses juges ne sont plus de rigueur /286/ tout au moins ; on peut gagner son procès, sans les avoir faites. Molière, d'autre part, s'appelait lui-même *Le Misanthrope* ; et il avait par son caractère seul (pour ne point parler d'autre chose en ce moment) trop de traits communs avec Alceste, pour qu'on puisse croire qu'il ait voulu le sacrifier.

Si Philinte enfin est le sage idéal de la pièce, si celle-ci par conséquent est faite pour rire du *Misanthrope*, il est impossible de lui trouver ni un centre d'intérêt, ni une *action* quelconque. Si Molière en effet a eu pour but de ridiculiser Alceste, il n'a pu vouloir y intéresser ; et prétendre, d'autre part, que le personnage intéressant de la comédie est Philinte, et l'*action* ce qui nous achemine à son mariage avec Éliante, c'est se moquer trop évidemment des lecteurs, tant ce froid personnage occupe peu de place dans la comédie. La pièce alors qui, de l'aveu de tous, est le chef d'œuvre de notre scène comique, se trouve n'être qu'une œuvre sans intérêt et sans action, un simple assemblage de morceaux ou de tableaux /287/ rapprochés les uns des autres, et renfermés d'une manière telle quelle dans un cadre quelconque. C'est là l'opinion commune, nous le savons bien, la banalité à laquelle se rallient ceux qui n'écoutent que l'esprit de système, et ceux qui ne pensent ou ne sentent que d'après les autres. Mais, sans compter ce qu'une pareille supposition a d'illogique, tout notre être proteste contre elle, quand nous assistons à une représentation du *Misanthrope* : cœur et raison tout nous crie que cette opinion est fausse. Une seule chose reste évidente pour nous, c'est que cette injure faite à la composition de la comédie est intimement unie à l'idée que celle-ci est une leçon pour Alceste et pour ses pareils. Eh bien, renoncez à cette idée que rien ne prouve ; et vous verrez du même coup l'action se poser franchement et marcher droit.

Il n'y a pas de sage dans le *Misanthrope*, voilà ce qu'il faut bien se dire : Philinte n'est pas un idéal pour Molière, et Alceste non plus n'en est pas un, avec ses brusqueries et ses impatien- /288/ ces. Mais, s'il n'est pas un idéal, il n'en est pas moins le héros de la pièce, le personnage sympathique, celui sur lequel le poëte a voulu appeler l'intérêt, tout en faisant rire doucement de lui ; et la question alors est de savoir si cet homme auquel il a voulu intéresser, il s'est contenté d'en faire le centre immobile, autour duquel tournent les autres personnages, comme ces bonshommes que fait mouvoir un orgue de barbarie, ou s'il l'a engagé dans une action, au sein de laquelle nous suivions avec inquiétude les péripéties de sa destinée. Il ne manquera pas de gens encore pour prendre le premier parti, et continuer à refuser sous cette nouvelle forme toute action à la pièce. Les bonshommes, en tournant autour du bougon, pour recevoir tour à tour ses coups de boutoir, auraient amené tour à tour aussi sous les yeux du public les différentes faces de la société d'alors, et donné au poëte l'occasion de flageller chacune d'elles ; il ne se serait pas préoccupé de davantage ; et, quand il aurait cru suffisant le nombre de ces tableaux, il aurait coupé court à l'exhibition, comme il aurait pu !

/289/ Pas plus sous cette forme que sous l'autre cette hypothèse ne vaut, malgré le crédit qu'elle a. Ce qui aide à sa fortune, c'est la façon dont au lycée nous avons tous fait connaissance avec la pièce, et dont elle est restée dans notre mémoire, morceaux par morceaux, ou plutôt tableaux par tableaux, ceux-ci, grâce à leur perfection, formant chacun un tout complet, qu'on peut étudier seul et sans autre chose que lui. Mais sortons de la tradition et de nos habitudes de collège, ayons le courage d'apprécier les choses par notre expérience propre, d'en croire notre impression plutôt que les aphorismes de nos docteurs ; allons au spectacle écouter la pièce, en essayant d'oublier tout ce que nous en savons, et livrons-nous franchement à la série d'émotions qu'elle nous cause ; ou plutôt faisons mieux, cherchons un auditeur intelligent, une femme, si cela se peut, qui n'ait jamais lu le *Misanthrope* […], et, la main sur son pouls, pour ainsi dire, lisons-lui la pièce, en lui demandant à chaque scène l'impression qu'elle /290/ lui laisse : et toutes nos idées de convention seront retournées. Il y a une action dramatique dans le *Misanthrope*, une action suivie, dont toutes les parties s'enchaînent, aussi serrées que dans aucune autre pièce ; et l'intérêt qui s'y attache est aussi vif que dans aucune autre. Il y faut renverser le problème ordinaire, voilà tout. Tandis que dans les autres comédies on se demande avec inquiétude si M. *un tel*, auquel on s'intéresse, parviendra bien à épouser Mlle *une telle*, qu'il aime, et à laquelle on s'intéresse aussi, c'est la question contraire que l'on se pose ici : on se demande si ce naïf honnête homme, à l'esprit si élevé et si droit, au cœur si aimant et si chaud, qu'on ne peut s'empêcher d'admirer et d'aimer, malgré ses brusqueries dont on rit, pourra se détacher enfin des liens de cette sirène en *panniers* qu'on appelle Célimène. Le problème seulement ne se pose pas dès le premier instant avec cette netteté, et c'est par là aussi qu'il y a une place plus large au progrès de l'action. Le caractère vrai de Célimène ne se dévoile pas au /291/ premier moment avec cette clarté souveraine ; la sirène est un sphinx, et ce qu'on se demande, entre les deux jugements contraires de Philinte et d'Alceste, c'est à la fois ce qu'elle est en réalité, et si, au cas où Philinte aurait raison, Alceste parviendra à se dégager d'elle. Ce sont les progrès de la lumière sur le caractère de Célimène, qui sont les progrès de l'action ; c'est l'anxiété toujours croissante au sujet d'Alceste, à mesure que ce caractère se dévoile, qui fait l'accroissement de l'intérêt ; et les progrès de la lumière sont si bien ménagés que, bien qu'elle aille grandissant toujours, elle n'est pleine et entière qu'à la fin de la pièce, et que, jusqu'au dernier mot de Célimène, il y a possibilité encore de s'imaginer qu'elle est moins irrévocablement légère qu'elle n'en a l'air.

La base du drame, c'est l'incompatibilité de caractère entre Célimène et Alceste, avec les malheurs qui résulteraient de leur union pour celui des deux auquel on s'intéresse ; il fallait donc que celui-là fût posé dès le premier instant avec /292/ toute la netteté possible ; et de là ces deux scènes du premier acte qui placent si bien devant nous Alceste en pleine lumière. La théorie d'abord, la pratique ensuite : à la première scène l'exposition de ce qu'Alceste veut qu'on soit, et de ce qu'il prétend être ; à la seconde, l'application des principes qu'il a posés. Quant à Célimène, qu'est-ce qui sait ce qu'elle est à la fin de ce premier acte ? Elle est un peu coquette, cela est certain ; mais entre ces deux hommes, dont l'un la déclare irrémédiablement légère, et dont l'autre espère en sa guérison, qu'est-ce qui se sent le droit de prononcer ? A l'action donc de nous éclairer sur elle ! Et l'inquiétude sur la profondeur du mal dans Célimène va commencer à s'accroître dès le second acte, à la façon dont elle répond aux justes demandes d'Alceste dans la première scène, et au besoin de briller et de trôner qui s'étale en elle dans la seconde. Elle y est si séduisante pourtant que notre jugement sur elle reste suspendu, et que, si on incline décidément à la croire légère, on se prend à désirer encore que /293/ ce ne soit qu'une apparence. Mais bien vite la discussion des deux marquis sur les preuves d'amour que chacun d'eux prétend avoir d'elle, vient augmenter nos appréhensions, par l'indication de faits précis là où nous n'avions encore que des symptômes ; Arsinoé les accroît, à son tour, en nous montrant à l'horizon une nouvelle preuve possible de la légèreté de Célimène ; et enfin au quatrième acte le drame éclate dans toute sa force, en cette terrible scène où le pauvre Alceste tient en ses mains, avec la lettre à

Oronte, al preuve de la trahison, sans pouvoir arriver pourtant à y faire en plein la lumière, ni pour son cœur, ni pour nous-mêmes, car, quelque étrange que soit l'explication donnée par Célimène, matériellement elle est possible encore. Ce n'est qu'au cinquième acte que le jour arrive entier, avec la lecture de tous les billets ; et encore la lumière n'y est-elle complète, que lorsque le refus de Célimène à Alceste nous est venu prouver définitivement combien sa légèreté est irrémédiable. Alceste trouve alors enfin la force de /294/ se détacher d'elle ; et, repoussant du même coup aussi le bonheur, dont le poëte avait placé la possibilité à ses côtés dans la personne d'Éliante, comme pour nous faire espérer pour lui jusqu'au dernier moment, il se retire l'âme déchirée ; mais quel est celui de nous qui ne préfère pour lui ce dénouement à la vie de tortures, que lui eût faite son union avec le démon en jupons, que nous connaissons maintenant tout entier ?

– Mais c'est un drame, dira-t-on, et non une comédie, que la pièce ainsi conçue !

– Oui, c'est un drame au fond, et des plus navrants, que cette lutte du plus honnête des hommes contre son propre cœur, attaché à la plus coquette des femmes ! Oui, c'en est un, que ses efforts déchirants pour s'arracher du corps cette robe de Nessus ! Chacun de ces douloureux efforts est un cri, qui retentit profondément dans notre âme ; et nous disons de la pièce ce qu'en disait Alfred de Musset :

> *Est-ce assez de venir au soir par aventure,*
> *D'entendre au fond de l'âme un cri de la nature,*
> *D'essuyer une larme, et de partir ainsi,*
> *Quoiqu'on fasse d'ailleurs, sans en prendre souci.*

/295/ Ajoutez à Alfred de Musset tout ce que la biographie de Molière, si bien établie aujourd'hui, nous révèle de douloureuses analogies entre sa vie conjugale et la position respective de Célimène et d'Alceste ; et essayer encore d'hésiter à qualifier la pièce de drame. Le *Misanthrope* est le *cri du cœur* de Molière, meurtri dans son intérieur, froissé, blessé de tous côtés par le milieu social dans lequel il vivait, et se soulageant, en poëte, en donnant ainsi cours à toutes les souffrances et à tous les ressentiments qui s'étaient amoncelés en lui.

Oui, la pièce est un drame, et des plus poignants ; mais, en même temps qu'elle est un drame par le fond, elle est une comédie par la forme ; et nulle ne prouve mieux qu'elle la fusion qui peut se faire dans l'esprit du poëte comique, entre la pensée sérieuse du fond et les éléments amusants du détail. Molière a commencé par rendre la *comédie* possible, en ne rivant pas Alceste à Célimène, comme il l'était lui-même à la Béjart par le mariage ; puis sur ce fond ainsi adouci il a jeté, avec leurs ridicules et leurs comiques, tous /296/ les individus dont il avait eu à souffrir, mais sans fiel, sans aigreur, sans haine, en adoucissant leurs traits avec cette bonté qui était le fond de son âme, et qui lui faisait faire de la femme qui était la torture de sa vie, le plus merveilleux type d'esprit, de finesse et de séduction, qu'un poëte ait jamais créé.

Voilà le *Misanthrope*, tel qu'il est sorti de l'âme de Molière ; à cent lieues de ce qu'on en fait d'ordinaire, quand on veut voir en lui une leçon ; une des plus admirables pièces qu'il y ait au monde, par la marche de l'action comme par les détails ; une des plus douloureuses dans son fond, comme une des plus riches en développements comiques ; une comédie sans *paire*, qu'on ne comprend peut-être bien que quand on a vécu, mais que certainement on ne comprend jamais moins que quand on la juge d'après les banalités qui se répètent sur elle tous les jours, et d'après les obligations auxquelles nos esthéticiens et nos docteurs veulent à toute force l'assujettir.

II. Réception, débats, postérité

a) *Objections et explications autour du* Rire

On trouvera ici deux lettres, l'une en réponse à la recension du Rire *faite par Lionel Dauriac dans la* Revue philosophique de la France et de l'étranger *en décembre 1900, l'autre, à celle d'Émile Faguet pour le* Journal des débats *en 1904. Elles fournissent à Bergson l'occasion de revenir sur le projet du* Rire*, en particulier sur le problème de la cause du comique, et partant, du point de vue de l'étude psychologique, sur la question de la causalité psychique. On y verra notamment l'insistance mise à préciser le statut des images du « mécanique » et de l'« automatique » dans son analyse.*

H. Bergson, Lettre à L. Dauriac du 4 décembre 1900, in *Mélanges*, p. 436-437.

/436/ [...] Je crains que vous n'ayez cherché dans mon livre plus que je n'ai voulu y mettre, la réduction du comique à des lois « raides » et véritablement causales. Telle n'a pas été du tout ma pensée. J'ai bien dû, pour m'exprimer clairement, donner des formules précises et définir un certain nombre de types ; mais j'ai averti le lecteur que je voulais simplement, par là, proposer des points de repère à ceux qui désireraient se rendre compte de ce qu'ils éprouvaient en présence des effets comiques. Il va sans dire que, souvent, la cause que j'indique ne se manifeste pas dans l'impression immédiate ; il faut qu'on réfléchisse sur cette impression, qu'on raisonne et qu'on compare, qu'on retrouve le fil des associations qu'on a suivies ; j'ai simplement tâché à y aider. Et souvent aussi ces causes n'entrent dans l'effet qu'à dose infinitésimale ; elles n'en sont pas moins essentielles si elles donnent à l'effet sa coloration comique. Enfin je crois, plus que personne, qu'aucun concept ne peut enfermer /437/ une réalité psychologique : tous les développements tendent même à montrer que ce n'est pas la conformité extérieure à un genre, que c'est au contraire le fil intérieur de l'analogie, qui relie les auteurs comiques les uns aux autres ; mais le concept doit aider chacun de nous à recueillir ce fil qui est souvent d'une ténuité extrême. Voilà pourquoi j'ai dû recourir à des concepts tels que raideur, raideur mécanique, inadaptation et autres concepts voisins ou subordonnés, tout en laissant constamment entendre que la réalité est beaucoup plus souple et plus fuyante. Ce livre, d'un bout à l'autre, n'était dans ma pensée qu'une étude sur l'association d'images, sur leur « contamination réciproque », sur le mouvement par lequel l'apparence comique se propage de l'une à l'autre ; c'est pour attirer l'attention du lecteur sur ce point que j'ai donné tant de développement à mon premier chapitre. J'ai compté sur les lecteurs pour estomper les contours de mes idées, ce qui est toujours plus facile que l'opération contraire ; je ne pouvais leur parler explicitement, comme je l'eusse fait à des philosophes de profession, de « concepts » et d'images.

Encore une fois, merci, mon chez Collègue, et sincèrement à vous.

H. Bergson, Lettre à E. Faguet du 3 octobre 1904, in *Journal des Débats*, 10 octobre 1904 ; rééd. in *Mélanges*, p. 631-637.

/631/ [...] On ne pouvait dégager en termes plus clairs que vous ne l'aviez fait, ni illustrer par de plus jolis exemples, l'idée dominante de mon petit livre, l'automatisme envisagé comme source du comique. Mais sur la manière d'appliquer cette idée à l'analyse du comique en général, il y a entre nous un gros, un très gros malentendu.

D'un bout à l'autre de votre feuilleton vous raisonnez comme si j'avais dit que tout effet comique est un effet d'automatisme. Rien n'est plus éloigné de ma pensée. Il suffit de recueillir ses souvenirs pendant

quel- /632/ ques instants pour voir affluer une multitude d'effets
comiques qui ne sont pas des effets automatiques. Vous en avez cité de
probants ; mais je crois que vous auriez trouvé, dans la dernière partie
de mon livre, des exemples plus concluants encore contre ma thèse telle
que vous l'interprétez.

Non, le comique n'est pas l'automatisme, pas plus qu'il n'est l'inattendu, ou le trivial, le bas et le familier, pas plus qu'il n'est le contraste
ou la contradiction, – pas plus même peut-être qu'il n'est (per-
mettez-moi de vous le dire) l'anomalie inoffensive, par laquelle vous le
définissez très ingénieusement vous-mêmes à la fin de votre article. Le
comique est... le comique, tout simplement. C'est un certain domaine
sui generis, qui fait une impression *sui generis* sur nous quand nous y
entrons.

Croyez-vous qu'on aurait pris la peine d'inventer un mot pour lui
dans toutes nos langues s'il existait d'autres mots également aptes à le
désigner ? Le sens commun n'est pas si bête. Si le comique consistait
exactement en un contraste, ou en une absurdité, ou en une anomalie
inoffensive, on l'appellerait contraste, absurdité, anomalie inoffensive.
Comme aussi si le comique était l'automatisme, on dirait « l'automatisme », on ne dirait pas « le comique ».

Ma conviction est qu'il est chimérique de chercher une définition,
c'est-à-dire une formule simple qu'on puisse appliquer telle quelle,
machinalement, à tout ce qui fait rire. La plupart des philosophes se
sont attaqués au problème du risible et chacun d'eux a abouti à une
définition précise, qui, depuis, a été reconnue insuffisante. Où les plus
grands penseurs ont échoué, croyez-vous que j'aurais eu la prétention de
réussir ? Il m'a semblé au contraire que leur échec devait nous servir
de leçon et qu'il fallait aborder le problème par une tout autre méthode,
avec un tout autre objet, dans un tout esprit.

Ma thèse consiste à prétendre qu'il y a un certain nombre d'effets
risibles ou dominateurs, réductibles à une formule relativement simple,
mais que le comique de ces effets rejaillit aussitôt sur d'autres effets
qui leur ressemblent par quelque côté, puis de ceux-ci sur d'autres qui
leur ressemblent *sans pour cela ressembler nécessairement aux premiers*, et ainsi de suite, indéfiniment. Telle /633/ phrase, telle situation
n'est comique que parce qu'elle évoque dans notre esprit une image
(d'ailleurs fuyante, à peine saisissable), qui en appelle une autre,
laquelle en fait surgir une troisième, etc. ; il faut quelquefois remonter
très haut pour arriver à l'image originellement risible d'où le comique
est descendu, par une série de cascades, à la phrase ou à la situation
dont nous rions actuellement. Or, le comique comprend tout ce qui nous
fait actuellement rire. Il débordera donc infiniment la formule simple

que nous aurons trouvée en remontant à la source et en ne considérant que les types originels.

Sans doute, il serait plus commode de pouvoir dire : « Le comique est ceci ou cela. » L'affaire serait réglée une fois pour toutes, et il n'y aurait pas à faire un effort spécial d'analyse dans chaque cas particulier. Mais que voulez-vous ? ni l'esprit ni la nature ne sont des choses simples. Comme le rire est un plaisir, le comique travaille indéfiniment à s'étendre. Il chercher par mille détours, et le plus loin possible de son origine, de quoi s'alimenter, comme l'arbre va puiser sa nourriture dans le sol par les mille détours de ses radicelles. Le philosophe doit bien tenir compte de cette complication, qui est celle même de la vie.

J'ai essayé de prouver que le rire du comique est une espèce de *brimade sociale*, qu'il cherche originellement à réprimer, sinon certains de nos défauts, du moins leur manifestation extérieure ; que les défauts risibles sont surtout ceux qui témoignent d'un *raidissement* contre la vie sociale (d'une *inadaptation*, comme vous dites si bien), qu'en ce sens les effets comiques dominateurs dont des effets de raideur, et qu'à la source du comique on trouve l'automatisme. Il n'y a d'*essentiellement* risible, ai-je dit, que ce qui est automatiquement accompli. Vous opposez à cette thèse des exemples de comique où il n'y a rien, dites-vous d'automatique. Je ne puis que vous répondre : Vous avez raison, chez collègue, vous avez cent fois raison. Il n'y a pas trace d'automatisme dans certains de vos exemples. Et, néanmoins, si vous voulez savoir d'où ils tirent leur vertu comique, c'est à l'automatisme que vous devez remonter.

Je ne voudrais pas vous fournir un exemple supplémentaire de ridicule en me citant complaisamment /634/ moi-même. Je vais bien être obligé, cependant, de vous renvoyer à quelques-uns des types de j'ai définis et dont j'ai montré par quels fils, souvent d'une ténuité extrême, ils se attachent à l'automatisme.

Vous citez Orgon. « Orgon est incontestablement ridicule, et pourtant, il n'est automatique que dans *le Pauvre homme !* » D'accord, mais dans toute la pièce il nous apparaît comme hypnotisé par la dévotion de Tartufe, comme une espèce de pantin dont Tartufe tiendrait les ficelles : l'inadaptation dont vous parlez vient de là. Or, une multitude d'effets comiques se ramènent précisément à ce type simple. Point n'est besoin qu'Orgon agisse automatiquement. Il suffit d'un mince filet de « pantinisme », de « marionnettisme », comme vous disiez dans votre premier article, pour que la contamination comique fasse son œuvre. L'automatisme est tout de même à la source.

Vous citez Arnolphe. A-t-il quelque chose, demandez-vous, d'un mouvement d'horlogerie ? Rien, je le reconnais. Mais d'abord *la pièce*, elle, a quelque chose d'un mouvement d'horlogerie. J'ai montré qu'elle

ramenait périodiquement, comme l'horloge sa sonnerie, un même effet
à trois temps : 1ᵉʳ temps, Horace raconte à Arnolphe ce qu'il a imaginé pour tromper le tuteur d'Agnès, qui se trouve être Arnolphe lui-
même ; 2ᵉ temps, Arnolphe croit avoir paré le coup ; 3ᵉ temps, Agnès
fait tourner les précautions d'Arnolphe au profit d'Horace. – De plus,
chacun de ces effets à trois temps a son comique propre, étant une
variation sur le thème du « voleur volé » : c'est ainsi que j'ai appelé ces
situations, si nombreuses au théâtre, où le personnage se fait prendre,
par une série de déclenchements quasi mécaniques, au piège qu'il a
tendu. Enfin, pour ce qui est d'Arnolphe lui-même, il exécute constamment des variations sur un thème que j'ai appelé, faut d'un terme plus
général, le « pédantisme ». C'est l'homme qui prétend en remontrer à
la nature et se faire aimer, comme vous le dites si bien, par raison
démonstrative. Il faudra tenir compte de tous ces éléments et de beaucoup d'autres encore, quand on analysera le comique de *l'École des
femmes*. C'est bien compliqué, direz-vous, bien subtil. Je reconnais qu'il
serait beaucoup plus simple de dire que la pièce nous exhibe, d'un bout
/635/ à l'autre, une « excentricité » ou une « anomalie inoffensive ». Et
l'on ne se tromperait pas en le disant. Mais serrerait-on d'assez près
l'impression de comique qu'elle nous donne ? Je reconnais que le
comique est ordinairement une « excentration » ou une anomalie. Mais
quelle excentration, *quelle* anomalie ? Toute la question est là.

Vous parlez de la vanité. Elle a beau être souple, comme vous le
faites remarquer : elle ne nous en donne pas moins, dans beaucoup de
cas, une impression de « pantinisme » ou de « marionnettisme ». Cette
impression peut d'ailleurs devenir très nette ; innombrables sont les
scènes de comédie où les ficelles du pantin sont apparentes, étant entre
les mains d'un autre personnage qui s'amuse du vaniteux comme d'un
jouet. Si vous me demandez alors d'où vient le comique de M. Poirier
et du *Bourgeois gentilhomme*, je répondrai : de leur vanité d'abord, et
aussi d'une multitude d'autres éléments qu'on ne découvrirait qu'en prenant une à une toutes les scènes des deux pièces. Je signalerai en particulier, dans *Le gendre de M. Poirier*, le procédé comique auquel j'ai
donné le nom de *transposition*. M. Poirier transpose constamment en
« bourgeois » ce que le marquis de Presles vient de penser en « noble »,
et un des mots les plus saisissants de la pièce est précisément celui qui
définit cette dualité de *plan mental* : « Monsieur le marquis, il est heureux pour votre honneur que ma probité paie vos dettes. »

[…]

/636/ […] Je ne voudrais pas allonger outre mesure cette lettre déjà
longue, mais je ne puis laisser sans réponse la dernière partie de votre
article. Quand vous dites qu'on passe par degrés du comique au

tragique, je suis entièrement de votre avis. Il en est ainsi, en général, des choses entre lesquelles il y a opposition. Ce n'est pas une raison pour qu'on ne puisse pas, pour qu'on ne doive pas décrire chacune d'elles de manière à dégager ce qu'elle a de propre. Et il faut bien dès lors considérer le cas idéal et extrême. De ce que le personnage tragique aura été caractérisé par son *individualité* et le personnage comique par sa *généralité*, il ne suivra pas que le comique et le tragique n'empiètent constamment l'un sur l'autre.

Qu'une foule de comédies aient d'ailleurs pour titre un nom propre, je ne l'ai jamais contesté. J'ai simplement fait remarquer que beaucoup ont pour titre un nom commun, et surtout (c'est là le seul point important) que si nous entendons prononcer un nom commun de vice ou de défaut, ce n'est pas à une tragédie que nous pensons. Une pièce qui puisse s'appeler *le Jaloux* sera *Sganarelle* ou *Georges Dandin*, mais non pas *Othello*.

b) Sociologie du comique

D. Parodi, « Le rire. Essai sur la signification du comique, par M. H. Bergson », in *Revue de métaphysique et de morale*, t. 9, n° 2, mars 1901, p. 231-236.

Au terme d'une recension fine et détaillée du Rire, *Dominique Parodi revient sur la thèse proprement sociologique qui s'y trouve impliquée. On notera comme s'y ébauche une problématisation évolutionniste du rire, dans une perspective proche de celle que James Sully développera trois ans plus tard dans* An Essay on Laughter, *en distinguant un rire organique déterminé dans l'espèce, rire primitif comme expression ou manifestation physiologique d'un bien-être physique, un rire social signalant la capture et l'utilisation collective du rire organique par les sociétés pour régler les activités de leurs membres, enfin un rire esthétique résultant d'une autonomisation par rapport aux exigences sociales dans les activités désintéressées de l'art.*

/231/ [...] La théorie de M. Bergson est, en effet, à double face, et là où sa première formule d'explication ne peut suffire, la seconde semble la suppléer. Le rire est, selon lui, un phénomène de défense ou de correction sociale. Mais c'est ici que les difficultés, ou au moins les obscurités de l'œuvre paraissent les plus frappantes : quel est le rapport exact de l'une à l'autre des deux formules ?

A ne consulter que l'intention de l'auteur, elles semblent devoir se compléter ; l'une donnant plutôt la *loi* du phénomène, et l'autre sa *cause*. « L'automatique inséré dans le vivant » est bien la définition objective du comique, si c'est là ce que l'analyse découvre dans tous les cas où nous rions, ce qui leur serait commun à tous ; « la correction sociale » constitue la cause subjective du rire, son but et sa destination, la raison enfin pour laquelle, chaque fois que les conditions du comique sont données, elles provoquent en nous cette /232/ réaction qui est le rire, et non tout autre. S'il en est ainsi, les deux explications doivent s'appliquer simultanément à tous les cas, et si elles ne rendaient compte chacune que d'une partie de ces cas, elles se nieraient proprement l'une l'autre, loin de se fortifier. Nous ne prétendons pas qu'il en soit tout à fait ainsi, mais il semble néanmoins que parfois l'une s'applique plus directement et facilement aux faits, tandis que l'autre ne s'y reliera qu'indirectement ; dans le comique de geste ou de forme par exemple, l'impression d'un mécanisme substitué à la vie est primitive et immédiate, tandis que l'intérêt de la société à le réprimer n'apparaît que très indirect et secondaire. Inversement, la tendance à rire de tout ce qui est nouveau s'explique à merveille comme un « geste » social, tandis que l'intérêt de la société à le réprimer n'apparaît que très indirect et secondaire. Inversement, la tendance à rire de tout ce qui est nouveau s'explique à merveille comme un « geste » social, tandis qu'il nous a paru que l'idée d'automatisme n'y était pas nettement présente et ne s'y découvrait pas sans bonne volonté. Il en résulte en tout cas que, en dépit de l'explication sociale, nos réserves à l'égard de l'autre explication peuvent rester valables.

Comment faut-il entendre maintenant que l'utilité sociale soit la raison d'être du rire ? Peut-être M. Bergson veut-il dire simplement qu'il nous est impossible de distinguer des phénomènes psychologiques purement individuels autrement que par abstraction, que les influences sociales pénètrent si bien jusqu'à nos moindres actes et à nos plus intimes sentiments, que nous ne saurions dire ce qui nous vient d'elles et ce qui nous vient de nous. En ce sens le rire peut être dit de nature sociale, parce que la société seule fait que nous trouvions telle chose comique et non telle autre ; parce qu'elle oriente et tourne à son profit toutes nos tendances naturelles, le rire comme les autres ; parce qu'enfin notre sentiment du comique est toujours relatif à nos idées ou à nos habitudes, qui nous viennent du groupe où nous vivons. Tout cela ne saurait être contesté ; il est désormais acquis, après le livre que nous étudions, et l'on s'en doutait même avant, que nous nous défendons ou nous vengeons de tous ceux qui menacent les intérêts de la vie commune en les rendant ridicules ; par là les fines analyses que notre auteur a prodiguées en abondance ne sauraient rien perdre de leur prix. Mais M. Bergson semble parfois dire autre chose ; la société semble faire plus, selon lui, qu'imposer sa forme, ses exigences, son orientation, à cette faculté psychologique dont on trouverait au moins le germe dans la nature individuelle, la faculté de percevoir le comique ; on se demande si l'aptitude à saisir le contraste entre le /233/ mécanique et le vivant n'est pas absolument, pour lui, une *création* sociale, en dehors et au-dessous de laquelle il ne resterait plus d'inhérent à l'individu même que le rire en tant que pur et simple réflexe nerveux, sans cause et sans signification psychologique. On rencontre même sous sa plume les expressions les plus équivoques, qui vont jusqu'à personnifier la société ; à lui attribuer des intérêts et des fins propres, étrangères et inconnues à l'individu. Il se mêle toujours au rire, nous dit-il, « une arrière-pensée que la société a pour nous quand nous ne l'avons pas nous-mêmes » ; voilà pourquoi au fond le rire manque toujours de bonté : « Fait pour humilier, il doit donner à la personne qui en est l'objet une impression pénible. La société se venge par lui des libertés qu'on a prises avec elle. » – En un mot, pour M. Bergson, rire, c'est toujours se moquer.

Il est hors de doute, cependant, qu'on ne saurait entendre par là qu'une intention de moquerie soit toujours présente chez l'individu qui rit. Il suffit de réfléchir que l'enfant rit, et si l'on peut à la rigueur lui attribuer quelque sentiment d'un contraste entre l'automatique et le vivant, on ne saurait en revanche lui supposer une intention de correction sociale. Aussi bien la tendance à rire ne paraît dépendre en rien de l'éducation sociale, ni varier en proportion de celle-ci. – Mais autre paraît être la pensée de M. Bergson : c'est sans le savoir le plus souvent que nous servons par le rire les intérêts sociaux : il semble qu'il y ait là comme une application des idées darwiniennes, qu'on se représente le rire comme le produit d'une sorte de sélection ; et une phrase même semble faire plus qu'en suggérer l'idée : « Le rire est simplement l'effet d'un mécanisme monté en nous par la nature, ou, *ce qui rient à peu près au même,* par une très longue habitude de la vie sociale. » Or, cette sélection, si l'on en accepte l'hypothèse, ne se comprend qu'à demi. L'utilité sociale qui résulte de la correction par le rire, inaperçue le plus souvent des individus, ne leur donnerait aucune supériorité personnelle dans la concurrence vitale : ce serait même le contraire, si le rire tend à corriger chez celui dont on rit des défauts qui donnaient tout avantage au rieur. Ce n'est qu'à la société que l'adaptation imparfaite de ses membres peut nuire ; et ce n'est pas entre

les individus qu'il faudrait donc admettre que la sélection s'opère, mais
entre les diverses sociétés elles-mêmes. Si bien que la moquerie à
l'égard de toutes les raideurs vitales, apparue par hasard dans une
société donnée, lui aurait constitué un avantage grâce auquel /234/ elle
aurait subsisté seule, avec l'aptitude à saisir le comique comme un de
ses caractères distinctifs. Idée étrange, et évidemment très éloignée de la
pensée de M. Bergson.

D'autre part, si l'on ne va pas jusqu'à cette conséquence extrême,
il semble bien que la doctrine du rire comme « geste social » doive se
limiter pour rester intelligible. Elle lui attribue la fonction « d'intimider
en humiliant » ; il doit pour cela donner à la personne qui le subit « une
impression pénible ». Il faut donc, de toute nécessité, que l'expérience
ait appris au rieur, ou du moins à l'humanité, que le rire est pénible à
celui dont on rit, qu'il lui est une humiliation ; il faut donc encore, pour
cela, qu'à l'origine au moins de la vie, soit individuelle, soit collective,
on ait ri d'abord spontanément, sans intention, et simplement parce
qu'un certain spectacle suscitait une émotion de nature à se traduire
ainsi. Tout au plus a-t-on pu, dès l'origine, dédaigner autrui et en rire
parce qu'on le dédaignait, et que le dédain s'exprimait naturellement de
la sorte, mais non en rire *pour* l'humilier ; il n'a donc pu devenir un
mode de correction sociale qu'après avoir été, et parce qu'il était, un
geste spontanément expressif de sentiments spontanément humains.
– A la rigueur, on peut admettre qu'un tel apprentissage n'ait été
accompli qu'une fois pour toutes aux origines de la vie sociale et se
soit transmis dès lors par hérédité. Mais s'il faut, bon gré malgré,
admettre qu'à un moment donné au moins il y a eu un sentiment du
comique tout désintéressé et sans intention réfléchie de nuire, pourquoi
ne pas admettre, comme semble nous le suggérer notre conscience
actuelle, qu'aujourd'hui encore il n'en va pas autrement, et que, si l'on
rit souvent pour se moquer, ou pour traduire la moquerie collective de
la société entière, il se peut que l'on rie aussi sans malveillance, il faut
même que chacun commence au moins par rire « pour rire » ?

Il en serait donc du sens du comique comme des autres sentiments
vraiment simples et originaux : virtuellement enveloppés à l'état de
réactions instinctives dans la nature humaine, il leur faut la société, leur
milieu naturel, pour se développer et se diversifier. Ainsi du rire : l'instinct social et l'intérêt de correction ne le créent pas plus dans son originalité psychologique que dans son mécanisme organique ; ils ne s'en
servent que parce qu'il existe ; ils peuvent donc en expliquer les formes,
non l'essence première ; et l'on ne peut donc en fonder la théorie que
sur ses conditions physiques, si /235/ on le considère du dehors, sur la
combinaison propre de sentiments ou d'idées qui le constitue dans la

conscience individuelle, si on en veut rendre compte par le dedans. Il reste donc que la société, et la société seule, peut nourrir et diriger notre sens du comique, en multiplier les espèces, nous faire découvrir le biais par où nous envisageons les choses pour en pouvoir rire, et l'esprit dans lequel nous les considérons. Mais elle ne fait jamais que plier ainsi à ses fins propres un mécanisme, à la fois corporel et psychique, qui préexistait dans l'individu.

On peut donc, croyons-nous, hésiter sur ce que M. Bergson entend au juste par l'origine et la nature sociale[s] du rire ; mais l'on ne saurait au contraire résister à la force et à la finesse de ses raisons lorsqu'il montre le caractère tout social de notre sentiment actuel comme de nos définitions des divers genres de comique. Et tout de même, si l'on peut peut-être, même après son livre, rester fidèle à la doctrine traditionnelle de l'esthétique allemande, à la théorie du contraste et de l'attente, il n'en est pas moins incontestable qu'il a mis en lumière une des formes de ce contraste les plus importantes et les plus générales, le contraste de l'automatique au vivant, et qu'il en a poursuivi la démonstration dans une série d'analyses presque toutes définitives et dont plusieurs sont des chefs d'œuvre de pénétration, de sûreté et de tact. Si bien que si l'on demande ce qui nous paraît rester, après ces quelques réserves, de l'effort de M. Bergson, on trouvera que c'est son livre à peu près tout entier.

**

Un mot encore. Si particulier que soit le problème traité, et si complètement que l'œuvre se suffise à elle-même, on ne peut oublier quel philosophe est M. Bergson, ni se défendre de rechercher le rapport de cet essai spécial à l'ensemble de ses doctrines. A tout prendre, il les continue et s'y relie à merveille : tout lecteur des *Données immédiates de la Conscience* et de *Matière et Mémoire* aurait presque pu deviner, ou plutôt déduire à l'avance, la théorie sur l'art et ses rapports avec la vie qui remplit les pages les plus belles peut-être, les plus brillantes et les plus profondes à la fois, de l'œuvre nouvelle. – En somme, tandis que les nécessités de l'action limitent dans un sens utilitaire notre liberté comme notre intelligence, qu'elles figent en habitudes et en matière inerte notre volonté, comme en concepts définis mais froids et morts notre pensée et /236/ notre science, l'art retrouve l'intuition de la vie véritable, dans sa continuité et son individualité. Seule la comédie, intermédiaire par son rôle social entre l'art et l'action, peint des types généraux, et reste une sorte d'activité utile : ces conclusions sont hautes et profondes, en parfaite harmonie avec le reste de cette philosophie.

Peut-être pourrait-on se demander pourtant si la comédie ne doit pas, pour rester, à un titre quelconque, esthétique, peindre encore à quelque degré et dans une certain sens l'individuel ; et si d'autre part la tragédie et l'art en général ne peuvent pas et ne doivent pas conserver encore quelque généralité.

Mais nous ne voulons que signaler un point où la théorie du *Rire* ne nous paraît se concilier qu'imparfaitement avec les autres doctrines de M. Bergson. Jusqu'ici l'action et la pratique y apparaissaient toujours comme tendant à fixer la libre volonté de l'homme en habitudes rigides, et la continuité infiniment variée et toujours nouvelle de ses intuitions en idées générales discontinues et inertes. Elles finissaient ainsi par travestir à nos propres yeux la réalité de notre vie consciente, par nous masquer à nous-mêmes l'individu que nous sommes. L'automatisme semblait donc résulter des exigences de l'action, et par suite de la société, ou y répondre ; dans le *Rire* lui-même, il est dit que l'art, parce qu'il exprime l'individuel pur dans ce qu'il a de plus souple, de moins rigide et d'unique, « est une rupture avec la société », et « un retour à la simple nature ». Or, voici que, d'autre part, toute la théorie du comique se résume en cette idée que, par le rire, la société poursuit et punit partout l'automatique, tout ce qui contraint ou fixe la spontanéité mouvante de la vie. Comment l'action et la société peuvent-elles avoir besoin de la vie dans sa variété, et en même temps tendre à la réduire à un mécanisme fatal. – Il est évident d'ailleurs que la contradiction ne porte pas sur le fond de la doctrine même : on conçoit que l'action, en lui imposant des lois générales et fixes, « mécanise » en quelque mesure la vie, sans que pour cela tout mécanisme doive être favorable à l'action. Il reste qu'un supplément d'explication serait peut-être nécessaire. La pensée de M. Bergson a une trop grande influence sur la spéculation contemporaine et est estimée trop haut par quiconque s'intéresse à la philosophie, pour qu'on ne désire pas en éclaircir les moindres obscurités ou en lever même les difficultés qui ne sont qu'apparentes.

Dupréel, Eugène, « Le problème sociologique du rire » (1928), in *Essais pluralistes*, Paris, PUF, 1949, p. 40-57.

Nous reproduisons ici, du philosophe et sociologue belge Eugène Dupréel, de longs extraits d'un texte devenu difficilement accessible, pourtant l'un des plus profonds consacrés au Rire *dont il donne une lecture à la fois élogieuse et critique qui en prolonge une intuition fondamentale. Dupréel crédite Bergson d'avoir proposé la première approche réellement sociologique du rire, mais lui reproche d'en avoir inhibé le développement autonome et plus ambitieux en ayant voulu la fonder dans une thèse métaphysique sur la nature ultime du réel. Prétendant s'en tenir au seul plan des relations sociales, Dupréel introduit surtout une distinction qualitative – qui n'exclut toutefois pas les mélanges de fait – entre deux types de rire, entre lesquels la « fonction sociale » identifiée par Bergson oscillerait confusément : rire d'exclusion, et rire d'accueil. On pourra également prêter attention à la manière dont Dupréel, approfondissant l'analyse bergsonienne du statut de la généralité et du type classificatoire dans la production de l'émotion comique, introduit l'analyse sociologique du rire dans ce qu'on serait déjà tenté d'appeler une logique sociale de la « distinction ».*

/40/ [...] Nous ne voyons donc plus une cause universelle qui déclenche le rire partout et toujours ; *il n'y a pas une fonction sociale du rire, une et identique, mais il y a des réactions sociales qui consistent dans le rire.*

Quelles réactions ? Bergson en signale excellemment quelques-unes, qui se ramènent à relever les attitudes et les démarches où la volonté libre et attentive a manifestement abdiqué. Mais ce relevé n'est qu'une recherche inductive, et rien ne force à admettre tout de suite qu'il n'y a pas d'autres rires que ces réactions-là. Il est trop clair qu'il y en a d'autres et nous n'aurons pas de peine à les mettre en lumière.

/41/ Notre thèse personnelle sera que ces réactions sont de deux sortes : *il y a deux rires, le rire d'accueil et le rire d'exclusion.* Quelques membres d'un cercle, réunis, acclament avec un rire joyeux un autre membre qui leur est cher et qui survient inopinément. Quelques individus, jusque-là inconnus les uns aux autres, se dérident en se regardant à l'instant où un incident futile, les unissant par une même pensée, fait d'eux tous un groupe naissant, si éphémère qu'il doive être. Voilà le rire d'accueil.

Des villageois, prenant l'air sur leurs seuils, se gaussent du touriste qui s'engage dans une impasse. Quelques membres d'une société, apercevant ensemble tel écart d'un autre membre, se mettent à rire de ce dernier. Dans une assemblée nombreuse et solennelle, à l'occasion de quelque lapsus de l'orateur, les regards de quelques assistants se rencontrent : il leur faut réprimer leur rire. Ce sont ici trois exemples de rire d'exclusion. [...]

/43/ [...] Nous rions pour n'importe quelle cause, nous rions de tout, mais non pas *toujours*. Quand donc rions-nous ? Le titre de cette seconde partie [Le rire d'accueil et le rire d'exclusion] désigne les deux circonstances de notre phénomène.

Le rire est avant tout manifestation de la joie. Or, l'homme est un être social ; tandis que l'absence et la solitude le dépriment, rien ne le stimule et n'éclaircit son humeur plus sûrement que l'occasion de lier connaissance ou de retrouver ses associés. Les rapports sociaux qui s'instituent ou se reforment produisent l'humeur gaie comme les combinaisons chimiques dégagent de la chaleur. S'il est un moment par excellence où nous éprouvons une excitation joyeuse et le besoin de la manifester, c'est bien le moment où surviennent des êtres qui nous sont chers ou sympathiques. Le rire est, fondamentalement, *accueil*.

Il est signe de reconnaissance :

> *Incipe, parve puer, risu cognoscere maltrem.*

Il atteste qu'une place est faite, au sein du groupe social, à celui qui se présente :

> *Cependant sa grimace est partout bien venue,*
> *On l'accueille, on lui rit, partout il s'insinue.*

Cela est vrai de ses deux formes : du sourire et du rire bruyant. Le sourire est un rire atténué et plus directement soumis à la volonté, dont on peut dire qu'il est un rire de conversation. Toutes les fois qu'il n'est pas un commencement de rire proprement dit, il paraît bien être une sorte de *rire à deux*, comme le gros /44/ rire est, d'abord, un rire à plusieurs. L'éclat bruyant de celui-ci engage les autres à prendre part à la joie qu'il atteste.

[...]

Mais les rires d'accueil que nous venons de décrire supposent que l'association existe au préalable. Ils marquent la joie de la réunion après une séparation momentanée. Un de nos premiers exemples se rapporte à un autre rire d'accueil, celui qui marque le moment où un groupe s'établit ou se consacre.

Des gens sont installés dans une voiture de tramway, par temps de pluie. D'une fente de la toiture tombe une goutte périodique qui mouille l'occupant assis au-dessous. Celui-là change de place, ce que fait aussi un second voyageur, après la goutte reçue. Voilà tout le monde attentif à ce que fera un nouvel arrivant qui prend la place humide ; et lorsque la goutte attendue lui fait porter la main à la nuque, où elle vient de tomber, un rire général se produit, des conversations s'engagent sur le mauvais état du matériel, etc... Ces circonstances ont fait que des étrangers sont passés d'un état d'indifférence et de dispersion à un état de commune attention ; une même prévision les réunit, et lorsque l'événement /45/ attendu se produit, le rire n'est pas simplement fait de la somme des menues satisfactions que chacun éprouve à avoir prévu juste, car cet effet-là serait bien moins fort ; le rire marque réellement la communion dans l'attente, où l'on se sentait depuis quelques instants. Un groupe social se formait, et le fait qui le consacre, cet événement brusque et anodin, permet à chacun d'en attester l'existence au même instant. Chacun le fait par ce rire, rire d'accueil mutuel et unanime. Ceux qui n'ont pas ri demeurent au dehors.

Sans doute, plus d'un groupe s'établit sans se manifester par le rire ; ainsi les occupants d'un même compartiment nouent peu à peu conversation, et cela commence plus souvent par des lamentations sur la chaleur ou le manque de place que par des rires. Pour que le rire décisif se produise, il faut que le groupe ait commencé d'être et dure quelque temps, en quelque sorte, à l'état latent sans avoir pu se manifester par des prises de contact particulières, comme lorsque les convenances ou la timidité font durer le silence entre gens réunis et disposés à se communiquer leurs impressions. Dans un milieu ainsi préparé il ne faut qu'un incident assez soudain, d'ailleurs sans gravité, piquant, susceptible d'être perçu par tous au même instant, pour que « la glace soit rompue ». Cet incident-là fera rire, il sera comique, quelles que soient d'ailleurs sa nature ou sa cause, contraste, dégradation ou distraction de quelqu'un.

On voit d'ailleurs que ce second cas de rire d'accueil, la cristallisation d'un groupe nouveau, se ramène au premier, le simple accueil dans un groupe préalable. En effet, si ces gens réunis n'avaient pas commencé d'accorder sur un point leur attention, aucun incident ne serait assez comique pour les faire rire tous, en même temps, d'un même rire. Il y a toujours un unisson préalable à la manifestation du rire, comme il y a une charge électrique avant le coup de tonnerre. Sans ce « potentiel », le rire, cette décharge de joie, ne saurait se produire, mais ce potentiel est social. [...]

Le rire d'accueil est donc, en général, la manifestation d'une communion dans un groupe. Par ce signe une société s'atteste, se consacre ou se rappelle à l'attention approbative de ses /46/ membres, soit qu'elle vienne de se constituer pour la première fois et que rien encore, dans les actes, n'ait dépendu de son existence, soit, plus souvent, que fondée, reconnue, agissante depuis longtemps, l'incident plaisant marque sa confirmation ou sa reconstitution après absence de quelques-uns.

La joie du rire est un sentiment conforme à nos instincts sociaux les plus fondamentaux ; elle est la satisfaction d'être réunis, la communion dans le groupe. Mais nous savons qu'à côté de cette joie pure il y a la joie maligne et que le rire la manifeste non moins souvent. Bien plus, le rire caractéristique, complet, ne va pas, semble-t-il, sans cet élément de joie maligne ; et c'est sous cette forme aussi que le phénomène psychologique que nous étudions paraît atteindre ordinairement sa plus grande intensité. Le grand rire qui nous secoue de ses spasmes est rarement un simple rire d'accueil ; il lui faut un excitant plus vif, quelque causticité ; c'est *le rire d'exclusion*.

Ce phénomène intégral du rire, synthèse de joie et de malignité, qui est ce qu'une théorie du rire doit expliquer, se produit à l'occasion d'un fait qui marque qu'un groupe social se forme ou se reforme *sur l'exclusion d'un individu ou de plusieurs*.

Dans notre exemple du tramway à la toiture fissurée, il peut ne pas y avoir seulement rire d'accueil. Le rire sera plus fort si la réaction du dernier survenant se trouve être telle que l'assistance ne rit pas seulement du fait de la goutte obstinée, mais de celui qui la reçoit. Que, par exemple, après s'est assis à la mauvaise place, il ne parvienne pas à comprendre d'où vient cette éclaboussure qui l'atteint, et qu'il faille de nombreuses gouttes successives pour qu'il s'en rende enfin compte, le groupe, dans ce cas, c'est l'ensemble des spectateurs initiés, et leur communion se renforce de l'exclusion de la victime de cette malignité des choses. A chaque sursaut provoqué par une goutte nouvelle, l'hilarité augmentera. Lorsque le mouillé comprend enfin, les derniers rires et son rire propre ne sont plus que rires d'accueil, marquant son entrée dans le groupe et la fin de l'incident.

Dans cet exemple, un groupe s'est formé à l'occasion d'un exclu et le rire est né de cette circonstance. Un cas de ridicule plus normal consiste dans l'exclusion momentanée d'un membre d'un groupe préalablement existant. On rit du distrait qui fait son entrée dans un salon sans cravate, ou le pantalon retroussé. On se raconte en riant les bévues d'un camarade absent. La chose *qui fait rire*, c'est ce qui rend sensible l'exclusion relative de l'individu *dont on rit*, et par là même laisse à chacun le sentiment que le groupe se reforme sur cette exclusion. On *se rit* du moqué.

[...]

/48/ Nous n'avons jusqu'ici considéré le rire que dans le rapport d'un groupe et d'un individu. S'en tenir là serait présenter le phénomène sous un aspect bien insuffisant. Chacun connaît un rire d'exclusion où ce sont des groupes qui s'opposent. Les habitants d'une bourgade sont un sujet inépuisable de plaisanteries pour ceux de la ville voisine ; les curés se disent des anecdotes de rabbins et les rabbins se content des histoires de curés. Dans ces exemples la plaisanterie ne fait que broder sur des exclusions permanentes ; il y a des cas plus complexes.

Tel est ce qu'on pourrait appeler *le cas du court-circuit*. Reprenons l'exemple des incidents comiques si fréquents dans les assemblées solennelles. Dans la salle où beaucoup de personnes sont réunies pour écouter des propos sérieux, non seulement cette communauté d'intention a d'emblée fondé un groupe, mais il est normal que les assistants ne soient qu'une faible partie d'une société plus étendue et plus durable, et ne se considèrent que comme tels. Sont venus là les membres d'un même parti politique, d'une même confession religieuse, des savants d'une même spécialité, etc.

Les choses sérieuses dont les orateurs entretiennent l'assemblée rappellent à tous leurs attaches avec ceux du dehors, voire avec les morts. Mais voilà qu'un fait insolite se produit. L'exemple cher aux auteurs anglo-saxons convient ici, c'est celui du chien qui s'introduit, frétillant et effaré, dans le temple, pendant le sermon. /49/ Ce peut-être aussi un cri trivial de la rue, qui remplit un moment de recueillement ; ou encore un mot prononcé par l'orateur, qui rappelle à quelques membres, originaires d'un même lieu, une expression de terroir, une circonstance locale.

Que marque le rire qui va souligner tout incident de cette sorte ? Ce qui se produit, c'est *la formation d'un petit groupe dans le grand*. Ceux qui ont remarqué l'incongruité et qui savent que d'autres l'ont remarquée aussi sont réunis par cette attention ; la preuve en est qu'ils se cherchent du regard, s'ils ne demandent qu'à rire, et que leurs yeux s'évitent, au contraire, s'ils redoutent de perdre leur sérieux. Cette commune attention les distrait, les isole du groupe plus grand formé par l'assemblée. Que si le rire est général, c'est l'assemblée tout entière qui a pour un instant coupé les liens qui la rattachent à la société du dehors, dont elle relève. Au lieu donc que les pensées et les sentiments des rieurs continuent de circuler dans le grand circuit, ils tournent dans un cercle plus restreint, un court circuit s'est produit, le rire en est l'effet le plus apparent et le signe infaillible. [...]

Ainsi le rire d'exclusion se présente sous un double aspect : tantôt un groupe tient à l'écart un individu sans plus, tantôt c'est un autre groupe comme tel, dont le groupe se moque par son rire d'exclusion ou dont il s'isole lui-même. A la vérité ces deux circonstances où se déclenche le rire de malignité sont bien près l'une de l'autre. Le rire fondé sur la simple exclusion d'individus n'est qu'un cas particulier et incomplet du phénomène que nous étudions. Le processus intégral repose sur *l'opposition de deux groupes*. C'est ce qu'il nous sera facile d'apercevoir.

/50/ A la rigueur, nous nous sentons disposés à rire d'un individu par la seule raison qu'il n'est pas conforme à tel caractère de notre groupe, mais en y regardant de plus près, nous verrons que cette simple imperfection n'est pas encore le ridicule proprement dit. Elle ne vaudrait à celui qui l'accuse que quelque mésestime. Si elle nous fait rire, c'est parce que nous est venue l'intuition que par cette imperfection, celui qui en est affligé se trouve inclus dans un autre groupe social, à l'écart duquel nous nous tenons, nous et notre groupe.

C'est ce qui explique, par exemple, que les modes passées depuis peu de temps rendent les attardés qui y restent fidèles plus ridicules que ne seraient ceux qui suivraient une mode beaucoup plus ancienne. Ces derniers paraissent plutôt bizarres ou excentriques que proprement ridicules. C'est que nous avons conservé le souvenir du temps où tout le monde s'habillait comme le simple retardataire. Celui-ci est donc comme un membre d'une société abolie. Au contraire, une tenue conforme à une mode fort ancienne éloigne de nous celui qui la suit, mais sans l'agréger à une autre société connue de la nôtre et tenue à l'écart.

Dans le sentiment du ridicule, les choses se passent ainsi : Un premier moment apporte la surprise ; chacun constate et fait remarquer à ses voisins la singularité, le défaut, la disgrâce de celui dont on va s'égayer. Mais le rire n'éclate soudain qu'à l'instant où quelqu'un a découvert *de quoi il a l'air*, car c'est alors que le groupe des rieurs se met en face d'une catégorie d'êtres qu'il tient en mince estime et qu'il vient d'enrichir de l'individu ridiculisé.

Le procès complet, parfait ou typique, d'où résulte le rire d'exclusion, comporte ainsi les éléments suivants : deux groupes sociaux dont le premier tient le second à distance. Le premier, c'est le groupe où l'on rit. En outre un individu est exclu ou écarté de ce groupe par inclusion dans le second groupe. Cette transposition peut se faire sur plusieurs individus, sur un groupe ou sur plusieurs groupes.

Ce schème, disons-nous, est primitif ou typique ; il va sans dire que le domaine du comique ou de l'esprit a tôt fait de le dépasser. On ne saurait soutenir que la somme des belles-mères soit un groupe social, ni la totalité des avares, ou celle des individus d'une espèce animale comme les ânes ou les perroquets. Ce sont là, non des sociétés, mais *des classes* d'être, au sens où la logique emploie ce terme. Or, à côté des groupes sociaux réels et dûment caractérisés, les jeux de l'esprit et la satire vont retenir /51/ de telles classes, celles, bien entendu, qui ont un caractère saillant sensiblement défavorable, raison de les tenir à distance ; et le rire fusera, un individu sera taxé de ridicule lorsqu'un ingénieux argument l'aura exilé dans cette classe. [...]

Mais l'esprit ne peut se donner carrière que si tout un système d'accord, de conventions préalables permettent à ses trouvailles de « porter ». Rendons-nous compte de la grande somme de connaissances qu'il nous faut posséder pour prendre plaisir à la lecture d'un recueil de bons mots, des légendes de caricatures, etc... L'auteur du trait et le lecteur se placent dûment comme les spectateurs au théâtre, au point de vue du groupe actif, la société des rieurs, mais il faut que le lecteur soit au fait de l'existence, réelle ou convenue, des groupes sociaux passifs, ceux que cette société tient à distance, y compris ces groupes fictifs formés d'une classe d'être réunis par un caractères défavorable.

Pour chaque peuple il y a l'étranger qui jargonne ou qui répète une locution favorite ; pour la ville il y a le villageois, pour celui-ci le badaud ignorant. Pour tous il y a les groupes conventionnels des belles-mères, cauchemar des gendres, des médecins qui tuent leurs malades, des moines qui font le contraire de la règle, etc... C'est toute cette répartition sociale préalable aux jeux de l'esprit, qui explique que du rire, fait social impliquant la présence de plusieurs, nous puissions passer au plaisir solitaire qu'on prend à lire des ouvrages comiques ou à se remémorer des traits plaisants.

Pour expliquer le comique sous toutes ses formes, il faudrait commencer par décrire cette armature de cadres conventionnels, groupes sociaux et classes d'êtres assimilés à des groupes, résidu permanent des plaisanteries et des dépréciations antérieures sans lequel les jeux subtils de l'esprit seraient impraticables. Pour se livrer de concert à un plaisir qui est *un classement*, il faut s'être entendus sur *une classification*. Il conviendrait aussi d'analyser en détail les procédés par lesquels on suggère aux esprits l'exclusion de l'être moqué par son inclusion dans un groupe étranger.

On voit enfin la raison de cette vérité sur laquelle a insisté Bergson : le rire porte sur le général, au contraire du tragique qui ne s'attache qu'au singulier. Ce n'est pas, selon nous, pour les raisons qu'en donne ce philosophe. D'abord cette généralité /52/ est propre au rire d'exclusion, non au rire d'accueil. Nous savons que pour rire de quelqu'un, il ne suffit pas de considérer sa disgrâce en elle-même et en lui seul ; l'opération du rire implique deux sociétés ; le groupe des rieurs exclut le moqué ou le tient à distance en le plaçant dans un autre groupe. Ce rire implique donc qu'on remarque chez le patient un caractère qu'il a en commun avec tous les membres du groupe dans lequel on le fait entrer, donc un caractère général.

Au contraire, l'émotion tragique, la terreur ou la pitié peuvent être éveillées par la directe contemplation d'un cas particulier. Pour frissonner devant la mort ou pour pleurer devant la douleur, aucun retour sur des divisions sociales n'est nécessaire parce que la réaction de nos instincts est immédiate, parce que nous sommes tous hommes. Encore, peut-être qu'en raffinant sur le tragique, trouverait-on que, là aussi, mainte considération d'ordre social vient renforcer l'émotion ou la modifier.

[...]

/54/ [...] Signalons encore *le rire de complicité*, forme de rire d'aveu réci- /55/ proque et enfin *le rire conservateur*. Tout le monde a remarqué que « les auteurs gais » se montrent le plus souvent les adversaires de toute audace novatrice[1]. En effet, il faut au rire ce qu'on pourrait appeler *un niveau de base*, c'est-à-dire un public qui se rira de l'objet ridiculisé. Or, sous peine de faire long feu, le trait comique devrai s'adresser à un groupe plus ou moins constitué d'avance, et c'est dans le public moyen qu'il le trouvera le plus sûrement. Tandis que le novateur, obligé de justifier son initiative, est conduit à s'adresser à tous en invoquant des idées sérieuses, des intérêts généraux, en un mot, *à élever le débat*, le satirique se faisant le porte-parole d'un groupe, affichera des goûts plus humbles, un bon sens plus terre à terre, des prétentions limitées, il fera allusion à ce que tout effort guindé dissimule. Il offre ainsi à son public une occasion de détente, que marque un rire d'aveu. Détente et dégradation font comprendre le rire conservateur.

[...]

Nous n'aurons aucune peine enfin à nous assimiler le noyau /56/ excellent de la théorie bergsonienne sur laquelle nous nous sommes déjà longuement étendu. En dénonçant comme l'essentiel du comique la raideur, la distraction, l'automatisme, Bergson a rencontré une cause de rire générale et caractéristique entre toutes. Le distrait paraît risible au groupe des gens attentifs dont il s'exile par son propre fait et dont la joie maligne achève de l'exclure. Mais ici comme pour le contraste, nous savons que ce n'est pas ce qu'il y a de spécifique dans l'activité automatique qui est foncièrement plaisant, ce n'est que son rapport à un milieu social qui souligne son imperfection. Encore une fois, le machinal n'est comique qu'à condition que nous soyons nous-mêmes attentifs et que nous le soyons doublement : nous devrons être attentifs à l'objet ou à l'être ridicule, et nous devons l'être, nous rieurs, les uns aux autres. Le rire malin est un dialogue où l'être ridicule ne cause pas. J'imagine qu'aux yeux d'un groupe de pantin les gestes d'un homme vivant auraient quelque chose de désarticulé qui les ferait bien rire.

Cependant l'explication bergsonienne repose sur une vérité profonde dont il faut encore rendre compte. A la réflexion, le lecteur de Bergson demeure convaincu d'une chose, c'est qu'il y a vraiment, dans tout ridicule, quelque chose qui est le contraire de ce que notre intuition accorde à tout ce qui est vivant, quelque chose de *mécanique* en effet.

Mais ce caractère est-il la cause du ridicule, n'en serait-il pas plutôt la conséquence ? Ne serait-ce pas, non toujours parce qu'il est automatique, que nous rions de quelqu'un, mais parce que, riant de lui, il ne peut nous paraître autrement ? L'individu dont on rit est un être exclu du groupe des rieurs. Les actes de ces derniers sont de même nature, leurs mobiles, leurs réactions sont identiques : ils se comprennent ou, selon les formules bergsoniennes elles-mêmes, ils sympathisent, ils se comprennent par le dedans. Qu'est-ce, au contraire, que le raillé, sinon un homme *dont les gestes ne se comprennent plus ?* Du moins ne les comprenons-nous plus comme nous comprenons nos propres actes, par analogie avec notre intuition intérieure. Alors force est de les expliquer autrement ; on enchaînera ses démarches selon des rapports qu'on a coutume d'établir dans les séries de faits qu'on ne connaît que par le dehors, c'est-à-dire dans les séries de phénomènes matériels, selon la causalité physique, comme les articulations mécaniques. Cet homme exclu de la communion du groupe paraîtra agir comme un système de rouages qui se déclenchent. Ce n'est pas parce que le fluide vital ne l'anime pas, que nous rions de lui, c'est parce que notre rire l'exclut du groupe de nos /57/ semblables que nous refusons de trouver dans ses actes la manifestation de ce fluide, ou que nous sommes incapables de l'y découvrir.

Ainsi donc il ne faut point refuser au caractère bergsonien du rire le double mérite de la profondeur et de l'universalité. Il est bien vrai que je ne sais quoi de raide ou de mécanique se laisse apercevoir dans tout ce qui est taxé de ridicule ; mais l'explication que nous propose l'auteur de cette ingénieuse remarque est à retourner. Ce caractère du comique n'est pas essentiel, primitif, suffisant et déterminant ; il est secondaire et consécutif, il n'est pas ce qui explique, mais ce qui doit être expliqué. C'est seulement entre les êtres que nous sentons du même groupe que nous et c'est seulement au moment où nous communions avec eux comme tels, que tout ce qui émane d'eux nous paraît s'expliquer par les mêmes forces et les mêmes causes profondes que nous sentons en nous-mêmes ; c'est seulement ceux-là qui nous paraissent, comme nous-mêmes, réellement vivants. Les démarches de l'être que nous excluons de notre groupe ne peuvent nous apparaître qu'avec le caractère contraire, surtout au moment où nous rions, c'est-à-dire dans cet instant où nous communions entre égaux, à l'occasion de son exclusion. Dès lors l'observation peut bien nous forcer à convenir que ses actes ressemblent aux nôtres, mais notre impression y ajoutera ou notre critique sera attentive à y trouver la trace de causes toutes différentes ; nous l'assimilerons aux choses et aux phénomènes mécaniques[1].

Il va sans dire que l'automatisme étant plus ou moins clairement retenu comme un caractère de tous les êtres ridicules, il n'a pas manqué de devenir, *en lui-même*, une source de comique – parmi d'autres – et que rien n'est plus plaisant, en effet, que toutes les formes de laisser-aller qui trahissent une abdication de notre personnalité attentive et volontaire.

1. (Note p. 55) Quoique Daumier fût personnellement un démocrate ou un « avancé », ses lithographies n'en font pas moins la satire de toutes les innovations de son temps. Dans *l'Éducation sentimentale* de Flaubert, le bohème Fumichon personnifie l'union fréquente de la frivolité grivoise ou d'un goût exagéré pour le rire avec l'intransigeance conservatrice en littérature ou dans l'art.

1. (Note p. 57) Objection qu'on pourrait faire : « Mais alors, comment les hommes les plus délibérément étrangers à notre groupe ne nous apparaissent-ils pas comme des pantins ? » On répondra : « Ceux-là nous ne les excluons pas, nous les réputons d'emblée étrangers. Dès qu'un acte d'exclusion se produit à leur égard, ils ne manquent pas de nous apparaître comme des pantins ridicules : l'Anglais des vaudevilles français, le Français des pantomimes anglaises. Lorsque nous les jugeons étrangers sans en rire, c'est que nous prenons leur groupe au sérieux, et nous les considérons dans leur groupe à l'instar de nous-mêmes dans le nôtre. »

c) *Psychologie du comique*

S. Freud, *Le mot d'esprit et sa relation à l'inconscient* (1905), trad. fr. D. Messier, Paris, Gallimard, coll. « Folio-Essais », 1988, p. 366-368, et p. 390-394.

Contemporain de L'interprétation des rêves*, Le rire* ne fait nulle référence aux travaux psychanalytiques, au contraire de la conférence de 1901 sur « Le rêve ». Bien que son angle d'approche soit différent de celui de Bergson – le mot d'esprit, et non le comique –, Freud prête en revanche un intérêt manifeste à son essai sur le comique auquel il se réfère dans son ouvrage de 1905. Dans le premier extrait reproduit ci-dessous, il s'emploie à reformuler l'idée de « mécanisation de la vie » dans son propre dispositif explicatif, et à en donner une lecture économique ; le second porte plus précisément sur l'ouverture du second chapitre, où Freud entrevoit l'amorce d'une compréhension psychogénétique du plaisir lié à l'émotion comique.*

/366/ [...] Nous n'avons pas besoin de nous accuser de nous être laissé aller à une digression, puisque aussi bien c'est le rapport du mot d'esprit au comique qui nous a poussé à l'étude de ce dernier. Mais il est temps pour nous d'en revenir au thème qui nous occupe, c'est-à-dire de traiter des moyens servant à rendre comique. Nous avons préalablement discuté de la caricature et du démasquage, parce que nous pouvons emprunter à tous deux quelques points de départ pour l'analyse du comique d'*imitation*. Aussi bien trouve-t-on généralement mêlée à l'imitation la caricature, l'exagération de quelques traits passant d'ordinaire inaperçus, et elle présente d'ailleurs aussi comme caractéristique de rabaisser son objet. Et pourtant son essence ne semble pas être épuisée par ces remarques : il est indéniable qu'elle constitue en elle-même une source de plaisir comique extraordinairement féconde, dans la mesure où c'est précisément la fidélité de l'imitation qui nous fait particulièrement rire. Il n'est pas facile de donner une explication satisfaisante à cela si l'on tient à ne pas /367/ se ranger à l'opinion de Bergson[1], qui rapproche le comique d'imitation de celui qui naît de la mise en évidence de l'automatisme psychique. Ce qui, selon Bergson, produit un effet comique, c'est tout ce qui, dans une personne vivante, fait penser à un mécanisme inanimé. Pour cela, il a forgé la formule « *mécanisation de la vie*[a] ». Il explique le comique d'imitation en reprenant un problème posé par Pascal dans ses *Pensées*, [à savoir] pourquoi on rit lorsqu'on compare deux visages similaires dont aucun ne produit par lui-même d'effet comique. « Le vivant ne devrait jamais, selon notre attente, se répéter de façon complètement similaire. Là où nous trouvons une telle répétition, nous soupçonnons à chaque fois qu'un mécanisme se trouve derrière ce vivant. » Lorsqu'on voit deux visages d'une trop grande similitude, on pense à deux exemplaires obtenus à partir d'un même moule ou à un procédé de fabrication mécanique similaire. Bref, la cause du rire, dans ces cas, serait la dérive du vivant en direction du non-vivant (*ibid.*, p. 35). Tout en admettant comme valables ces séduisants développements de Bergson, nous n'avons aucun mal, par ailleurs, à plier son opinion à notre propre formule. Instruits par l'expérience, qui nous enseigne que chaque chose vivante est une chose autre et qu'elle exige de notre compréhension une sorte de dépense, nous nous trouvons déçus lorsqu'à la suite d'une concordance parfaite ou d'une imitation qui fait illusion, nous n'avons besoin d'effectuer aucune dépense nouvelle. Mais nous sommes déçus au sens d'un allégement, et la dépense d'attente, devenue superflue, se trouve /368/ déchargée par le rire. Cette même formule recouvrirait aussi tous les cas, traités chez Bergson, de raideur[a] comique *(raideur)*, d'habitudes professionnelles, d'idées fixes et de façons de parler répétées à chaque occasion. Tous ces cas déboucheraient sur la comparaison entre la dépense d'attente et la dépense exigible pour la compréhension de la chose restée semblable à elle-même, la plus grande des deux attentes s'appuyant sur l'observation que l'on fait de la diversité et de la plasticité individuelles du vivant. Dans le cas de l'imitation, la source du plaisir comique serait donc le comique non pas de situation, mais d'attente[b].

1. *(note p. 367)* Bergson, *Le rire, essai sur la signification du comique*, 3[e] édition, Paris, 1904.
a. *(note du trad. p. 367)* En français dans le texte.
b. *(note du trad. p. 368) Erstarrung.*

/390/ [...] Chercher aussi à s'assurer la compréhension du comique par l'étude de sa psychogenèse, voilà ce à quoi nous a invité, de façon surprenante, le beau livre, plein de vie et de fraîcheur, qu'a écrit Bergson *(Le rire)*. Bergson, dont nous connaissons déjà les formules qu'il a forgées pour saisir le caractère comique – « *mécanisation de la vie* », « *substitution quelconque de l'artificiel au naturel* » –, se trouve amené, par une liaison de pensées à laquelle il a tout de suite pensé, à passer de l'automatisme à l'automate et essaie de faire remonter une série d'effets comiques au souvenir pâli que nous avons d'un jouet d'enfant. Dans cet ordre d'idées, il s'élève, à un endroit, à un point de vue qu'il abandonne à nouveau, il est vrai, peu de temps après ; il cherche à faire découler le comique de l'effet produit après coup par les joies enfantines. « *Peut-être même devrions-nous pousser la simplification plus loin encore, remonter à nos souvenirs les plus anciens, chercher dans les jeux qui amusèrent l'enfant, la première ébauche des combinaisons qui font rire l'homme... Trop souvent surtout nous méconnaissons ce qu'il y a d'encore enfantin, pour ainsi dire, dans la plupart de nos émotions joyeuses*[a] » (p. 68 *sq.*). Comme il se trouve que nous-mêmes, suivant le mot d'esprit, avons remonté jusqu'à un jeu d'enfant, interdit par la raison critique, avec les mots et les pensées, nous ne pouvons que trouver tentante l'idée de chercher aussi /391/ à dépister ces racines infantiles du comique dont Bergson fait l'hypothèse.

Effectivement, si nous examinons le rapport du comique à l'enfant, nous tombons sur toute une série de relations qui nous apparaissent riches de promesses. L'enfant lui-même ne nous apparaît nullement comique, bien que son être remplisse toutes les conditions d'où résulte, lorsqu'on le compare au nôtre, une différence quantitative comique : ce sont la dépense de mouvement démesurée ainsi que la dépense mentale minime, la domination exercée sur les réalisations psychiques par les fonctions corporelles, ainsi que d'autres traits. L'enfant ne produit sur nous un effet comique que lorsqu'il se pose en adulte sérieux et non pas en enfant, et, alors, il le produit de la même façon que d'autres personnes qui se déguisent ; mais tant qu'il conserve sa nature d'enfant, la perception que nous avons de lui procure un plaisir pur, qui rappelle peut-être légèrement le comique. Nous qualifions l'enfant de naïf, pour autant qu'il nous montre son absence d'inhibitions, et de naïvement comiques celles de ses déclarations que, chez un autre, nous aurions jugées obscènes ou bien spirituelles.

D'autre part, l'enfant n'a pas le sentiment du comique. Apparemment, cette phrase dit uniquement que le sentiment du comique ne se met en place qu'au cours du développement psychique, à un moment ou à un autre, ainsi que bien d'autres choses, ce qui, assurément, ne serait nullement curieux, d'autant que ce sentiment apparaît déjà nettement pendant des années qu'il faut inclure dans l'enfance. Et pourtant, il est possible de montrer que l'affirmation selon laquelle il manque à l'enfant le sentiment du comique contient plus qu'une simple évidence. Tout d'abord, il est facile de se rendre compte /392/ qu'il ne peut en être autrement si notre conception est juste, qui fait découler le sentiment comique d'une différence quantitative de dépense apparaissant lors de l'opération consistant à comprendre autrui. Choisissons une fois encore comme exemple le comique de gestes. La comparaison qui fournit la différence quantitative, si on lui donnait une formulation consciente, s'énoncerait comme suit : « C'est comme ça que lui, il fait cela » et « C'est comme ça que moi je le ferais, que je l'ai fait ». Or il manque à l'enfant le critère contenu dans la seconde phrase, il comprend tout simplement par imitation et il agit de même. L'éducation que reçoit l'enfant lui fait présent d'un standard : « C'est comme ça que tu dois faire cela » ; si, maintenant, il s'en sert lorsqu'il fait la comparaison, alors il est porté à en tirer la conclusion : « Lui, il n'a pas bien fait cela » et « Moi, je peux le faire mieux ». Dans ce cas, il rit de l'autre, il le tourne en dérision en ayant le sentiment de sa propre supériorité. Rien ne s'oppose à ce qu'on fasse aussi découler ce rire de la différence quantitative de dépense, mais si nous en jugeons d'après l'analogie avec les cas de dérision qui se produisent dans notre cas, nous pouvons légitimement conclure que, dans celui du rire de supériorité de l'enfant, le sentiment comique n'est pas éprouvé. C'est un rire de pur plaisir. Lorsque, dans notre cas, apparaît nettement le jugement que nous formons de notre propre supériorité, nous ne faisons que sourire au lieu de rire, ou, si nous rions, nous pouvons quand même faire nettement la différence entre cette prise de conscience de notre supériorité et le comique qui nous fait rire.

Il est vraisemblablement juste de dire que l'enfant rit /393/ par pur plaisir en différentes circonstances que nous ressentons comme « comiques » et ne parvenons pas à motiver, tandis que les motifs de l'enfant sont clairs et peuvent être indiqués. Lorsque, par ex., quelqu'un dans la rue glisse et tombe par terre, nous rions parce que cette impression – on ignore pourquoi – est comique. L'enfant rit, dans le même cas, par sentiment de supériorité ou par joie maligne : « Toi, tu es tombé, et moi pas. » Certains motifs de plaisir de l'enfant semblent être perdus pour nous, les adultes ; en échange, nous éprouvons dans les mêmes conditions le sentiment « comique », substitut de ce qui a été perdu.

S'il était permis de généraliser, il apparaîtrait fort séduisant de situer le caractère spécifique du comique, que nous sommes en train de chercher, dans le réveil de l'infantile, et de concevoir le comique comme la récupération du « rire enfantin perdu ». On pourrait dire alors que je ris d'une différence quantitative de dépense entre l'autre et moi chaque fois que, chez l'autre, je retrouve l'enfant. Ou, plus précisément, l'énoncé complet de la comparaison qui conduit au comique serait :

« C'est comme ça que lui, il fait cela – Moi, je le fais autrement – Lui, il le fait comme je le faisais quand j'étais enfant. »

Ainsi donc, ce rire s'appliquerait à chaque fois à la comparaison entre le moi de l'adulte et le moi de l'enfant. Même le fait que la différence quantitative comique n'ait pas le même sens, à savoir que c'est tantôt le plus, tantôt le moins de la dépense qui m'apparaît comique, s'accorderait avec la condition de l'infantile ; effectivement, /394/ le comique est, dans ces cas, constamment du côté de l'infantile.

a. *(note du trad. p. 390)* En français dans le texte.

d) Art comique

On trouvera pour finir ici quatre extraits de textes traitant de divers registres comiques : le vaudeville (Autrusseau, Abirached), l'absurde (Ionesco), le burlesque (Deleuze). Chacun évoque, sous un angle différent, les limites de l'analyse bergsonienne, au prix cependant de leur propre limitation préalable de ses résultats à l'image-procédé du « mécanique plaqué » ou « inséré dans du vivant ». Mais dans la pente cauchemardesque, infernale ou délirante de la machine vaudevillesque, dans les ambivalences tragi-comiques de l'absurde ionescien, dans l'évolution des « âges du burlesque » cinématographique vers un onirisme intense, on pourra également voir une invitation à remonter de l'image du corps mécanisé à sa source dans la dérive de notre attention à la vie, c'est-à-dire à suivre le mouvement qui conduit Bergson lui-même à ressaisir dans les avatars des automatismes matériels et techniques autant d'aventures errantes de la vie de l'esprit pour finalement, au terme de son livre, ouvrir le comique sur des rapports de proximité des plus troubles avec le rêve, et la folie.

Jacqueline Autrusseau, *Labiche et son théâtre*, Paris, L'Arche, coll. « Travaux », n° 14, 1971, p. 49-52.

/49/ René clair définit *Un chapeau de paille d'Italie* comme « *une poursuite insensée, le poursuiveur étant lui-même poursuivi, qui ne s'achèverait que par une explosion finale ou un carnage si Labiche, habile magicien, ne faisait sortir d'un chapeau l'heureux dénouement*[1] ». Et il baptise « vaudeville-cauchemar » le genre innové par Labiche. C'est bien d'un rêve en effet /50/ qu'il s'agit, où les cinq actes n'en font qu'un, progressant au gré des images que suscite le cheminement d'une pensée jamais formulée, continuellement représentée. Fadinard, au matin du mariage, appelle de ses vœux la nuit d'amour – « *Ah ! je voudrais qu'il fût minuit un quart* » I, 4 – et jusqu'au soir il va la rêver ou, plus exactement, rêver tous les obstacles qui menacent de troubler son heureux déroulement. Une contrariété réelle : la dévoration d'un chapeau par un cheval justifie son inquiétude vague, et va déclencher le défilé, de plus en plus rapide, des situations menaçantes – en fait, des souvenirs à revivre et des fautes à payer – inconsciemment substituées à la rêverie érotique. Contant la scène du chapeau à Vézinet (qui n'entend pas), il en fait apparaître les deux protagonistes, couple à la fois coupable et justicier. Fuyant Anaïs et ses plaintes de femme outragée, il retrouve l'image d'une femme réellement outragée par lui : Clara, qui, associée à l'idée d'un chapeau, devient la modiste, chez qui Tardiveau reproduit Vézinet dont il a les manies et, sous une forme nouvelle, la surdité. Croyant réparer par un baiser le mal qu'il a fait à Clara, il est surpris par Nonancourt : reproduction inversée d'une situation familière et désagréable, où Fadinard doit voir Bobin embrassant impunément Hélène. Bobin est là, d'ailleurs, à qui Nonancourt menace de « donner » Hélène ; et Bobin reparaît encore sous les traits d'Achille, jeune aristocrate ridicule qui hante les salons de la baronne et dont les allures efféminées évoquent l'artiste amateur. Amateur auquel va se substituer un Fadinard chanteur professionnel, et venu d'Italie (comme la paille du chapeau). Qui dit artiste dit caprices pervers – « *vous savez... les artistes !... et il me passe par la tête mille fantaisies* » III, 7 – et Fadinard, se faisant fétichiste, va gagner la partie à force de trépignements enfantins. Mais avec Nonancourt reparaît le monde adulte, et la baronne, étonnée par les facéties du petit Fadinard, /51/ trouve tout naturel qu'un homme d'âge mur, même ivre et ridicule, lui prenne le bras et engage avec elle une conversation d'égal à égal : « *figurez-vous, madame, que j'ai perdu mon myrte* » (III, 9). Comme Fadinard veut fuir l'intolérable spectacle des « grandes personnes » et de leur bonne entente d'où il est exclu, il se trouve nez à nez avec l'enfance perverse, Bobin et Achille, avec qui il doit poursuivre la farce où il se ridiculise. C'est au grand coupable qu'il faut régler son compte ; mais au lieu de l'affronter le tout puissant Nonancourt, mieux vaut le caricaturer en mari trompé et fatigué – Beauperthuis se voit attribuer le bain de pieds dont aurait besoin Nonancourt affligé de chaussures trop petites. Toute l'agressivité qu'il faut réfréner en présence de Nonancourt se déchaîne contre Beauperthuis, dont Fadinard viole la chambre conjugale. Et Beauperthuis arrivera en infirme (boîtant « *comme feu Vulcain* », et comme devrait boîter Nonancourt) au rendez-vous final, où Tardiveau et Vézinet, de plus en plus semblables, servent de repoussoirs à un Fadinard défaillant : ces deux impotents vont assumer tout le ridicule et en même temps permettre à Fadinard de recouvrir sa virilité, non sans accaparer au passage celle du belliqueux Émile dont il utilise les relations et l'agilité. Si bien que Fadinard, enfin maître de la situation, va pouvoir autoriser la garde nationale à « lâcher la noce », et poursuivre pour son compte son rêve de domination amoureuse.

Non seulement les personnages, projections de Fadinard, se dédoublent et se condensent comme ils le feraient en rêve, mais à chaque instant un mot fait surgir simultanément les diverses images dont il est porteur. Ainsi, Nonancourt, dépeignant à Fadinard les joies du festin pris chez la baronne, évoque Bobin qui « *s'est jeté par terre en allant chercher la jarretière* » (III, 8) ; et, quelques répliques plus tard, il reprend le mot « jarretière » pour définir à la baronne la « décoration » qu'il porte... C'est par mégarde que /52/ Fadinard fait servir l'Obélisque à deux fins très différentes mais associées : « *Il me faut ce chapeau à tout prix... dussé-je le conquérir sur une tête couronnée... ou au sommet de l'Obélisque !... Oui, mais... qu'est-ce que je vais faire de ma noce ?...Une idée ! si je les introduisais dans la colonne !... C'est ça... je dirai au gardien : « je retiens le monument pour douze heures ; ne laissez sortir personne* » (II, 8). Si la « tête couronnée » annonce la visite chez la baronne, avec l'idée d'emprisonnement dans l'Obélisque apparaît le désir, réaliser au dernier acte, de faire « coffrer » la noce inhibitrice.

Quant aux condensations de mots, du type « feu Vulcain », liant l'infirmité, puis le décès d'un homme trompé encombrant (Beauperthuis, alias Nonancourt) au nom de la divinité du feu, elles abondent dans *Un chapeau*, comme dans tout le théâtre de Labiche, immanquablement explosives par le catapultage des idées qu'elles regroupent et des niveaux de conscience qu'elles mêlent en un éclair.

1. *(note p. 49)* Œuvres complètes de Labiche, Club de l'Honnête homme, préface au tome III.

Robert Abirached, « Le théâtre de Georges Feydeau », *in* Georges Feydeau, *Le Dindon*, Gallimard, coll. « Folio/Théâtre », 2001, 9-23.

/9/ [...] L'homme de théâtre Feydeau, si rompu aux finesses de l'observation, sait qu'il ne peut se mouvoir que dans la fiction. Il est de ces dramaturges et de ces acteurs qui se réclament d'un théâtre purement théâtral, apte à afficher son appartenance à la convention scénique beaucoup plus que ses accointances avec la réalité. /10/ Voilà qui s'accommode assez bien de la pratique du vaudeville, étroitement tributaire, certes, de la société où il s'inscrit, mais qui n'arrive à ses fins qu'en revendiquant une vraisemblance purement formelle et une sorte d'irresponsabilité psychologique et sociale. Il n'en reste pas moins que, passé maître dans l'art de machiner des intrigues, de filer des quiproquos et de faire surgir des rebondissements, Georges Feydeau, dès qu'il est arrivé à la pleine maîtrise de son style, a récusé l'estampille vaudevillesque que tout un chacun appliquait à ses pièces. C'est qu'il a inventé une écriture scénique dont le dynamisme est peut-être surtout un art de donner le change. Il y a chez Feydeau une sorte très particulière d'abstraction qui s'empare des personnages, des lieux, des situations et des répliques pour les frapper d'une singulière étrangeté. [...]

/11/ A première vue, l'univers dramatique de Feydeau est parfaitement homogène. Ses personnages appartiennent presque tous à une moyenne bourgeoisie parisienne prospère et sûre d'elle-même : médecins, avocats, notaires, entrepreneurs, officiers, députés, etc., ils sont entourés de leurs auxiliaires accoutumés (valets de chambre, bonnes à tout faire, gouvernantes) et des corps de métier auxquels ils ont affaire : du groom d'hôtel au clerc d'avoué, du fleuriste au commissaire de police. Ce n'est pas en vertu de leur originalité ou de leurs qualités

personnelles qu'ils méritent d'être portés sur la scène : ils ne nous intéressent que parce qu'ils sont embringués dans une intrigue apparemment impossible à dénouer et qui, de surprise en coïncidence, de quiproquo en coup de théâtre, d'incongruité en accident burlesque, va se
résoudre sans provoquer de douleur ou de lésion à qui que ce soit par
le rétablissement, à peu de chose près, de la situation primitive. Il n'y a
ici, dès le point de départ, aucun enjeu posé qui vaille la peine d'être
pris en compte ou de susciter l'inquiétude, pas plus qu'on ne trouve, à
l'arrivée, de conclusion morale ou sociale à tirer.

La première loi de ce théâtre, tant qu'il reste fidèle aux règles du
jeu vaudevillesque, est de proposer des actions de peu de conséquence.
Un mari va-t-il réussir à tromper sa femme sans qu'elle le sache ? Une
épouse saura-t-elle tirer vengeance de son infortune ? Ce noceur impéni-
tent réussira-t-il à mettre fin à sa vie de garçon ? Ce coureur viendra-
t-il à bout de la proie qu'il convoite ? Et ainsi de suite, ad libitum. Les
collets étant posés et les attrapes /12/ machinées à la fin du premier
acte, la pièce peut courir vers sa résolution, mais on ne s'intéressera
jamais, chemin faisant, au pourquoi des comportements, à leurs
complexités secrètes ou au rapport de forces qui règne entre les personnages, puisque aussi bien ils ne s'affronteront jamais en tant que
volontés autonomes. Ici on joue, à fleurets mouchetés.

D'où la distribution des rôles en tant de figures typiques et
d'emplois, eux aussi issus de la tradition : quinquagénaires amoureux,
séducteurs sémillants, militaires bornés, maris infidèles, épouses aca-
riâtres, étrangers à accent, cocottes délurées, etc., avec diverses variantes
ou combinaisons possibles. Cette typologie, qui l'emporte sur l'état civil
des personnages déjà signalé, peut être comparée au système de la
commedia dell'arte, qui distribue les rôles entre des figures très marquées et susceptibles chacune de transformations diverses dans le
registre du langage ou dans les variations de la tactique : valets, jeunes
premiers et jeunes premières amoureux, marchands, matamores, para-
sites, etc. Là aussi, l'ordre se rétablit une fois la parenthèse du jeu
refermée, sans que personne n'ait été mis en cause dans son identité
profonde. [...]

/13/ [...] Mais, pour peu qu'on veuille examiner comment les
choses avancent dans une telle dramaturgie, on ne tarde pas à s'apercevoir que Feydeau, au fur et à mesure que se succèdent les événements,
détraque l'ordre apparent de sa pièce en y injectant, à des doses variées,
des pincées de délire, des échappées fantaisistes, des comportements
aberrants, des bizarreries saugrenues, qui s'insinuent dans les mécanismes de l'intrigue, déjà si compliqués en eux-mêmes : ce qui était
normal ou ce qui, du moins, semblait aller de soi dans l'univers de la

représentation, devient soudain inquiétant ou absurde. Pour obtenir de tels effets, il suffit de peu de choses parfois (un nom bizarre, une /14/ particularité burlesque, un dérapage langagier) ; encore que les capacités d'invention de Feydeau dans ce registre soient inépuisables et s'exercent à longueur d'intrigue : ainsi introduit-il ici ou là, pour le plaisir, un personnage qui sent mauvais, un tapis qui bouge, un bégaiement qui varie selon l'état de la météorologie, des apparitions, des lits qui tournent, des duels au vilebrequin, un fauteuil « extatique » qui endort ceux qui l'effleurent, des distorsions d'accent, un maçon qui aboie, une dame qui veut se faire sucer une piqûre sur le haut de la fesse, des débâcles grammaticales, ou encore, dans *La Dame de chez Maxim*, les irrésistibles enjambements de la môme Crevette aux accents de « Eh ! Allez donc ! C'est pas ton père ! ». L'onomastique se dérègle à son tour, tout aussi gratuitement : à côté des Vatelin, Gautier, Moulineaux, Pochet, somme toute parfaitement attendus, voici une incroyable Urbaine des Voitures, un dentiste nommé Follbraguet, un général Petypon du Grêlé. Tantôt par l'effet d'une saute inattendue, tantôt par un glissement subreptice ou par une simple plaisanterie d'écolier, le spectacle dérape imperceptiblement, le non-sens pointe son nez, et l'on bascule, pour quelques secondes, fort loin du vraisemblable salon ou des accoutumées disputes où se cantonnait le jeu des comédiens. [...]

/21/ [...] Sur les procédés du comique dans le théâtre de Feydeau, il est inutile de revenir : ce sont ceux-là mêmes, nous l'avons dit, de la farce et du vaudeville. Depuis longtemps répertoriés et devenus familiers aux connaisseurs, ils sont ici aiguisés, chauffés à blanc et propulsés à une telle vitesse qu'ils en deviennent irrésistibles et, par là même, en quelque sorte terribles. [...] Telle est la force inquiétante du comique chez Feydeau : non seulement elle matraque littéralement le public de plaisir, mais, ne cherchant aucun accommodement avec la société qu'elle met en scène, elle refuse au rieur d'occuper une position de supé- /22/ riorité par rapport aux personnages qu'on lui montre. Le spectateur est tellement pris dans le tourbillon de ce qu'il regarde qu'il ne peut rien rapporter à lui-même de ce qui se passe sur la scène. Son rire n'a littéralement pas de cible : les catastrophes qui s'enchaînent et se dénouent sans discontinuer sous ses yeux sont à ce point nourries de fantaisie, d'absurde et d'arbitraire insolemment affiché que le spectacle ne peut être porteur d'aucune leçon. Et c'est cette abstraction du trait qui donne au rire sa vraie virulence : il ne s'agit plus ici de « mécanique plaqué sur du vivant », selon la célèbre formule de Bergson, mais d'un jeu où le mécanique a triomphé du vivant, sans rémission, à travers personnages et situations. Voilà qui met fin à toute prétention cathartique de la comédie, au profit du plaisir pervers et somme toute assez mélancolique de montrer des poupées s'agitant au-dessus du vide, dans une gigue burlesque. C'est pourquoi, me semble-t-il, les analyses de Bergson sur le rire, qui s'appliquent si bien aux pièces de Labiche, perdent beaucoup de leur efficacité s'agissant de Feydeau.

E. Ionesco, *Notes et contre-notes*, Paris, Gallimard, 1966, rééd. coll. « Folio essais », p. 305.

/305/ J'ai été étonné de voir qu'il y avait une grande ressemblance entre Feydeau et moi... pas dans les thèmes, pas dans les sujets ; mais dans le rythme et la structure des pièces. Dans l'ordonnancement d'une pièce comme *La Puce à l'oreille*, par exemple, il y a une sorte d'accélération vertigineuse dans le mouvement, une progression dans la folie ; je crois y voir mon obsession de la prolifération. Le comique est peut-être là, dans cette progression déséquilibrée, désordonnée du mouvement. Il y a une progression dans le drame, dans la tragédie, une sorte d'accumulation des effets. Dans le drame, la progression est plus lente, mieux freinée, mieux dirigée. Dans la comédie, le mouvement a l'air d'échapper à l'auteur. Il ne mène plus la machinerie, il est mené par elle. Peut-être c'est là que réside la différence. Le comique et le tragique. / Prenez une tragédie, précipitez le mouvement, vous aurez une pièce comique : videz les personnages de tout contenu psychologique, vous aurez encore une pièce comique ; faites de vos personnages des gens uniquement sociaux, pris dans la « vérité » et la machinerie sociales, vous aurez de nouveau une pièce comique... tragi-comique.

E. Ionesco, *Entre la vie et le rêve. Entretiens avec Claude Bonnefoy*, 1966, rééd. Paris, Gallimard, 1996 (extraits).

[...] – Pour en revenir au mécanisme de Feydeau : j'ai lu récemment, attentivement, une de ses pièces, *La Puce à l'oreille*. Je ne me souviens guère de l'intrigue. Ce qui était intéressant, en effet, c'était sa mécanique. On a beaucoup parlé du mécanisme de Feydeau : on ne l'a peut-être pas étudié suffisamment. On a dit aussi que Feydeau avait fait une critique, ou des tableaux pénétrants des mœurs de son époque. En réalité, le contenu de son œuvre est dénué d'intérêt ; stupide. Son mécanisme, lui, est intéressant : mécanisme de la prolifération, de la progression géométrique, mécanisme pour mécanisme. Nous connaissons tous, de Bergson, au moins une phrase célèbre : « Le comique, c'est du mécanique plaqué sur du vivant. » Chez Feydeau, c'est d'abord (dans

La Puce à l'oreille) du vivant et un peu de mécanique ; puis il reste une mécanique seule, folle, déréglée. Un dérèglement mécanique, c'est une mécanique qui marche trop bien, si bien que tout n'est plus que mécanique, si elle s'empare de tout, le monde entier n'est plus qu'une mécanique. Je constate qu'on retrouve cela chez moi, que dans *Les Chaises* il y a un dérèglement mécanique ; *Le Nouveau Locataire* aussi, c'est un dérèglement mécanique ; dans *La Leçon*, il y a un dérèglement du langage. Vous voyez, le comique est effrayant, le comique est tragique. [...]

– *Le mécanisme n'aurait-il pas pour origine un automatisme onirique ?*

– Je ne le crois pas. L'illogisme (cachant une autre logique) des rêves est tout à fait différent de l'illogisme du mécanisme déréglé, lequel comme vous le disiez tout à l'heure n'est pas à proprement parler un illogisme mais une logique poussée à l'extrême.

– *Dans* Notes et Contre-Notes*, vous parlez à propos de* La Cantatrice Chauve *de « tentative de fonctionnement à vide de la mécanique théâtrale ».*

– Cette œuvre n'a rien d'onirique. Les associations d'images, les mouvements du rêve sont tout à fait différents. Dans les rêves il n'y a pas de progression rigoureuse. On passe d'une image à l'autre, les associations se font librement. Elles sont plus désordonnées apparemment ; en réalité elles doivent suivre un certain mouvement de l'âme, de l'être, d'une façon très naturelle. Le rêve est naturel, il n'est pas fou. C'est la logique qui risque de devenir folle ; le rêve, étant l'expression même de la vie dans sa complexité et ses incohérences, ne peut pas être fou. La logique, oui. La systématologie idéologique oui, qui absolutise le relatif, qui veut faire de la subjectivité une réalité objective.

– *C'est pour cela que vous avez mis un logicien dans* Rhinocéros*, logicien qui sombrera vite dans la folie générale.*

– Évidemment, la logique est en dehors de la vie. Dans la logique, dans la dialectique, dans les systématologies, tous les mécanismes sont là, toutes les folies possibles : les systématologies perdent, on le sait, le contact avec le réel.

– *Il me semble que dans vos pièces le mécanisme est à la fois procédé et non-procédé de théâtre, dans la mesure où par le théâtre et les procédés qui lui sont propres vous mettez en lumière des mécanismes qui ne sont pas des mécanismes fabriqués comme ceux des pièces de boulevard, mais des mécanismes réels, mécanisme du comportement, du langage, etc.*

– Il y a un mécanisme du comportement, une absence de vie, donc une absence de pensée, il y a un mécanisme du langage.

– D'où le refus de la psychologie, du moins dans l'acception que les professeurs de littérature donnent à ce mot, qui caractérise certaines de vos pièces.

– C'est de là peut-être que provient le côté risible des personnages et leur côté fou. La folie c'est d'être séparé de soi-même, c'est un manque d'accord avec la réalité. Il y a des personnages qui rêvent, d'autres qui ne peuvent rêver.

Ceux qui ne rêvent pas sont fous : car ils rêvent tout de même, ils rêvent éveillés, quand il ne faut pas.

– J'ai l'impression que tout votre théâtre est construit sur une singulière opposition, opposition qui n'est peut-être pas toujours perceptible à l'intérieur d'une même pièce, mais qui est évidente si l'on considère l'ensemble de votre œuvre. D'un côté vous avez le mécanisme, le non-psychologique, tout ce qui est automatisme du comportement, dérèglement du langage. De l'autre, il y a la psychologie des profondeurs, le rêve, l'angoisse, l'obsession. Et l'on peut se demander si l'intérêt que vous portez au mécanisme ne vient pas de ce que vous êtes profondément marqué par le rêve, par la vie intérieure. Le mécanisme avec ce qu'il a de fascinant et d'inquiétant serait ce qui menace la vie intérieure de même que le rythme de vie ou les concepts imposés par la société paralysent ou endiguent la spontanéité.

– Vous avez défini bien mieux que je ne saurais le faire, mes tentatives. Théâtralement, cette opposition, c'est le comique et le tragique.

– Pourquoi, vous qui accordez tant d'importance au rêve, à la vie et par conséquent au tragique de la vie, avez-vous commencé par écrire une pièce, La Cantatrice Chauve, *où dominent le mécanique et le comique, du moins en apparence ?*

– Parce que ce théâtre mécanique c'était ce qui m'était le plus opposé. Même dans *La Cantatrice chauve*, le comique n'est pas si comique que cela. C'est du comique pour les autres. Au fond, c'est l'expression d'une angoisse. Et le comique, n'est-ce pas, est le début du tragique. Il suffit d'accélérer le mouvement, pour le comique ; de le ralentir pour le tragique. [...]

G. Deleuze, *Cinéma 2. L'image-temps*, Paris, Minuit, 1985, p. 87-90.

/87/ [...] On pourrait résumer sommairement la succession des âges du burlesque : tout a commencé par une exaltation démesurée des situations sensori-motrices, où les enchaînements de chacune étaient grossis et précipités, prolongés à l'infini, où les croisements et les chocs entre leurs séries causales indépendantes étaient multipliés, formant un ensemble proliférant. Et dans le deuxième âge cet élément subsistera, avec des enrichissements et des purifications (les trajectoires de Keaton, les séries montantes de Lloyd, les séries décomposées de Laurel et Hardy). Mais ce qui caractérise ce deuxième âge, c'est l'introduction d'un très fort élément émotif, affectif, dans le schéma sensori-moteur : il s'incarne tantôt dans la pure qualité du visage impassible et réflexif de Buster Keaton, tantôt dans la puissance du visage intensif et variable de Chaplin, suivant les deux pôles de l'image-affection ; toutefois, dans les deux cas, il s'insère et se répand dans la forme de l'action, soit qu'il ouvre la « petite forme » de Chaplin, soit qu'il comble et convertisse la « grande forme » de Keaton. Cet élément affectif se retrouve dans les Pierrots lunaires du burlesque : Laurel est lunatique, mais aussi Langdon dans ses sommeils irrésistibles et ses rêves éveillés, et le personnage muet d'Harpo Marx, dans la violence de ses pulsions et la paix de sa harpe. Mais toujours, même chez Langdon, l'élément affectif reste pris dans les dédales du schéma sensori-moteur ou de l'image-mouvement, donnant aux chocs et rencontres des séries causales une nouvelle dimension qui leur manquait dans le premier âge. Le troisième âge du burlesque implique le parlant, mais le parlant n'intervient ici que comme le support ou la condition d'une nouvelle image : c'est l'image mentale qui porte à sa limite la trame sensori-motrice, en en réglant /88/ cette fois les détours, les rencontres, les chocs sur une chaîne de relations logiques aussi irréfutables qu'absurdes ou provocatrices. Cette image mentale, c'est l'image discursive telle qu'elle apparaît dans les grands discours des films parlants de Chaplin ; c'est aussi l'image-argument dans les non-sens de Groucho Marx ou de Fields. Si sommaire que soit cette analyse, elle peut faire pressentir comment un quatrième stade ou âge va surgir : une rupture des liens sensori-moteurs, une instauration de pures situations optiques et sonores qui, au lieu de se prolonger en action, entrent dans un circuit revenant sur elles-mêmes, puis relancent un autre circuit. C'est ce qui apparaît avec Jerry Lewis. Le décor vaut pour lui-même, description pure ayant remplacé son objet, comme la célèbre maison de jeunes filles tout entière vue en coupe, dans « *Ladies'man* », tandis que l'action fait place au grand ballet de la Dévoreuse et du héros devenu danseur. C'est en ce sens que le burlesque prend sa source dans la comédie musicale[25]. Et même sa démarche semble autant de ratés de danse, un « degré zéro » prolongé et renouvelé, varié de toutes les manières possibles, jusqu'à ce que naisse la danse parfaite (« *The pasty* »).

Les décors présentent une intensification des formes, des couleurs et des sons. Le personnage de Jerry Lewis, involué plutôt qu'infantile, est tel que tout lui résonne dans la tête et dans l'âme ; mais, inversement, ses moindres gestes esquissés ou inhibés, et les sons inarticulés qu'il émet, résonnent à leur tour, parce qu'ils déclenchent un mouvement de monde qui va jusqu'à la catastrophe (la destruction du décor chez le professeur de musique dans « *The pasty* »), ou qui passe d'un monde à un autre, dans un broiement de couleurs, une métamorphose des formes et une mutation des sons (« *The nutty professor* »). Lewis reprend une figure classique du cinéma américain, celle du *looser*, du perdant-né, qui se définit par ceci : il « en fait trop ». Mais voilà que, dans la dimension burlesque, ce « trop » devient un mouvement de monde qui le sauve et va le rendre gagnant. Son corps est agité de spasmes et de courants divers, d'ondes successives, comme lorsqu'il va lancer les dés (« *Hollywood or bust* »). Ce n'est plus l'âge de l'outil ou de la machine, tels qu'ils apparaissent dans /89/ les stades précédents, notamment dans les machines de Keaton que nous avons décrites. C'est le nouvel âge de l'électronique, et de l'objet téléguidé qui substitue des signes optiques et sonores aux signes sensori-moteurs. Ce n'est plus la machine qui se dérègle et devient folle, comme la machine à nourrir des « *Temps modernes* », c'est la froide rationalité de l'objet technique autonome qui réagit sur la situation et ravage le décor : non seulement la maison électronique et les tondeuses à gazon dans « *It's only money* », mais les caddies qui détruisent le libre-service (« *The discorderly orderly* ») et l'aspirateur qui dévore tout dans le magasin, marchandises, vêtements, clients, revêtement mural (« *Who's minding the store* »)[26]. Le nouveau burlesque ne vient plus d'une production d'énergie par le personnage, qui se propagerait et s'amplifierait comme naguère. Il naît de ce que le personnage se met (involontairement) sur un faisceau énergétique qui l'entraîne, et qui constitue précisément le mouvement de monde, une nouvelle manière de danser, de moduler : « l'ondulatoire à faible amplitude se substitue au mécanique de forte pesée et à l'envergure des gestes »[27]. C'est le cas, pour une fois, où l'on peut dire que Bergson est dépassé : le comique n'est plus du mécanique plaqué sur du vivant, mais du mouvement de monde emportant et aspirant le vivant. L'utilisation par Jerry Lewis de techniques modernes très poussées (notamment le circuit électronique qu'il a inventé) n'a d'intérêt que parce qu'elle correspond à la forme et au contenu de cette nouvelle image burlesque. Pures situations optiques et sonores, qui ne se prolongent plus en action, mais renvoient à une onde. Et c'est cette onde, mouvement de monde sur lequel le personnage est mis comme en orbite, qui va susciter les plus beaux thèmes de Jerry Lewis, dans cet onirisme très spécial ou cet état de rêve impliqué : les « proliférations » par lesquel- /90/ les le personnage burlesque en essaime d'autres (les six oncles de « *Family*

Jewels »), ou en implique d'autres qui se résorbent (les trois de « *Three on a couch* ») ; les « générations spontanées » de visages, de corps ou de foules ; les « agglutinations » de personnages qui se rencontrent, se soudent et se séparent (*The big mouth* ») […].

25. *(Note p. 88)* Cf. Robert Benayoun, *Bonjour monsieur Lewis*, Losfeld.

26. *(Note p. 89)* Les trois films cités sont de Tashlin. Mais la collaboration des deux hommes rend le partage difficile, et l'autonomie active de l'objet reste une constante des films de Lewis. Gérard Recasens (*Jerry Lewis*, Seghers) peut voir un fondement du comique de Lewis dans ce qu'il appelle « la personnification de l'objet », qu'il distingue des outils et machines du burlesque précédent : cette distinction fait appel à l'électronique, mais aussi à un nouveau type de mouvements et de gestes.

27. *(Note p. 89)* Gérard Rabinovitch a analysé cette mutation des gestes et des mouvements, nouveaux sports, danses et gymnastiques, qui correspondent avec l'âge électronique (*le Monde*, 27 juillet 1980, p. XIII). On trouve chez Jerry Lewis toutes sortes de mouvements qui anticipent les danses récentes du type « break » ou « smurf ».

Bibliographie

I. L'œuvre de Bergson

1. Bibliographie bergsonienne

Gunter, Pete Addison Yancey, *Henri Bergson : A Bibliography* (1974), 2ᵉ éd. révisée, Bowling Green, Ohio, Philosophy Documentation Center, Bowling Green State University, 1986. Comprenant près de 6 000 entrées, il s'agit de la bibliographie bergsonienne la plus complète à ce jour.

2. Œuvres de Bergson

Essai sur les données immédiates de la conscience (1889), éd. F. Worms, Dossier critique A. Bouaniche, Paris, PUF, coll. « Quadrige », 2007.

Matière et mémoire (1896), Paris, PUF, coll. « Quadrige », 5ᵉ éd., 1997.

Le rire (1900), éd. F. Worms, Dossier critique G. Sibertin-Blanc, Paris, PUF, coll. « Quadrige », 2007.

L'évolution créatrice (1907), éd. F. Worms, Dossier critique A. François, Paris, PUF, coll. « Quadrige », 2007.

L'énergie spirituelle (1919), Paris, PUF, coll. « Quadrige », 5ᵉ éd., 1996.

Durée et simultanéité (1922), Paris, PUF, coll. « Quadrige », 1992.

Les deux sources de la morale et de la religion (1932), Paris, PUF, coll. « Quadrige », 7ᵉ éd., 1997.

La pensée et le mouvant (1934), Paris, PUF, coll. « Quadrige », 6ᵉ éd., 1998.

Œuvres (1959), éd. A. Robinet, avec une préface de H. Gouhier, Paris, PUF, 6ᵉ éd., 2001.

Mélanges, éd. A. Robinet, avec la collaboration de R.-M. Mossé-Bastide, M. Robinet et M. Gauthier, Paris, PUF, 1972.

Correspondances, éd. A. Robinet, Paris, PUF, 2002.

Cours, t. I : *Leçons de psychologie et de métaphysique*, éd. H. Hude, Paris, PUF, coll. «É piméthée », 1990.
Cours, t. II : *Leçons d'esthétique. Leçons de morale, psychologie et métaphysique*, éd. H. Hude, Paris, PUF, coll. «É piméthée », 1992.
Cours, t. III : *Leçons d'histoire de la philosophie moderne. Théories de l'âme*, éd. H. Hude, Paris, PUF, coll. «É piméthée », 1995.
Cours, t. IV : *Cours sur la philosophie grecque*, éd. H. Hude, Paris, PUF, coll. «É piméthée », 2000.

II. *Le rire*

1. Le texte du Rire

– « Le Rire », in *Revue de Paris*, 7ᵉ Année, t. 1, janvier-février 1900, p. 512-544, et p. 759-790 ; t. 2, mars-avril 1900, p. 146-179.
– *Le rire. Essai sur la signification du comique*, 1ʳᵉ éd., Paris, Alcan, 1900, VIII-206 p. (comportant un *Avant-propos*, une *Bibliographie*, une *Table des matières*).
– *Ibid*, 23ᵉ édition : Paris, Félix Alcan, 1924, VIII-208 p. (comportant une *Préface* où est fondu l'*Avant-propos* de l'édition précédente, une *Bibliographie* modifiée et augmentée, un *Appendice*, une *Table des matières*).
– *Ibid.*, 47ᵉ édition non modifiée : Paris, Presses Universitaires de France, 1940, VIII-182 p.
– *Ibid.*, 57ᵉ édition non modifiée : Paris, Presses Universitaires de France, 1941, VIII-160 p.
– *Ibid.*, in *Œuvres*, Paris, PUF, «É dition du centenaire », 1959 (chiffrée 123ᵉ édition), p. 391-485.

2. Autres textes de Bergson sur le rire et le comique

« Le Rire : de qui rit-on ? Pourquoi rit-on ? », in *Le Moniteur du Puy-de-Dôme*, 21 février 1884 ; rééd. in *Mélanges*, p. 313-315.
« Leçons d'esthétique à Clermont-Ferrand », in *Cours*, t. II : *Leçons d'esthétique. Leçons de morale, psychologie et métaphysique*, 1ʳᵉ Leçon, p. 37-44.
« Lettre à L. Dauriac, 4 décembre 1900 », in *Mélanges*, p. 436-437.
« Compte rendu de *An Essay of Laughter* de J. Sully », in *Revue philosophique de la France et de l'Étranger*, LVI, octobre 1903, p. 402-410 ; rééd. in *Mélanges*, p. 594-603.
« Réplique à E. Faguet », *Journal des Débats*, Feuilleton, La Semaine dramatique, 10 octobre 1904 ; rééd. in *Mélanges*, p. 631-637.

« Lettre à Y. Delage, 29 septembre 1919 », in *Correspondances*, p. 883-884.
« A propos de "la nature du comique"», in *Revue du mois*, 10 novembre 1919, t. XX, p. 514-517. (Il s'agit d'une partie de la lettre précédente répondant à l'article de Delage, à son tour partiellement reproduite en Appendice de la 23ᵉ édition du *Rire*).

3. Ouvrages et articles recensés dans la bibliographie du Rire

a) Bibliographie de l'édition 1900

Bain, Alexandre, *The Emotions and the Will*, 1859, trad. fr. P.-L. Le Monnier : *Les émotions et la volonté*, Paris, Félix Alcan, 1885, chap. XIV, § 38-39, p. 249-254.

Courdaveaux, Victor, *Le rire dans la vie et dans les arts*, Paris, Didier et Cⁱᵉ, coll. «É tudes sur le comique», 1875.

Darwin, Charles, *L'expression des émotions chez l'homme et les animaux*, trad. fr. S. Pozzi et R. Benoît, Paris, C. Reinwald, 1877, 2ᵉ éd. revue et corrigée, 1890, chap. VIII : « Joie, gaieté, amour, sentiments tendres piété », p. 211-238 (retiré de la 23ᵉ édition).

Dumont, Léon, *Théorie scientifique de la sensibilité. Le plaisir et la peine*, 1875, 2ᵉ éd., Paris, Librairie Germer Baillère et Cⁱᵉ, 1877, p. 202-226 : « IV. Le risible ».

– *Des causes du rire*, Paris, Auguste Durand, 1862.

Hecker, Ewald, *Physiologie und Psychologie des Lachens und des Komischen*, Berlin, Dummler, 1873.

Heymans, Gerard, « Zur Psychologie der Komik », in *Zeitschrift für Psychologie und Physiologie der Sinnesorgane*, Leipzig, Barth, t. XX, 1899.

Kraepelin, Emil, « Zur Psychologie des Komischen », in *Philosophische Studien*, Leipzig, Verlag von Wilhelm Engelmann, 1885, t. 2, p. 128-160 et 327-361.

Lacombe, Paul, « Du comique et du spirituel », in *Revue de métaphysique et de morale*, t. V, 1897, p. 571-590.

Lipps, Theodor, « Psychologie der Komik », in *Philosophische Monatshefte*, Heidelberg, Verlag von Georg Weiss, t. XXIV, 1888 : « I. Die Objective Komik », p. 385-422 ; « II. Die Subjective Komik oder der Witz », p. 513-529 ; t. XXV, 1899 : « III. Das Naive und der Humor », p. 28-50 ; « IV. Das Gefühl der Komik », p. 129-160 ; « V. Die Unterarten der Komik und die Komik in der Kunst », p. 284-307 ; « Schluss », p. 408-432.

– *Komik und Humor, eine psychologisch-ästhetische Untersuchung*, in Lipps, Theodor, Werner, Richard Maria, *Beiträge zur Ästhetik*, t. VI, Hamburg und Leipzig, Verlag von Leopold Voss, 1898.

Mélinand, Camille, « Pourquoi rit-on ? Essai sur la cause psychologique du rire », in *Revue des Deux Mondes*, Paris, Bureau de la Revue des Deux Mondes, LXVe année, 4e période, t. CXXVII, janvier-février 1895, p. 612-630.

Penjon, Auguste, « Le rire et la liberté », in *Revue philosophique de la France et de l'Étranger*, t. XXXVI, juillet-décembre 1893, 113-140.

Philbert, Louis, *Le rire : essai littéraire, moral et psychologique*, Paris, Librairie Germer Baillère et Cie, 1883 ; 2e éd. Félix Alcan, 1888.

Piderit, Theodor, *La mimique et la physiognomonie* (1858/1886), trad. fr. A. Girot, Paris, Félix Alcan, 1888, p. 126 et s. (retiré de la 23e édition).

Ribot, Théodule, *La Psychologie des sentiments*, Paris, Félix Alcan, 1896, Deuxième partie, chap. X : « Le sentiment esthétique », p. 342 et s.

Spencer, Herbert, *The Physiology of laughter*, in *Essays : scientific, political and speculative* (1863), trad. fr. A. Burdeau, *La Physiologie du rire*, in *Essais de morale, de science et d'esthétique*, t. I : *Essais sur le progrès*, Paris, Librairie Germer Baillère et Cie, 1877, p. 293-314 ; 2e éd. Paris, Félix Alcan, 1886.

Stanley Hall, Granville, Allin, Arthur, « The Psychology of Tickling, Laughing and the Comic », in *American journal of Psychology*, vol. IX, octobre 1897.

b) Ouvrages ajoutés à la bibliographie de la 23e édition (1924)

Baldensperger, Fernand, « Les définitions de l'humour », *Études d'histoire littéraire*, t. I-II, 1907, rééd. Genève, Slatkine, 1973, 1 vol.

Bawden, Henry Heath, « The Comic as illustrating the summation-irradiation theory of pleasure-pain », *Psychological Review*, vol. XVII, 1910, p. 336-346.

Bergson, Henri, « A propos de "la nature du comique" », in *La Revue du mois*, 10 novembre 1919, t. XX, p. 514-517.

Cazamian, Louis, « Pourquoi nous ne pouvons définir l'humour », *Revue germanique*, novembre-décembre 1906, p. 601-634 ; rééd. en vol. séparé : Paris, Félix Alcan, 1906.

Delage, Yves, « Sur la nature du comique », in *Revue du mois*, 1919, vol. XX, p. 337-354.

Dugas, Ludovic, *Psychologie du rire*, Paris, Félix Alcan, coll. « Bibliothèque de philosophie contemporaine », 1902.

Eastman, Max, *The sense of humor*, New York, C. Scribner's sons, 1921.

Freud, Sigmund, *Der Witz und seine Beziehung zum Unbewussten*, 1905 ; 2e édition, Leipzig und Wien, F. Deuticke, 1912.

Gaultier, Paul, *Le rire et la caricature*, Paris, Hachette, 1906.

Hollingworth, « Judgments of the Comic », in *Psychological Review*,

Washington, American Psychological Association, vol. XVIII, 1911, p. 132-156.

Kallen, Horace Meyer, « The aesthetic principle in comedy », in *American Journal of Psychology*, Urbana, University of Illinois Press, vol. XXII, 1911, p. 137-157.

Kline, L. W., « The psychology of humor », in *American Journal of Psychology*, Urbana, University of Illinois Press, vol. XVIII, octobre 1907, p. 421-441.

Martin, Lillien Jane, « Psychology of Aesthetics : An Experimental prospecting in the field of the comic », in *American Journal of Psychology*, Urbana, University of Illinois Press, vol. XVI, janvier 1905, p. 35-118.

Meredith, George, *Essay on Comedy and the Uses of the Comic Spirit*, Westminster, Archibald Constable and Co, 1897 ; trad. fr. H.-D. Davray, *Essai sur la comédie, de l'idée de comédie et des exemples de l'esprit comique*, Paris, Société du Mercure de France, 1898.

Schauer, « Ueber das Wesen der Komik », in *Archiv für die gesamte Psychologie*, Frankfurt am Main, Akademische Verlagsgesellschaft, vol. XVIII, 1910, p. 411-427.

Sully, James, *An Essay on Laughter*, 1902, trad. fr. de L. et A. Terrier : *Essai sur le rire, ses formes, ses causes, son développement et sa valeur*, Paris, Félix Alcan, coll. « Bibliothèque de philosophie contemporaine », 1904.

Ueberhorst, Karl, *Das Komische*, Leipzig, G. Wigand, 1896-1900, 2 vol.

4. Autres ouvrages mentionnés dans Le rire

Augier, Émile, *Les Effrontés*, in *Théâtre complet*, t. IV, Paris, Calmann-Lévy Éditeurs, 1890.

Barrière, Théodore, Capendu, Ernest, *Les Faux Bonshommes*, Paris, Michel Lévy frères, 1856.

Beaumarchais, *Théâtre*, Paris, Garnier, coll. « Classiques Garnier », 1980.

Benedix, Roderich Julius, *Der Eigensinn*, trad. fr. A. Catala, *L'Entêtement*, Paris, C. Delagrave, 1881.

Bisson, Alexandre, *Les Surprises du divorce*, Paris, Tresse et Stock, 1889.

Cervantès, Miguel de, *L'ingénieux hidalgo Don Quichotte de la Manche*, tr. fr. J. Cassou, C. Oudin, F. Rosset, Paris, Gallimard, coll. « La Pléiade », 1998.

Daudet, Alphonse, *Tartarin sur les Alpes : nouveaux exploits du héros tarasconnais*, Paris, Fayard frères, 1901.

Farce de Maistre Pierre Pathelin, Paris, Flammarion, 1995.

Farce nouvelle très bonne et fort joyeuse du Cuvier, Strasbourg, Éd. Heitz, 1925.

Gogol, Nicolas, *Le Révizor*, trad. A. Adamov, Paris, Flammarion, coll. « GF », 1988.

Gondinet, Edmond, *Théâtre complet*, 6 t., Paris, Calmann Lévy, 1892/1898.

Jerome, Klapka J., *Novel Notes*, Leipzig, Bernhard Tauchnitz, 1894.

Kant, Emmanuel, *Critique de la faculté de juger*, trad. fr. A. Philonenko, Paris, Vrin, 1993.

Labiche, Eugène, *Théâtre complet*, Paris, Calmann Lévy, 1892-1893, 10 t.

La Bruyère, Jean, *Les Caractères, ou les Mœurs de ce siècle*, 1688-1696, éd. cité : *Les Moralistes du XVIIᵉ siècle*, Paris, R. Laffont, coll. « Bouquins », 1992, p. 693-960.

Molière, *Œuvres complètes*, 2 t., Paris, Garnier, coll. « Classiques Garnier », 1962.

Pascal, Pascal, *Pensées*, éd. M. Le Guern, Paris, Gallimard, coll. « Folio », 1977, 2 t.

Prudhomme, Sully, *Les Épreuves*, in *Poésies (1866-1872)*, Paris, Alphonse Lemerre, 1872, p. 4-67.

Rabelais, François, *Le Tiers Livre des faits et dicts héroïques du bon Pantagruel*, 1546.

Racine, Jean, *Les Plaideurs* (1668), in *Théâtre choisi*, Paris, Hachette, 1899, p. 123-216.

Bürger, Gottfried August, *Les Aventures du baron de Munchhausen*, trad. fr. T. Gautier, Paris, C. Furne, 1862.

Regnard, Jean-François, *Œuvres complètes*, 6. t, Paris, J. L. J. Brière, 1823 : *Le Joueur* (1696), t. II, p. 169-318 ; *Le Distrait* (1697), t. II, p. 319-450.

Sardou, Victorien, *La Famille Benoiton*, Paris, Michel Lévy frères, 1866.

Sévigné, Madame de, *Lettres*, Paris, Gallimard, coll. « La Pléiade », 1960-1963, 3 t.

Twain, Mark, *Encounter with an Interviewer* (1874), in *Alonzo Fitz and Other Stories*, 1rst World Library, 2006.

III. Lectures et commentaires du *Rire*

1. La réception du Rire *: quelques recensions*

Dauriac, Lionel, « *Le rire* par Henri Bergson », *Revue philosophique de la France et de l'Étranger*, n° 12, décembre 1900, 25ᵉ année, t. L, p. 665-670.

Delage, Yves, « Sur la nature du comique », *Revue du Mois*, Paris, t. XX, n° 118, 10 août 1919, p. 337-354.

Dimnet, Ernest, Recension des études sur le rire de W. Hazlitt, H. Spencer,

G. Meredith, J. Sully et H. Bergson, in *Edinburgh Review*, t. CCXV, n° 440, 1912, p. 383-404.

Faguet, Émile, Sur *Le rire* de Bergson, in *Journal des débats*, n° 26, septembre 1904 ; rééd. in *Propos de théâtre : troisième Série*, Paris, Société Française d'Imprimerie et de Librairie, 1906, p. 343-374.

Hirsch, Charles-Henry, Recension du *Rire* de Bergson, *in* Mercure de France, t. XXXIV, n° 4, avril 1900, p. 223-227.

Jones, Ernest, Recension du *Rire* de Bergson, in *Journal of Abnormal Psychology*, t. 10, n° 2, 1915-1916, p. 219-222.

Momigliano, Attilio, « L'origine del comico », in *Cultura filosofica*, t. 3, n° 4, 1909, p. 406-433.

Parodi, Dominique, « *Le rire. Essai sur la signification du comique*, par M. H. Bergson », in *Revue de métaphysique et de morale*, t. 9, n° 2, mars 1901, p. 224-236.

2. *Études consacrées au* Rire

Barisch, Theodor, « Henri Bergson und das Problem des Komischen : Eine Vorstudie », in *Beitrag zur deutschen und nordischen Literatur*, Berlin, Akademie Verlag, 1958, p. 377-391.

Bornecque, Jacques-Henry, « Une Source du *Rire* de Bergson », in *Revue universelle*, nouvelle série n° 42, 25 septembre 1942, p. 304-311.

Deguy, Michel, « Essai de prolongement du *Rire* », in *Nouvelle Revue française*, t. XI, n° 1, janvier 1963, p. 177-180.

Düring, Élie, « Du comique au burlesque : Bergson », in *Art Press*, hors-série n° 24 : « Le burlesque : une aventure moderne », octobre 2003.

Fitch, Girdler B., « The Comic Sense of Flaubert in the Light of Bergson's *Le Rire* », in *Publications of the Modern Language Association of America*, t. LV, n° 2, juin 1940, p. 511-531.

Fleischmann, Wolfgang B., « Conrad's *Chance* and Bergson' *Laughter* », in *Renascence*, t. XIV, n° 2, hiver 1961, p. 66-71.

Forsyth, T. M., « Bergson's and Freud's Theories of Laughter : A Comparison and a Suggestion », in *South African Journal of Science*, t. XXIII, 1926, p. 987-995.

Galeffi, Romano, « O comico em Bergson », in *Revista Brasileira de Filosofia*, t. VIII, n° 32, 1958, p. 416-444.

Gladen, Karl, « Kommentär des Lachens : Eine Auseinandersetzung mit Bergson über das Problem der Komik », in *Philosophisches Jahrbuch der Görresgesellschaft*, t. LI, n° 4, 1938, p. 393-413.

Gunter, Pete A., « Nietzschean Laughter », in *Sewanee Review*, t. 76, n° 3, été 1963, p. 493-506.

Habicht, Rob, *Henri Bergson und das deutsche Typenlustspiel*, Leipzig, Heitz, 1936.

Jones, Joseph, « Emerson and Bergson on the Comic », in *Comparative Literature*, t. I, n° 1, 1949, p. 63-72.

Jones, Louisa, « The Comic as Poetry : Bergson Revisited », in *Nineteenth Century French Studies*, t. II, n° 1-2, 1973-1974, p. 75-85.

Lamblin, M. « *Le rire* de H. Bergson, *Hippias Majeur* de Platon », in *Bulletin psychologique*, t. XX, 1967, p. 1382-1394.

Mangold, F., « Bergsons Begriff d. Komischen erarbeit a. Molières Komödien », in *Zeitschrift für französische Sprache und Literatur*, t. XXX, n° 1, 1931, p. 1-11.

Pérès, André, *Le rire. Bergson*, Paris, Ellipses, coll. « Philo-textes commentaire », 1998.

Saulnier, Claude, « Pour une compréhension intuitive du rire : intériorité bergsonienne et intentionnalité axiologique », in *Actes du Xe Congrès des Sociétés de Philosophie de Langue Française* (Congrès Bergson), Paris, Armand Colin, 1959, p. 285-288.

Scott, J. W., « Ethical Pessimism in Bergson », in *International Journal of Ethics*, t. 24, n° 2, janvier 1914, p. 147-167.

Worms, Frédéric, « Le rire et sa relation au mot d'esprit. Notes sur la lecture de Bergson et Freud », *in* Szafran, A. Willy, Nysenholc, Adolphe, *Freud et le rire*, Paris, Éditions Métailié, 1994, p. 195-223.

Zdanowicz, C., « Molière and Bergson's Theory of Laughter », in *University of Wisconsin Studies in Literature*, t. XX, n° 1, 1924, p. 99-125.

3. *Autres articles et ouvrages abordant en tout ou partie* Le rire

Alderman, Harold, « The Place of Comedy », in *Man and World*, t. X, n° 2, 1977, p. 152-172.

Downer, Shirley, « Une vue de la comédie sauvage selon les théories du rire de Bergson », in *Chimères*, n° 1, 1975, p. 32-42.

Dupréel, Eugène, « Le problème sociologique du rire », *Revue philosophique de la France et de l'étranger*, t. CVI, 1928, rééd. in *Essais pluralistes*, Paris, PUF, 1949, p. 27-69.

Feibleman, James K., *In Praise of Comedy*, London, G. Allen and Unwin, 1939, p. 123-167.

Gerrard, Charlotte F., « Bergsonian Elements in Ionesco's *Le Piéton de l'air* », in *Papers on Language and Literature*, t. IX, n° 3, 1973, p. 297-310.

Jankélévitch, Vladimir, *Henri Bergson*, Paris, PUF, coll. « Quadrige », 2e éd. 1959, p. 121-131.

Jeanson, Francis, *Signification humaine du rire*, Paris, Seuil, 1950.

Johnson, Patricia J., « Bergson's *Le rire* : Game Plan for Camus' *L'Étranger* ? », in *French Review*, t. XLVII, n° 1, 1973, p. 46-56.

Koestler, Arthur, *Insight and Outlook*, London/New York, Macmillan, 1949, Appendice II.

Lash, Kenneth, « A Theory of the Comic as Insight », in *Journal of Philosophy*, t. XLV, n° 5, février 1948, p. 113-121.

Sroufe, Alan et Wunsch, Jane P., « The Development of Laughter in the First Year of Life », in *Child Development*, t. XLIII, n° 4, décembre 1972, p. 1326-1344.

Sypher, Wylie, « Appendix : The Meanings of Comedy », in *Comedy*, New York, Doubleday and Company, 1956, p. 193-258.

Piddington, Ralph, *The Psychology of Laughter : A Study in Social Adaptation*, London, Figurehead, 1933.

Sully, James, *An Essay on Laughter*, 1902, trad. fr. de L. et A. Terrier : *Essai sur le rire, ses formes, ses causes, son développement et sa valeur*, Paris, Félix Alcan, coll. « Bibliothèque de la philosophie contemporaine », 1904.

Webb, Ronald G., « Political Uses of Humor », in *ETC : A Review of General Semantics*, t. XXXVIII, n° 1, 1981, p. 35-50.

Cet ouvrage a été achevé d'imprimer en juin 2010
dans les ateliers de Normandie Roto Impression s.a.s.
61250 Lonrai (Orne)
N° d'impression : 102066
Dépôt légal : juin 2010

Imprimé en France